講談社文庫

ひそやかな花園

角田光代

講談社

目次

ひそやかな花園

プロローグ

五歳から十歳までの夏を、紗有美《さゆみ》は今まで幾度も思い返してきたし、今もことあるごとに思い出している。もっとも、五歳から十歳、という年齢は、紗有美の記憶が正しければ、にすぎない。その記憶は、その他の自分の過去とうまくつながっていないように紗有美には思える。

あれはどこだったのか。あの子たちはだれだったのか。私はなぜ、そこに参加していたのか。背の高い木々に囲まれた一本道。刈り揃えられた芝生敷きの庭、部屋のいくつもあるウッドハウス、年齢の近い子どもたち。

母は確実に知っているはずだが、けれど彼女がまともに答えたことはない。あれはどこだったの、と、高校に上がって紗有美がはじめて訊いたとき、「そんなところにいってない」というのが母の答えだった。「毎年旅行には連れていったけど、同じところに連れていったことなんてない」と言うのである。もっと成長してからは、「妄想か空想でしょ、お得意の」と、馬鹿にしたように笑うこともあった。写真が残っていないかどうか、さがしてもみた。それらしいものは一枚もなかった。

目に見える世界の全部を縁取るように、山々が低く連なっていた。ウッドハウスから少し歩くと沢や、森や、大きなお寺があった。どこも不思議に人がおらず、閑散としていた。夏の陽射しに芝生はきらめき、寝転がると背中がちくちくと痛がゆかった。ウッドハウスには屋根裏部屋があり、天窓があった。運よくそこに泊まれると、星を見ながら眠ることができた。食堂には白木の大きなテーブルがあり、大勢でいただきますと声を合わせた。カレーの日は午前中にもうわかった。あの魅惑的なにおいが家も庭も満たすから。

本当に妄想か空想かもしれないと、最近の紗有美は考えるようになった。あまりにも細部までくり返しくり返し思い描いたものだから、すっかり覚えてしまったのではないか。現実のように。だって、その後から今に至るまで、そんなものは何ひとつないのだ。光も雲も、澄んだ水も木々の緑も高い空も、いただきますと合わせる声も、毛布をかぶっておしゃべりをする友だちも、何ひとつその後の人生に登場しないのだもの、と紗有美は考える。

ずっと笑い転げていた夏の数日を鮮明に思い出すために、覚えていることがらを日記帳に書き出したのは、そんなところにいっていないと母に断じられた高校生のころだ。世界を縁取る低い山々、ウッドハウスから大きなお寺までの道のり。ジュリーと呼ばれていた年かさの女の子。広い食堂と細長い白木のテーブル。ちょっとだけ憧れていたユウくんという男の子の名は、雄一だった気がする。モデルか女優のようなはなやかな母親がいたが、それがだれの母親だったのかは覚えていない。いっつもくっついている男の子と女の子もいたが、あれは双子だったのだろうか。女の子はノンちゃん、男の子はケン。毎年最終日の夜に行われるキャンプファイヤー。火をつけるのがうまかった、だれかの父親。

そうして書きつけていると、あの日々はたしかな記憶だという気持ちは薄れ、本当に単なる空想であるように紗有美には思えるのだった。それでもやめなかった。ノートの三分の一が空想めいた記憶で埋まるころ、これは逃避だと紗有美は思った。自分にも逃避できる場所があるんだ、と思った。それがたとえ嘘っぱちの記憶だとしても。

二十九歳になる今も、紗有美はあのころのことを思い出している。高校生のときに書きつけたノートを、小説を読むようにじっくりと読むこともある。まだ平気、という気分になる。私はまだ平気。私はまだだいじょうぶ。

第一章

1

一九八五年

サマーキャンプに紀子がはじめて参加したのは、三歳の夏だった。紀子の持つ、ほとんど最初の記憶である。父と母と泊まりがけでどこかにいったのははじめてのことではないらしいが、けれど紀子が覚えているいちばん最初は、父と母が「サマーキャンプ」と呼ぶ、あの滞在だ。

父親のひっぱるスーツケースには、紀子のお気に入りがひとそろい入っていた。うさぎのルル、くまのララ、アニメキャラクターの描かれた鞄、鞄のなかにはハンカチやリップクリーム。

「どこにいくの？」

乗りこんだ自動車の後部座席で紀子は訊いた。キャンプよ、と、隣に座る母が答えた。

「キャンプって何？」

「お庭でお肉やお野菜を焼いたり、みんなで歌をうたったり、ゲームをしたりして遊ぶの。ノンちゃん、お友だちたくさんできるわよ」

そんなのいらないよ、と口のなかで紀子は言った。友だちなんてものより、父と母とだけ、いっしょにいたかった。正確に言えば母親とだけ。

「いらないことないよ、友だちはな、いいぞ」運転しながら父が言った。

母親に揺り起こされて、目的地に着いたことを紀子は知った。車を降りてあたりを見まわすと、まったく知らない場所だった。紀子の暮らすところとは何もかも違ったので、急にこわくなった。家もない、家の前を通る細い道路もない、コンビニエンスストアも肉屋も本屋もない。絵本で見たような家が建っていた。緑の芝生に、木を組み立てたような茶色い家。庭では数人の子どもたちが遊んでいた。帰りたい、と紀子はちいさな声で母親に言った。母親は聞こえなかったか、聞こえないふりをした。いいところね、と父親に言っている。車のトランクからスーツケースと母親のボストンバッグを出しながら、すごいな、と父は言い、ひゅうと口笛を吹いた。

その日は見知らぬ人に次々と会わされ、名前と年齢を言わなければならなかった。名前と年齢を訊かれたら、もじもじなんてしないで、はっきり「香田紀子です」と言うこと、年齢を訊かれたら指を折ったりしないで「三つ」と答えること、というのは、ずいぶん前から母親にくり返し言われていたことだった。だから紀子はきちんと名乗り、きちんと年齢を言っていたのだが、しまいにはいやになった。相手の名前も覚えられなかった。

庭の緑が橙色《だいだいいろ》に染まりはじめると、大人たちは台所にこもって料理をはじめた。騒々しい音楽が鳴っていた。いいにおいがして、笑い声が絶え間なく聞こえてきた。子どもたちはばらばらに遊んでいた。上の階で駆けまわる足音もしたし、橙色の庭にいる子どももいた。食堂のテーブルでひとり絵を描いている子もいた。どの子にも話しかけることができず、紀子は母親に相手をしてもらうために台所に入った。母親の脚にまとわりつくと、抱き上げられた。ほっとしたのもつかの間、母親は紀子を食堂に連れていき、お絵描きをしている子どもの隣に座らせた。

「ケントくん、だったよね、いっしょに遊んであげてくれる?」母が言うと、男の子は画用紙に視線を落としたまま、ひとつうなずいた。母は紀子を男の子の隣に座らせると、また台所にいってしまった。

男の子はちらりと紀子を見、「これは宇宙船。これは宇宙で見つかった花。これはひみつの書かれた石ころ」と、自分の描いた絵を指さしながら教えてくれた。「描く?」と言って、画用紙を一枚紀子の前に置く。紀子は男の子のクレパスで絵を描きはじめた。ちっともたのしくなかったけれど、ほかにどうすればいいのかわからなかった。女の子を描いた。描きながら、ちらちらと台所をうかがった。カウンターの向こうで、立ち働く女たちが見えた。そのなかに母もいる。母は、紀子のまったく知らない顔で笑い転げていた。隣に立つ女の背中を叩き、目尻を拭い、プチトマトをひとつ口に入れてまた笑っていた。紀子は急にこわくなったけれど、泣かなかった。

「この子のなまえはなに」隣に座る男の子がのぞきこんで、訊く。そんなことを考えたこともなかった紀子は懸命に考え、

「ルビー」と言った。

「ルビー」男の子はくり返して言い、自分の絵に戻る。「これは未来の自動車」羽の生えた車を描いている。帰りたい、と、その車を見つめて紀子はささやくように言った。男の子は紀子を見、自分も泣きそうな顔をして、「へいきだよ」と、自分に言い聞かせるように言う。

橙色の陽射しが部屋を細長く切り取る。母親たちの笑い声は台所からひっきりなしに聞こえ、騒々しい音楽をときにかき消した。父親がどこにいったのか、紀子は顔をあげてさがしたが、見あたらなかった。ほかに数人いたはずのだれかの父親たちもいない。へいきだよ。隣で自動車を銀色に塗る男の子に、もう一度そう言ってほしくて、紀子は彼の真剣な横顔をじっと見つめた。

2

一九八六年

夏になると別荘にいく。はじめていったのはいつか、そのときどう思ったかは、もう覚えていない。八歳の夏には、それは樹里にとって当然のことだった。夏休みに飽きはじめたある日、トランクに荷物を詰め、母とともに家じゅうの鍵を確認し、家を出て電車に乗りこむのは。

最初は父親もいっしょだった。けれどいつからか父親は別荘にはいかず留守番をするようになり、母と二人で出かけるようになった。

「ここがいちばん好き」と、別荘で会うたび、紗有美は言う。「ずっとここで暮らしたい」とも。樹里より二歳年下の紗有美は、今年小学生になったはずだ。保育園には友だちがいなかったらしいことを、樹里は知っている。紗有美の母親が、ほかの母親に話しているのを聞いたのだ。だから紗有美はここが好きなんだろう。ここには友だちがいるし、みんなよりぐずでも、ぼんやりさんでも、だれも紗有美をいじめない。

自分は紗有美とは違う、と樹里は思っていた。学校には大勢友だちがいる。学校にいきたくないと思ったことなどただの一度もない。夏休みだって、はじまったとたんにつまらなくなってしまうのだ。けれど樹里もまた、別荘で過ごす数日を好きだった。でも、その「好き」と紗有美の「好き」は違うのだろうと樹里は思うのだった。

毎年夏の数日を過ごす、壁も床も木の大きな家は、自分の別荘なのだと樹里は思っていた。だって、そこにいくのは決まりごとのようだったし、母はいつも、自分の家に上がるように別荘に上がりこむから。自分たちの到着前に必ずいる、弾《だん》や弾の両親、前後してやってくる紀子や賢人、その親たちは、親戚なのだと思っていた。大人も子どもも大勢集まる機会は、樹里には夏のその数日しかなかった。

樹里は紗有美といっしょにお寺に向かって歩いている。両側に白樺の生い茂る、砂利敷きの一本道をまっすぐ歩くと、大きな三叉路《さんさろ》に出る。それを右に上がっていくと、ずいぶん大きなお寺がある。「お寺」とみんな呼んでいるが、広大な敷地には公園も鳥舎も広場もある。敷地内のなだらかな坂道をずっと上がっていくと、いちばんてっぺんに真っ白なお寺がある。樹里にはどう見てもお寺には見えないのだが、お寺らしい。陽射しは木々に遮られ、一本道は薄暗い。ところどころ、葉の合間から陽が射しこんでレースのような模様を作っている。静かで、涼しい。

「私、ここに住みたいな」毎年言うことを紗有美が言う。「ジュリーもそう思うでしょ？」

「でもここに住んだら学校にいけない」樹里は、ジュリーという、ここでしか使われないあだ名が好きではない。母がそう呼ぶようにみんなに言ったのだ。

「ジュリー、学校なんか好きなの？」紗有美は大人びた顔つきで言う。

「だって友だちいるもん。マッキーやリンちゃんに会えなくなる」言ってから、悪いことを言ったと樹里は気づく。紗有美はきっと、入学した小学校にも友だちがいないままなのに違いない。「スガワラ、元気かな」樹里は話題を変える。スガワラというのはお寺の鳥舎で飼われている孔雀で、ときどき檻《おり》を出て外を歩いている。「スガワラ」と、二年前、樹里が勝手に名前をつけた。

「今年は新しい子はだれもこないね」紗有美が言う。

「今日くるかもよ。明日くるかも。ノンちゃん、去年はすっごいおとなしくて泣いてばっかだったけど、今年はたのしそうだよね」

「ケンちゃんとばっかりいる」

「仲いいよね」たしかに、去年新しくやってきた紀子は、今年、賢人とばかりくっついている。樹里たちが話しかければ答えるし、去年のように泣いたりぐずったりすることもないけれど、気がつけば賢人と二人で、部屋の隅にいたり、階段の踊り場にいたりする。何がたのしいのか、おもちゃも持たず耳打ちをし合ってはくすくすと笑っている。

「ケンちゃんとしか、話さないよね。なんか二人でこそこそ笑ってて」紗有美が言い、その言いかたに「悪い」感じを嗅ぎ取った樹里は「そんなことないよ」あわてて否定する。「ノンちゃん、私たちとも話すよ。昨日はトランプしたし」

「えっ、トランプ？　いつ？」

「ごはんのあと。サーちゃんは寝ちゃってた」

「えー、ごはんのあとー？　紗有美そんなの知らない」

「だって寝てたんだから、知らないよ」面倒になって、樹里は走り出す。もう三叉路が見えている。白樺林の先の道路は、陽射しに白く染められている。待って、待ってと言いながら紗有美が追いかけてくる。

人のことをぜったいに悪く言っちゃだめと、樹里は再三母親に言われている。最初は「悪く」というのがどういうことを言うのかわからなかった。けれど最近はわかる。今の、紗有美みたいなことだ。紗有美には、母の言う「悪」いような感じがどうやらあると、今年になって樹里は気づきつつある。トランプだって、寝たのは紗有美で、意地悪で仲間はずれにしたわけではないのに、そんなような言いかたをする。だからきっと友だちがいないんだ、と樹里は内心で思う。そんな紗有美は、ちょっと面倒でもあり、気の毒でもある。そしてなぜだかはわからないが、こわいとも思う。

待って、待ってと背後から追いかけてくる声が、半べそになってきたので、三叉路で立ち止まって樹里は紗有美が追いつくのを待つ。あそこではあなたがいちばんおねえさんなんだから、と、これも毎年、別荘への出発前に母親から言われている言葉だ。だからみんなの面倒を見なきゃいけないし、みんなにやさしくしないといけないの。追いついた紗有美に手をのばし、自分よりまだちいさい手のひらを、樹里はそっと握って歩き出す。

その日の夜は、夕食のあと演芸大会になった。ひとりでも二人でも、グループでもかまわず、リビングの、使われていない暖炉の前のステージで、歌や踊りを披露するのが「演芸会」で、毎年のように行われている。ソファや床、食堂から持ってきた椅子、みんな思い思いの場所に座って、大人たちはお酒を飲み、子どもたちはこの夜だけお菓子を食べてもいいことになっている。樹里は母親と組み、去年もやって拍手喝采を浴びた「セーラー服を脱がさないで」を振りつきで歌った。弾ママと弾パパは二人でデュエットをし、紀子ママがピアノで伴奏をつけた。

弾と雄一郎は今年も二人で漫才。中身はあんまりおもしろくないのだが、つっこみ役の雄一郎が、ふだんクールな弾をばしばし叩くのがおかしくて、樹里は転げまわって笑う。歌うのも踊るのも苦手で、去年は途中で泣き出してしまった紗有美は、今年は手品を披露した。新聞紙から花が飛び出してくる手品と、トランプのカードを当てる手品だ。紀子パパはギターを弾きながら歌い、賢人ママはスカートを腿《もも》までまくり上げて、段ボールで作った傘をふりまわし、へんな踊りを歌いながら踊る。去年は見ているだけだった紀子は、賢人といっしょに「ポリアンナ物語」の最後の歌を、声をはりあげて歌った。

「ねえ、私たちも来年は新しいのにしようね」床に座ってポテトチップスを食べる樹里に、母親が耳打ちする。母親の口からは、煙草とお酒のにおいがする。

「そうだね、セーラー服はもう古いよね。練習しなくちゃ」

「ジュリー、ピンク・レディー教えてあげるからいっしょにやろうか」

「なあに、それ、知らない」

うふふ、と笑って母親は樹里の頬にキスをする。くすぐったくて樹里は笑う。母親は笑う樹里を抱きしめて笑う。たしかにここで暮らしたいかも、と、樹里もちらりと思う。母親がこんなふうにいつも笑い転げていてくれるのなら。

「ねえ、涼子ちゃん、ぼくとピンク・レディーやろうよ」鼻の頭の赤い弾パパが言い、やろうやろうと樹里の母親は立ち上がる。弾ママのミニスカートをはいてあらわれた弾パパと、樹里の母親は、暖炉の前で樹里の知らない歌を振りつきで踊る。子どもも大人も、それを見てみんな笑い転げる。今年の優勝はピンク・レディーかなと、かたわらにいた賢人ママが、笑いすぎて流れた涙を拭いながら樹里に言う。

樹里の父親が家を出ていったのは、その年だった。別荘から帰ると、日曜日なのに家に父の姿はなかった。それきり、父親が三人で暮らしていた家に帰ってくることはなかった。

3

一九八七年

弾が夏の別荘を好きだったのは、そこでは「早坂弾」を演じなくていいからだった。別荘から山に向かって十五分ほど歩くと、「沢」とみんなの呼ぶ遊び場がある。流れのゆるい川が、岩場をぬうように流れている。水は澄んでいて、アーチ状に伸びた木々の下は驚くほど冷たい。木々に遮られていない場所はガラスの破片のようにきらめいて、そこは水もあたたかいのだ。弾は岩のひとつに腰掛け、足先だけあたたかい水に浸して、雄一郎と波留《はる》が水遊びをしているのをぼんやりと眺めている。水着もつけず真っ裸の雄一郎は、水に潜っては水滴をはね散らかして飛び出てくる。そのたび波留が黄色い声を出して笑う。

「なあ、飛びこみにいく?」きらきらと輝く水滴に目を細め、弾は雄一郎に向かって怒鳴る。

「えー、いかないよ。怒られるもん」雄一郎は上半身を水から出し、怒鳴り返す。

「黙ってればばれないよ」

「飛びこみって何？」今年はじめてここにやってきた波留が訊く。

「いこうぜ」弾は立ち上がり、岩から岩へ飛んで移動し、草の生い茂る川沿いの道を裸足《はだし》で走る。足の裏や脛《すね》が草でちくちくする。

少し先にいくと、三メートルほどの滝があり、滝の流れ落ちる先は天然のプールのようになっている。滝のわきから下にはじめて飛び降りられるようになったのは二年前、弾は七歳だった。それ以前は足がすくんでどうしても飛び降りられなかった。去年、弾や雄一郎の真似をして飛び降りようとした賢人が、飛び降りる直前に足を滑らせ、飛び降りるというよりは、滝壺に落ちた。滝壺は浅く、弾たちが立っても水から顔は出るから、おぼれるようなことはないはずなのに、落ちて驚いたのか賢人は立ち上がれずばしゃばしゃと水を打った。弾が水から引き揚げたときには大量の水を飲んでいて、幾度も吐いた。大人たちには言うなと念押ししたのに、一部始終を見ていた紀子がしゃべり、弾も雄一郎もこっぴどく叱られた。以後、滝壺で遊ぶことは禁じられた。

滝に近づくにつれ、水音が大きく響き、空気がひんやりとする。いかない、と言った雄一郎も、結局波留といっしょについてきている。複雑に入り組んだ枝の向こうに

見える滝を指さし、

「あそこから飛び降りるんだよ」弾は新入りの波留に教える。

「うわー、すごい、やりたい」波留はそう言って、弾より先に走り出す。

　草や低木につかまりながら、急斜面をよじのぼり、飛び降り口に並んで立つ。

「ここから見下ろすとけっこうあるね」波留が言い、得意げな気分になった弾は何も言わず飛び降りる。ひええ、と波留の上げた悲鳴とも歓声ともつかない声が遠く聞こえる。体を丸めて水に飛びこむ。木々の葉が陽射しを遮っているから水はうんと冷たい。飛びこんだ弾は足場を見つけて立ち上がり、水面から顔を出して、ぎゃあああ、と雄《お》叫《たけ》びを上げて笑う。雄一郎も続けて飛びこむ。弾は盛大な水しぶきを頭からかぶり、まだ笑い続ける。

「波留、おいでよ」手招きするが、波留は唇を引き結んで滝壺を見据えている。無理だろうなと弾は思う。女で飛びこんだやつはいない。けれど次の瞬間、波留はそういう習性を持った動物みたいに高く飛び上がり、まっすぐ落下してきた。またしても派手な水しぶきが上がり、弾と雄一郎は必要以上の大声で笑う。水から顔を出した波留も、背をのけぞらせて笑っている。

「小便したくなった」雄一郎が言う。

「うげー、きたねえの」と波留。

「しようぜ、おれもする」

「やだー、じゃあ私も」

滝壺から頭を出したまま、三人で神妙に黙る。気合いを入れないと、しようと思っても小便はなかなか出ない。えい、と力を入れるとようやく腰のあたりがなまあたたかくなる。眉間にしわを寄せていた波留も雄一郎も、ふと表情を弛緩させ、あ、出たな、と弾は思い、思ったとたんに炭酸みたいに笑いがこみ上げる。雄一郎も波留も笑う。笑い声が鬱蒼《うっそう》と茂る木々のなかにこだまする。

小学校でも塾でも、こんなふうに笑ったりできないことを弾は自覚している。まして、やってはいけないと言われていることをやることなど、ぜったいにない。

周囲が自分をどう見ているのか、あるいは、自分にどうあってほしいのか、弾はひどく幼いころから察知していた。もちろんそれをはっきり意識したり、言葉にしたりはできなかったが。宿題は忘れず、乱暴もせず、友だちには親切で、勉強も運動もでき、できることを鼻にかけず、はしゃいだり騒いだりは決してしない。そうでなくてはならないのだと、弾はずっと思っていたし、今も思っている。結果、弾は一目置かれる子どもになった。学校で自分を嫌う先生も生徒もいない。間違ってもいじめられたり馬鹿にされたりすることはない。塾でもそうだ。体操教室でもそうだし、ピアノ教室でもそうだ。両親は弾がそういう子どもであることを心から喜んでいる。自分が彼らの「宝物」であることを弾自身、知っている。両親が毎日のようにそう言うからだ。なぜ「宝物」なのかといえば、自分がほかの子どもとは違うからだと弾は理解している。

けれどときどき、透明人間になったように思うことがある。クラスメイトたちは馬鹿げた遊びには弾をぜったいに誘ってくれない。一学期爆発的にはやった「うんこゲーム」の細かいルールを弾は知らない。だれかが粘土で作った「うんこ」を、ロッカーや机やランドセルにこっそり忍ばせて、それに気づいた人はだれにも言わずほかの人の持ちものに紛れこませる。一日じゅう「うんこ」を持たされていることに気づかない人がその日からしばらく「うんこ」呼ばわりされる、というのがそのゲームの基本設定らしいことは知っているが、ルールはもっと細かくあるらしい。そのゲームのどこがおもしろいのか弾にはさっぱりわからないのだが、「うんこ」と連発してぎゃあぎゃあ笑っているクラスメイトを見ると、自分はみんなには見えないのではないかと思えてくるのである。

けれど別荘に集まる子どもたちは、だれも弾のことをとくべつ扱いしない。雄一郎と漫才コンビを組んでいることを、クラスメイトに言っても信じてもらえないだろう。滝壺で小便をして笑っていることも。

体じゅうから水を滴らせて、三人並んで山道を歩く。裸だった雄一郎はパンツだけはき、シャツやズボンは首に巻いている。濡れた体を拭きもせず服を着た弾は、ぺたぺたと貼りつくシャツの不快さに耐えながら歩く。蟬の声が分厚いカーテンのように周囲を覆《おお》っている。

「今日、子ども夕飯じゃない？」雄一郎が思い出したように言う。

「なあに、子ども夕飯って」初参加の波留は知らないことばかりだ。

「おれたちがごはん作るの」

「えー、作れるの」

「バーベキューとカレーだから、かんたん。準備もうはじまってるかな。遅れるとジュリーがまた怒るよ」

「じゃあ競走しようよ、よーい、どん」勝手に言って、ひとり波留が駆け出していく。弾と雄一郎は顔を見合わせ、勢いよく走り出す。小柄な波留は思いの外走るのが速く、なかなか追いつかない。短く切った髪から水滴がはねる。Tシャツもスカートも体に貼りつけて走る波留の後ろ姿を、じっと見つめて弾は走る。

　学校と家で過ごす膨大な時間を、弾は嫌いなわけではない。透明人間のような気持ちになることはあるが、それをさみしいとか、つらいとか思ったことはない。第一、だから自分は「宝物」なのだ。宝物で居続けることと、うんこゲームに入れてもらえることと、どちらがいいかといえば断然宝物を選ぶ。

でも、と弾は走りながら考える。この夏の数日がなかったら、なんだかつまんないだろうな。うんとちいさいころそうだったように、別荘で過ごすのが親子三人だけになり、ほかの家族がこなくなってしまったら、世のなかは色を半分くらい失ってしまうような気がする。

「あいつ、はええな、女のくせに」少しうしろを走る雄一郎が言い、

「本当は男かも」弾は笑って答える。だってあいつ、飛びこんだ。

「でもちんちん、なかったぜ」

まじめな雄一郎の声がおかしくて、弾は笑う。笑ったら息が切れ、その場に立ち止まって笑う。こらえきれなくなって、一本道にしゃがみこんで笑う。「なかったな！」笑いながら叫ぶ。

4

一九八八年

夏のキャンプがなかったら、世界とはそうしたもの、と紗有美は納得していただろ

う。そういうもの、というのはつまり、自分を決して仲間とは認めてくれないもの。自分の前で、すでに扉が閉ざされているもの。その理由を決して知るところのない笑い声で満ちている場所。

保育園のときから仲良しの子はいなかった。最初からそうだったので、不思議には思わなかった。

私、へんなのかな、とはじめて思ったのは年長組に上がったときで、同じ組にいた女の子から、はっきり意地悪とわかる意地悪をされたからだった。紗有美の通っていた保育園では月に一度、弁当の日があったのだが、あるときその女の子が、紗有美の弁当をくさいと言った。くさくて、きたないと。たしかに、ほかの子どもたちの弁当は色鮮やかで華やかだった。アニメのキャラクターがいたり、星やハートがあったり。全体的に茶色く、黒い海苔に覆われている紗有美の弁当は、くさくはないがたしかに「きたない」ように紗有美自身にも思えた。翌月の弁当の日、女の子は数人に声をかけ、紗有美のまわりを取り囲んで、紗有美が弁当のふたを開くのを待ちかまえていた。あ、意地悪されてるんだと紗有美はこのときはじめて知った。ふたを開けると案の定、くさい、きたないとはやしたてられた。

休み時間も、母親のお迎えを待つあいだも、これみよがしに内緒話をされたり、遠巻きに笑われたりした。どうしていいのかわからなかったから、紗有美はただおとなしくすべてを受け入れていた。泣きもせず、親に言うこともせず。

小学校に上がるとき、もしかして、という期待はあった。もしかして、友だちができるかもしれない。意地悪する子なんてひとりもいないかもしれない。けれど、何も変わらなかった。紗有美の通っていた保育園の子どもは、ほとんどが同じ小学校に入学した。紗有美の弁当をけなした女の子もいっしょだった。彼女の音頭取りによって、紗有美は保育園のときと同じ立場に居続けることになった。

三年生になったときから、はっきりと意地悪をされるようになった。上履きがなくなる、筆箱がなくなる、教科書にいたずら描きをされる、無視される。そのことに薄々感づいているらしい先生は、紗有美を呼び出し、「あなたもみんなの仲間に入る努力をしなくちゃだめ」と言った。

クラスメイトにされたこと、先生に言われた言葉を、紗有美は母親には伝えなかった。母親に嫌われたくなかったからだ。学校でそんな目に遭わされている娘を、母親はぜったいに好きになってくれないだろうと紗有美は思っていた。

だから、母親に話すためだけに、紗有美は架空の世界をまるごと創らなければならなかった。数人の友だちの名前やあだ名、顔立ちや親の職業、ときどき招かれる彼らの住まいの詳細。母親が帰ってくると、紗有美は台所で立ち働く母親にまとわりついて、架空の世界の話を夢中で聞かせた。「ほのかちゃん」はママがデザイナーでお洋服がいつもお洒落な子、「たっくん」は去年大阪から引っ越してきて漫才のうまい子、細部を間違えないように慎重に紗有美は話すのだが、母親はだれがだれか覚えてはいないらしく、ちいさなことを気づかず間違えてしまっても、指摘されることはなかった。紗有美の話す「お友だち」にみな母親しかいないのは、父親のいない家庭を営む母への、大人びた配慮であったのだが、そのこともまた、母が不思議に思うことはないようだった。

夏のキャンプにいかなければ、そういうすべてに紗有美は納得していたはずだった。だって、それしか知らないのだ。保育園での意地悪をそのまま受け入れたように、だれも話しかけてくれない学校生活と、自分の味方になってくれないらしい先生と、さほど自分には興味がないのかもしれない母親、それらを受け入れたはずだった。母の帰りを待ちながら、次第に暗くなっていく和室で創り上げる架空の世界があれば、それで充分だったはずだった。

紗有美がはじめて「キャンプ」に参加したのは、五歳の夏休みだった。「キャンプにいくわよ」と、ある日母が宣言したのだ。キャンプというものがどういうものか知らなかったし、列車に乗っているときは不安だった。捨てられるのかもしれないと、意味もなく考えたりもした。

連れていかれたのは大きな家だった。絵本に出てくるような木でできた家。くまの家族がシチュウを煮ているような家。そこには、年のそう変わらない子どもたちと、その親たちがいた。保育園でそうであるように、彼らが仲良くしてくれるとはまったく期待していなかったのだが、着いた初日から、いろんな子どもに話しかけられた。トランプにも交ぜてもらったし、だれかが考え出したらしいへんな遊びにも入れてもらえた。何を言っても笑われず、後れをとっても無視されなかった。

紗有美は知ってしまった。だれも自分を遠巻きにしない、笑わない、無視しない、意地悪をしない世界があることを知ってしまった。そうでない世界は、ただただしんどいことを知ってしまった。

もうひとつ知ったことがある。母親の、もうひとつの姿である。ウッドハウスに滞在しているあいだ、母は、ふだんは見せないような顔で笑うのだ。紗有美を抱きしめたり、頬ずりしたり、キスしたり、ふだんは滅多にしないことを惜しげもなく、する。しかも、紗有美の話を興味深げに聞き、質問までし、笑ったり顔をしかめたりする。紗有美がもっともうれしいのは、母が褒《ほ》めてくれることだった。紗有美自身にも言うし、ほかの子どもたちにも、大人たちにも言う。「この子はすごくやさしいの」「ゆっくりさんなのは、頭がいい証拠」「サーちゃんは本当に美人」などと。

ふだんだって母を嫌いなわけではなかったけれど、そんなふうに表情ゆたかで生き生きとし、自分に興味を持ってくれ、うるさいほど抱きしめてくれ、うっとりするような言葉で褒めてくれる母親は、別人としか思えなかった。キャンプにこなければ、知らないもうひとりの母だった。

キャンプにいくようになってから二年目には、こっちが本当の世界だと紗有美は考えるようになった。今まで自分が空想したような世界、それが現実としてあるこの山のなか、これが私の、本当のこと。ここ以外のことは、本当じゃない。私の本当は、だから一年のうちの、ほんの少ししかない。紗有美はそう思うことにした。

芝生の庭に寝ころんで、樹里と雄一郎とともに、紗有美は雲のかたちを動物に見たててしりとりをしている。「イカ」「カモ」「もぐら」まできて、ら、ではじまる動物を紗有美は思いつけない。いち、に、と雄一郎が制限時間のための数を数えはじめる。「待って、ずるいよ、ユウくん、あれ、もぐらになんて見えないよ。やりなおしてよ」ここでなら紗有美は思ったことをなんでも言える。

「えー、じゃ、ももんが、でもいいよ」

「うーん、じゃあ、あれ」澄んだ空に浮かぶ薄い雲を紗有美は指さす。「あれ、蛾」

「なんだよ、が、って」

「蝶みたいなやつ、いるじゃん。蛾」

「じゃ、骸骨」べつの雲を指して樹里が言い、「骸骨は動物じゃなーい！」雄一郎が叫び、樹里は高らかに笑う。紗有美も笑う。ウッドハウスにほど近い庭では、大人たちがバーベキューの道具を組み立てている。芝生の上を転がって笑いながら、紗有美は母の姿を目で追う。

母は缶ビールを持って、バーベキューセットに火をおこす弾の父親を見守っている。弾の父が何か言うと、紗有美の母は彼の肩を叩いて笑う。そのわきでは、弾の母と紀子の母、それに賢人の母が三人で料理の下ごしらえをしている。その足元では、相変わらず紀子と賢人がぴったりくっついてしゃがみ、何をするでもなく、くすくす笑っている。その様子は、学校のクラスメイトたちのことを思い出させ、紗有美をいつもおもしろくない気分にさせる。紗有美は二人から目をそらし、また母親に視線を戻す。背を丸めて火をつけている弾の父親にぴったりと寄り添い、その背に手を置き、母は何かを夢中で話している。その母が、家にいるときより美しく、たのしそうであることに紗有美はほっとする。

「もう、雲、ないよ」寝転がったまま雄一郎が言う。おだやかな風が頬を撫でていく。芝生の、青臭いにおいが鼻をつく。

「ずっとここにいたい」紗有美はだれに言うでもなくつぶやく。

「ねえ、もう雲ないってば」雄一郎がくり返し、

「じゃ、なんかべつの遊びしよっか」樹里が寝転がったまま、満足げなけだるい声で言う。ずっとここにいたい。この、本当のところに。紗有美は心のなかでくり返す。

5

ここに集まる子どもたちの関係はいったいなんであるのか、と言い出したのは、前の年にはじめてやってきた波留だった。

「ねえ、私たちって、いとこ？　はとこ？」米をといでいた波留がふいに言い、キッチンにいた子どもたちはみな手を止めて波留を見る。

「はとこって何」相変わらず賢人と寄り添って、肉に金串を刺している紀子が訊く。

「親のいとこのこ」いちばん年長の樹里は説明し、そしてはじめて、自分たちのつながりはなんであるのかという疑問を抱く。それまで、なんとなく親戚のようなものだろうと思ってはいたが、深く考えたことはなかった。波留以外のみんなも、やっぱり考えたこともないのだろう、驚いたように顔を見合わせている。

「いとこなら、なんでお正月に会わないの？」

波留が重ねて訊く。父がいた一昨年まで、正月はいつも父と母と三人で過ごしていた樹里は、その言葉の意味がよくわからない。

「そういえば、お正月には会わないね」食器籠《かご》に入った皿を棚にしまっていた紗有美が言う。

「親戚とは違うと思う。おじいちゃんだって、みんな違うでしょ」と、賢人。

「それに、だれも顔、似てないよね、ママたち」紀子が言い、たしかにそうだ、と樹里はあらためて気づく。では母親同士がいとこなのか。でも、そんな話は聞いたことがない。めまぐるしく考えながら、樹里はじゃが芋の皮を剝《む》く。

「おんなじ病院で生まれたのかも。それでママたちが知り合いになったんじゃないかな」波留が言う。

「でも年齢がばらばらだよ」と、賢人。

「みんなが赤ちゃんのころ、おんなじ町に住んでたとか」と、紀子。

毎年、夏休みの数日をともに過ごす家族たちは、どんな関係であるのか。ここに集まる家族の共通点はなんなのか。関係、という言葉も、共通点、という言葉も、十歳の樹里には思い浮かばず、思い浮かばないからこそ、急激に不思議な気分になった。親戚ではないとするなら、私たちっていったいなんなのだろう。学校の友だちとも違う、近所の児童館に集まる「キッズクラブ」とも違う。あ、でも、みんな同じことがひとつある、と樹里は思いつき、口にする。

「みんなひとりっ子だから、そういう子たちで遊ぼうっていう会じゃない？」

みんな、さすが樹里、というような顔で自分を見ていることを意識し、樹里は安堵《あんど》する。自分はみんなよりおねえさんなのだから、みんなの面倒をみなきゃだめよ、と母親から言われているが、弟も妹もいない樹里が「みんなよりおねえさん」を実感しはじめたのはほんの一、二年前だ。

「私、妹か弟がほしいって言ったのにダメだって言われた」波留が言うと、

「だからさ。私たちがみんな、それぞれ妹とかおねえさんってことなんじゃないの」紗有美が言う。自分の、「ひとりっ子の集い」案は受け入れられたようだが、けれど樹里はもうひとつあらたな奇妙さを感じはじめる。なぜ、この夏のキャンプについて、だれも親から説明を受けていないのか、ということだ。

子ども夕飯には大人はいっさい手出しをしてはいけないことになっている。何人かの親は車で買いものにいっていて、何人かの親は二階でそれぞれレコードを聴いたり本を読んだりしている。樹里は二階の気配に耳をすますが、何も聞こえてはこない。

「炭に火、ついたよ」庭に面したガラス戸を開け、弾が顔をのぞかせる。「着火剤使わなかったんだぜ。ねえねえ、なんか焼くものないの」靴を脱ぎ捨てて部屋に上がり、キッチンに入ってくる。

「まだ焼くのは早いんじゃない？　それより、ケーキの材料、出てるからこねてよ」樹里はダイニングテーブルに載ったボウルを顎《あご》でしゃくる。

「ちぇっ、地味な仕事。ユウー、おれ粉こねてるから」弾は庭にいる雄一郎に向かって叫ぶ。

「ねえ、弾は聞いたことある？　私たちってどうして集まったのか」流しで手を洗う弾に樹里は訊いた。

「どうしてって、何」

「だからさ。私たちはいとこでもないし、同級生でもない。どうして毎年ここに集まってるのか、ママに訊いたことある？」

「ああ」うつむいたまま弾はちいさく首を動かす。「ママたちが友だち同士なんだよ。それで約束したんだって。夏はみんなで遊ぼうって」

「え、そうなの？　親戚とかじゃないの？」ひとりっ子の集いではなかったのか。

「弾のママがそう言ったの？」弾はうなずきながらその場を離れ、ダイニングテーブルに向かう。

「私たちもママになったら、ここに子どもを連れてこようね」紗有美が言う。

じゃあ、どうしてみんなひとりっ子ばかりなのだろう。樹里はまたしてもあらたな疑問を抱くが、うまく説明できる気がせず、それはのみこむ。友だち同士だったママたちが、みんなでひとりだけ子どもを産もうって約束したのだろうか。それともこれから、弾や紀子、パパのいる人たちには、妹や弟ができるのだろうか。

部屋割りは先着順である。いちばん最初に着いた家族が、好きな部屋を選んでいいことになっている。同じ日に数組の家族が到着すれば、あみだくじ。その年、弾たち家族の次に到着した樹里と母親は、天窓つきの最上階の部屋を真っ先に選んだ。いちばん人気の部屋である。

今、ベッドで樹里は、紗有美と波留と三人で寝そべり、頭上の窓を見上げている。紀子と賢人はしっかり手をつないで、クロゼットの扉にもたれて座っている。

いつもは九時過ぎのこの時間、順番に風呂に入り、眠たくない人はリビングルームで音楽を聴いたり、踊ったり、談笑したり、お酒を飲んだりしているが、今日は大人たちのほとんどがいない。弾の父と紗有美の母は子ども夕飯にもあらわれなかった。夕食が終わったあと、弾の母と樹里の母も、紀子の父の車に乗って出かけてしまった。どこにいくの、と出がけの母に訊くと、「演芸会の買い出しにいくのよ」と言っていたが、そうとは思えない顔つきをしていた。つまり、ちっともたのしそうには見えなかった。こんな夜ははじめてだった。それでも母親がいないおかげで、天窓の部屋で子どもたちだけで集まり、お菓子を思う存分食べることができる。

「ママたちが友だちだって弾は言ってたけど」寝転がった紗有美が口を開くと、チョコレートのにおいが漂う。「ジュリーの言ってたほうが合ってる気がする。私たちのこと、きょうだいにするつもりなんじゃないかな、ママたちは」

「若草物語」波留が言う。「メグはジュリーだね。私はジョーかな。ベスはサーちゃんで、エイミーはノンちゃん」

「えー、なあに、それ」と訊く紗有美を無視して、樹里が続けた。

「じゃあローリーはケンちゃんだ」

「え、ローリーはジョーを好きなんじゃなかったっけ」

「最後はエイミーと結婚するんだよ。続きがあるから読んでみて」

「じゃあ、雄一郎と弾は？」

「そうだなあ、ローリーの家庭教師はどう？」四角く切り取られた夜空には、パン屑のように星が散らばっている。

「ねえ、仲間はずれにしないで！　なんの話してるの？」紗有美が上半身を起こし、泣きそうな声を出す。

「帰ったら読んでみなよ、『若草物語』」そんな紗有美に苛《いら》つきながら、樹里は慎重におだやかな声を出した。結婚。結婚だって。ちいさな声で言い、紀子と賢人は顔を見合わせてくすくす笑いをしている。

母親のいない夜は、どれだけくり返しても慣れることがなく、樹里はいつだって不安な気持ちになる。けれどここでは、こんなに遅い時間に母親の姿が見あたらなくてもへいちゃらだった。こわくもないし、不安でもない。

「ねえ、さっき私、冷凍庫にアイス見つけたんだ」樹里はベッドに起き上がって言う。

「私ね、ジュリー、コーヒーも飲みたい」波留も起き上がる。

「よし、今日はとくべつに私が許可を出す。アイス食べてコーヒー飲んでから寝ようか」マーチ家の長女を気取って樹里が言うと、波留と紗有美が歓声を上げた。紀子と賢人も手をつないで立ち上がる。アイスクリームもコーヒーも、いつもは大人の許可がなければ口にできないのだ。

「コーヒーにね、アイスクリームを落として食べるとおいしいんだよ」大人びた口調で波留が言う。

「え、それ食べてみたい！」紗有美が言い、

「じゃ、しずかーにいこうね。弾たちも呼んであげよう」くちびるに人差し指をあて、樹里は部屋を出る。ああ、本当に、うしろに続くこの子たちが、弟と妹になればいいのに。母に、樹里は弟か妹がほしいとせがんだことはない。父親がいなければ不可能だとすでに知っているからだ。

6

コーヒーを飲んでしまったせいで樹里はなかなか寝つかれなかった。母親はまだ帰ってきていない。やっぱり母親の帰ってこない紗有美は、自分より幼いのにコーヒー

を飲み慣れているのか、隣でぐっすり眠っている。ようやくうとうとしたのは深夜をとうにまわった時間で、けれど、話し声ですぐに目覚めた。母親たちが帰ってきたのかどうかを確認したくて、樹里はベッドを抜け出し、ドアを開けた。階段の明かりがドアの隙間から帯のように流れる。ママ、帰ったの？　と言おうとして、なぜか声が出ない。部屋を飛び出ようとして、なぜか足も動かない。聞こえてくるのは話し声ではなくおさえた泣き声だった。泣き声の合間に、ぼそぼそと低く声が聞こえる。洟《はな》をすする音、嗚咽《おえつ》。大人の泣き声は、子どものそれと違い、温度がすっと冷えるほどさみしく、同時になんだかひどくおそろしいものだと、樹里ははじめて思う。

樹里はそっと部屋を出、吹き抜けになっている階段に近づく。大人たちはどこにいるのか、声は下から聞こえてくる。手すりのそばにしゃがみこむと、声はとぎれとぎれだが、前よりはよく聞こえた。

泣いたって……じゃない……。……でも来年からは……。彼女が悪いわけじゃ……。……考えなかったわけじゃないわよ……。

おさえた話し声がだれのものなのか、樹里にはよくわからなかった。泣いているのがだれなのかも。何を話しているのかも。それでも樹里はそこを離れなかった。何ひとつわからないとしても、自分たちに関わりのある重要なことが話し合われている気がした。それで、明かりのついた階段をそっと下りはじめる。

「でも、考えなきゃいけないと思う」

二階まで下りたとき、階下の声が突然大きくなった。母親の声だった。ああ、ママ帰ってきたんだ、と安堵するとともに、母の声に今まで聞いたことのない響きを感じ、樹里は不安を覚える。いったい何を考えなきゃいけないのだろう。

「でも……可能性……あると思う？……」

「まったくないとは言えないじゃない。そうしたらおそろしいことよ」

「……まだ、ほんの子ども……」

だれの母親かはわからないが、母以外に、二、三人の大人がいるらしい。大きな声で話しているのは樹里の母親だけだ。グラスのぶつかる音がするから、お酒を飲んでいるのだろうと樹里は思う。冷蔵庫を開け閉めする音もする。アイスクリームを食べたことがばれないだろうか。

「調べる……できないの？」

「私、夏にここにこられること、本当に感謝してるわ。でも、こうなったら何か考えるべきじゃない？　大人の問題だけならまだしも、子どもたちの可能性についても真剣に考えなきゃ」

「涼子さん、声が大きい」

二階の階段に座っていた樹里は、自分が注意されたかのように首をすくめる。

「みんな寝てるわよ。もう三時近いもの」

「私たちも寝ないと」みんな寝てる、の言葉に安心したのか、ひとりが今までよりは声を大きくする。それで、紀子の母もその場にいることを樹里は知る。

「ねえ、ここにいるあいだに、話し合おう。これからどうするのか」

「……さん、ほら、もう泣かないで……この場だけのことなんだし……」

「そこにだれかいる？」

ふいに違う角度に向けて発された声がし、樹里は体をかたくする。だれかが階段を上がってくる。母だった。階段のなかほどに立つ母親と、樹里は顔を見つめ合う。母は赤い顔をしている。

「樹里、いつからいたの、そこに」

「眠れなくて、今起きたんだけど」あわてて樹里は言う。「下いったら怒られるかなと思って。みんな起きているみたいだったから」

自分をじっと見つめる母親が、怒っているのかいないのか判断しようと樹里は凝視するが、けれど母の顔に表情はない。そのことに、樹里は焦る。怒りの切れ端がはりついていたほうが、まだ見慣れていた。ごめんなさい。そう言うため、口を開くが、声がかすれてうまく出ない。ご、ともう一度言いなおしたとき、母はすばやい動きで近づき、樹里を強く抱きしめた。

「怒ったりなんかしないわよ。喉かわいたの？　お水飲む？」

抱きしめたまま母は言う。あまりに強い力で呼吸が苦しかったが、樹里はじっとしていた。じっと、自分を包むやわらかさを感じていた。


「なあ、なんか昨日、へんだったよな」

孔雀のスガワラを目で追いながら、弾が言う。明日から天気は崩れるとラジオの天気予報は言っていたが、今日は晴れている。陽射しは強く照りつけているが、東京よりずっと涼しい。

「弾パパ、帰ってきた？」

うしろにいる紗有美たちに聞こえないよう、樹里は声をおさえて訊いた。

「朝にはいたけど、何時に帰ってきたのかはわかんない」

「私のママたちも、夜ずっと話してた」

「何を？」

「何を話してたかはわかんなかった。よく聞こえなくて」

弾は何も言わない。樹里も黙る。檻のなかを悠々と歩く孔雀を、並んでしゃがみ、ただ目で追う。弾が足元の草を千切り、檻にさしこむがスガワラは見向きもしない。

ねえねえ、ジュリー、ユウくんがねえ。背後で自分を呼ぶ紗有美の声が聞こえるが、樹里はふりむかず、草を差し入れている弾の手を見つめる。

「なあ、もしかして」

弾が言う。もしかして、このキャンプ、来年はもうないんじゃないかな。自分が昨日うっすらと思ったことを、弾が言うような気がして樹里はどきどきする。弾もそう思っているのなら、本当になってしまうように思えるのだ。けれど弾は、しばらくの沈黙ののち、

「もしかして、明日のキャンプファイヤー、ないかもな」と続けた。

「そうだね。なんか、へんだもんね」

樹里が夏にここで過ごすことになったのは五歳のときで、そのときすでに弾はいた。一年に一度しか会わないけれど、小学校に上がる前から知っているせいで、クラスメイトたちよりも近しいだれかであるように、樹里には思える。でも、この子はだれなんだろうと樹里はふと思う。私たちといっしょにいないときのこの子は、どんなふうなんだろう。どんな友だちと遊んでいて、どんな科目が苦手で、どんな部屋で暮らしているんだろう。

「弾はさ、このキャンプ、好き?」何が知りたいのかわからないまま、樹里は訊いた。

「好きだよ」弾はまだ孔雀を目で追っている。「ジュリーは?」

「サーちゃんみたいにここで暮らしたいとは思わないけど、夏にここにくるのは好き」

「ねえ、ジュリーったら、呼んでいるのにどうして無視するの」肩をつかまれ、ふりむくと紗有美が息を切らしている。雄一郎が公園内に設置された回旋塔につかまり、地面を蹴って高速回転させ、くるったような笑い声をあたりに響かせている。

「見て、ユウくんたら、あぶないよって言うのにやめないの。ジュリー、なんとか言って」

「おれも乗せてー」弾は立ち上がるやいなや、回旋塔に向けて走り出す。速度がゆるまるのを待って飛び乗り、雄一郎といっしょに馬鹿笑いをはじめる。

「やあね、男子って」今まで弾が座っていた位置に座り、紗有美が言う。

樹里はそれには応えず、くるくるとまわる遊具と、それにしがみついている二人の男の子を眺める。陽射しが反射し、二人が光をまき散らしているように見えた。檻のなか、スガワラが赤ん坊の泣き声みたいな大声で、オンギャアと鳴く。

翌日のキャンプ最終日、弾の心配とは裏腹に、キャンプファイヤーはいつもどおり行われた。何ごともなかったかのようにいつもどおりだった。弾の父も紗有美の母もいた。樹里は母親とマシュマロを焼いて食べた。

「来年もくる?」火を見つめながら母親に訊くと、母は樹里を数秒見つめ、

「どうして?」と訊いた。

「これたらいいなと思うから」樹里が答えると、

「いつもきてるじゃない。来年だってくるわよ」母はそう言って、樹里の肩に腕をまわし、ぎゅっと強く抱きしめた。

7

一九八九年

その年のはじめ、昭和という年号が平成に変わった。四月、紀子は小学校に上がった。幼稚園からいっしょだった友だちは、みな違う小学校にいってしまった。父と母と合格発表を見にいったとき、二人とも泣いて抱き合い、よかったね、よかったねと幾度も言うので紀子も誇らしい気持ちになったのだが、けれど知っている人のだれもいない学校に、ひとり電車に乗って通うのは心細かった。最初の数日は母がいっしょにきてくれた。人見知りの紀子だが、授業がはじまるころには、休み時間にいっしょに遊ぶ女友だちもできた。それでもやっぱり、紀子は心細かった。知り合ってからずっとそうしているように、紀子はつねに心のうちで賢人に話しかけていた。

ケンちゃん。今日のおべんとうにはピンクのさくらでんぶを入れてもらったの。ケンちゃん。隣の席のまゆみちゃんは牛乳がだいすきなんだって。だから紀子、牛乳をのんでもらうことにしたの。

国語の授業で文章を書くことを学ぶと、紀子はまず、宿題の作文ではなく、賢人に宛てて手紙を書いた。いつも思っているだけのことを書き連ねると、驚くくらい気持ちがよかった。言葉ってすごい。手紙ってすごい。紀子はそれから毎日、日記を書くように賢人宛の手紙を書いた。それらのどれも出されることはなかった。紀子は賢人の住所を知らなかった。母親に訊いても、「ママも知らないの」と言う。「どうせ会うんだから、夏に渡せばいいじゃない?」そう言われ、それもそうだと紀子は書いた手紙を机の引き出しに溜めこんだ。

小学生になってはじめての夏、毎年そうしているように父親の車に乗りこみ、キャンプに向かう。はじめてキャンプに連れていかれたときのことを紀子は昨日のことのように思い出すことができる。帰りたいと思ったことも、友だちなんかいらないと思ったことも。子どもだったんだ、と、今も自分が子どもであることに気づかず紀子は思う。

車が山荘に着くと、紀子は真っ先に賢人の姿をさがす。だいたい賢人はダイニングテーブルについて本を読んだり漫画を描いたりしている。けれどその日、食堂にはだれもおらず、リビングルームでは弾の両親と樹里の母がいるきりだった。挨拶もそこそこに、紀子は賢人の姿をさがして家じゅうを歩きまわる。

「ケンちゃんならみんなとお寺にいったわよ」階下から樹里の母が叫び、紀子はあわてて家を出る。背の高い木々に囲まれた一本道を走り、お寺を目指す。

三叉路を曲がると、向こうから賢人たちが歩いてくるのが見えた。賢人とその母親、樹里と弾。紀子を見つけた賢人が駆け出してくる。数十メートル近づいたところで駆けるのをやめ、歩く。一年会わなかった照れくささから、紀子はにやにやと笑う。賢人も同じように笑っている。触れそうな位置に近づいたところで二人とも足を止める。えへへ、と紀子が笑う。賢人も笑い、恥ずかしそうに手を出す。紀子はそれを握る。心細かった毎日がいっぺんに思い出される。混んだ電車、雨の日のいやなにおい、体育の時間、ひとりで眠るベッド、学校の巨大な靴箱、友だちの話す早口の言葉。ああ、もうだいじょうぶ。なんにもこわいことなんかない。

「ノンちゃん、こんにちはー。今着いた?」賢人の母親が訊く。賢人の母親はテレビに出る人みたいに美しい。陽をうしろから受けて、輪郭が光っている。

「こんにちは。今着いたばっかり」

「ケンちゃんがいないからあわててきたんだ」樹里が笑う。

「そうだよ。みんなはまだきていないの?」賢人と手をつないだまま、紀子は歩き出す。

「ユウもきてる。ユウたちはケンちゃんパパの車で買い出しにいってる」弾が言うが、紀子はその返事をもう聞いていない。自分の手を握る賢人を、ちらちらと眺める。

紀子よりふたつ年上の賢人は、紀子よりずいぶんいろんなことを知っている。紀子は去年まで、賢人と自分は離ればなれになった双子だと信じていた。はじめて会った翌年に、仲良くなった賢人がそう言ったからだ。双子というのは、母親のおなかのなかでずっといっしょだったから、相手のことをなんでもわかってしまうのだと、これも賢人に聞いた。離れていても、ひとりが怪我をしたり事故に遭ったりすれば、もうひとりはそのことをちゃんと知ることができるのだと賢人は言った。たしかに自分たちは双子なのだろうと紀子は思った。だって、賢人は自分のことをとてもよくわかってくれているように思うから。年齢の違う双子というものが存在しないことを、紀子はまだ知らなかった。自分たちが双子であることを父にも母にも言わなかったので、訂正されることもなかった。

けれど今年、自分たちは双子ではないのだと賢人は言い出した。

「双子じゃないなら、なんなの」ぴったりと寄り添って階段に腰掛け、紀子は訊く。階下からは大人も子どもも入り交じった笑い声が聞こえてくる。

「あのね、双子だと結婚できないんだ。それで、ぼく、ノンちゃんと結婚するって決めたんだ」

紀子は賢人をのぞきこむ。茶色い目に自分の顔が映っているのが見える。

「双子だと結婚できないの?」

「そう。きょうだいは結婚できない。だからノンちゃんとぼくは双子じゃない」

「わかった。それで、どうすれば結婚できるの」

「結婚式をすればできる」

「いつ、する?」結婚式なら見たことがある。白いふわふわのドレスを紀子は思い浮かべる。テレビで見たこともあるし、白いふわふわのドレスを着た母の写真を見たこともある。

「明日しようか」

明日結婚できるとは思わなかった。結婚するということはずっといっしょにいるということ。父と母みたいに。明日できるなら、してしまいたい。

「でも、紀子、白いドレスを持ってない」

「そんなの、いらないよ」賢人がそう言えば、たしかにそうだと紀子は思う。ずいぶん馬鹿げたことを言ってしまった。白いドレスなんかより、賢人と結婚することのほうがだいじだ。

「まーたそんなにひっついちゃって、なんの相談してるの」

階段を下りてきた紗有美が、通り過ぎざま、からかい口調で言う。そんなふうな口ぶりで言われても、紀子は口惜しくもないし恥ずかしくもない。誇らしいほどだ。ここではみんな、自分たちがいっしょにいることを知っていて、なおかつ、認めてくれている。結婚も、きっと認めてもらえるだろう。

夕飯のときも、紀子は賢人の隣に座る。今日の夕飯は手巻き寿司とポテトサラダ。サラダに入ったウインナを紀子はすばやく賢人の皿に移す。紀子の好きではないものを賢人は食べ、賢人の好きではないものを紀子が食べる。二人とも好きなものは半分に分ける。

「私、ケンちゃんと結婚することにした」

夜、父と母に挟まれたベッドの上で、紀子は言った。

「そうか、結婚か。さみしくなるなあ」父は紀子の頭を撫でながら言う。

「そんなにすぐ決めちゃっていいの。世界にはいろんな人がいるのよ」母はベッドにもたれ、雑誌をめくりながら言う。

「ケンちゃんしかいないよ」紀子が言うと父も母も声を合わせて笑った。

その夜、紀子は父と母の話し声で目覚めた。寝たふりをしたほうがいいとすぐに察知して、起き上がることをせず目を閉じていた。

「子どもの言うことだろう」父の声がする。

「だけど、去年話したでしょ。そういう可能性もあるんだって」

「馬鹿馬鹿しい？　ねえ、あなた、他人事《ひとごと》だと思っていない？」

喧嘩じゃない、と紀子は思おうとする。父と母が喧嘩しているところを、紀子は見たことがない。父親と母親の喧嘩というものを、このキャンプではじめて紀子は見た。たとえば、雄一郎の父と母の言い合いとか。「あんなの、喧嘩なんて言えないよ」と雄一郎は笑っていたけれど。

「なんだよ、それ」

「だって」

「馬鹿馬鹿しい」

8

喧嘩じゃない。けれど父と母の声の調子があまりにもいつもと違うので不安になる。紀子は意を決し、むっくり起き上がる。あら、ノンちゃん、起きちゃった？　ごめん、うるさかったね。父と母があわてて言い、ようやく紀子は安心する。さあ、寝ようね。パパたちももう寝るから。父の手が布団を掛け、母の手が髪を梳《す》くように撫でる。

結婚式は、お寺で挙げることになった。樹里と雄一郎と弾、その日に到着した波留がゲストとして出席することになった。お寺の敷地内にある公園で、四人は地面に座り、賢人と紀子を見上げている。紀子の手には花束がある。樹里が摘んできてくれたものだ。

「神父さんがなんか言うんだよな」陽射しに目を細めて弾が言う。

「なんかって?」と樹里。

「うーんと、ずっと愛し合いますか、みたいなこと」ひゃあ、というような声を波留があげる。

「じゃあ、弾、神父さんの役をやってよ」

樹里に言われて立ち上がり、「何があっても、どんなときも、ずっと愛し合いますか」弾は賢人と紀子を交互に見て、真顔で訊く。

「はいっ」出席をとるときのように賢人が言うので、「はいっ」紀子も胸をはって答えた。

「それでは、指輪の交換をしてください」弾が言う。

指輪なんて持ってない、と言おうとすると、賢人が半ズボンのポケットから何か取り出して、紀子の手を取る。左手の薬指に賢人がはめてくれたのは、紀子の指にはずいぶん大きな、おもちゃの石がついた指輪だった。紀子、なんにも持ってない、と賢人にささやくと、いいよ来年で、と賢人もささやき返す。

「それでは、誓いのキスをしてください」弾が言うと、また波留が、ひゃあ、と声をあげる。

賢人は紀子をのぞきこむように正面から見ると、顔を近づけ、くちびるをおしあてた。紀子のくちびるを舌で押し開き、その舌を紀子の口のなかをなめまわすように動かす。そんなことをされたのははじめてだったので、紀子はとまどい、くすぐったさに身をよじるが、けれど次第にそのくすぐったさは不思議な気持ちよさにかわる。沢の、陽のあたる水に入ったときのような感じ。じんわりとあたたかい水に浸っているような感じ。賢人の舌が離れるときは、突き放されたようにさみしかった。

「ご結婚おめでとうございます。末永くおしあわせに」しゃちこばって弾が頭を下げると、地面に座っていた三人は拍手をした。

今日ね、ケンちゃんたち結婚したんだよ、と、おやつの席で雄一郎が言った。ダイニングテーブルには弾の母が作ったという蒸しパンと紅茶が並んでいる。

「結婚式もしたの」波留が続ける。

「ええっ、紗有美、知らないそんなの」紗有美がくちびるをとがらせ、

「サーちゃん、いなかったじゃん、さっき」樹里がなだめるように言う。

当然、喜ばれるものと紀子は思っていた。さっきのみんなみたいに拍手をして「お

めでとう」と、大人たちも言ってくれるのだろうと。けれどテーブルはふいに静まり返った。母親たちは目配せをしている。けれど紀子にはその理由がわからない。急激に不安に襲われる。隣には賢人がいるのに。

「よかったじゃない」まず言ったのは樹里の母だ。「でもそれは結婚じゃないわね。婚約だわね。だって結婚って、大人にならないとできないんだから」

「そうなの?」紀子は驚いて訊いた。じゃあ、キャンプが終わったらやっぱり賢人と離ればなれになってしまうのか。いつもみたいに。

「そうよ、子どもは結婚できないのよ。だから婚約」紀子の母親が言う。

「婚約おめでとう」美しい賢人の母親が言い、ようやくテーブルに笑いが起きる。

「しかし、こんな話をされると、今から泣けてくるよなあ」

「親馬鹿ねえ」

「おやつ食べたら、買い出しいきましょうか。こないだケンちゃんパパにいってもらったから、今日はうちが車出すわ」

大人たちのいつもどおりの会話が戻ってきても、紀子の不安は消えなかった。食べかけの蒸しパンをテーブルに置き、賢人の左手を強く握る。賢人もそれを握り返す。紀子の残した蒸しパンに手をのばし、「だいじょうぶ」賢人はだれにも聞こえないようなちいさな声で紀子につぶやく。

「結婚じゃないんだって。婚約なんだって」

一階にある本だらけの部屋、弾の両親が「書斎」と呼ぶ部屋で、本棚にもたれて座り、紀子はがっかりして賢人に言う。

「でも婚約は、結婚するって約束だから、約束を破らなければいいんだよ」

「でも紀子は、結婚したらいっしょに帰れるかと思った」

「そうだね」

部屋の外から笑い声が聞こえてくる。にぎやかな音楽も。演芸会は明日だが、今日は大人たちが妙にはしゃいで、「にわかディスコ」と言って次々と音楽をかけ、夕食の後かたづけもせずずっと踊っている。

「ねえ、ケンちゃん、誓いのキスしよう」

紀子は言った。昼間感じた、あの不思議な気持ちよさをもう一度確認したかった。

「それでは誓いのキスをしてください」

賢人は弾の真似をして言うと、紀子の正面にまわりこみ、昼間とまったく同じように顔を近づけ、そして紀子の口に舌を差し入れた。やっぱり昼間に感じた気持ちよさは本当だった。紀子は目を閉じ、自分を包むなまあたたかい水の感触を、全身で味わおうとする。

そのときだった。音楽がひときわ大きくなり、「ちょっととっ!」と叫ぶ大人の声がしたのは。

目を開ける。紀子は賢人の肩越しに、ドアを開けた弾の母親を見る。

「ちょっとっ、あなたたち、何、何をしているのっ」震えるような声で叫ぶと、弾の母親はいきなり駆け寄ってきて賢人を引きずるようにして紀子から離した。「そんなことをしてはいけないのっ」勢いよく引きずられたせいで賢人は尻餅をつくが、弾の母親は気に留めず、仁王立ちになって叫ぶ。弾の母の顔はみるみる赤くなっていく。何が起きたのかさっぱりわからない紀子は、ただ目を見開いて、いつもおだやかで優雅な弾の母親が、絵本に出てくる赤鬼みたいな形相で叫ぶのを見上げた。音楽がやみ、大人たちが部屋に次々と顔を出す。

「この子たち、この子たち今」今や耳まで赤くした弾の母は、賢人と紀子を交互に指さす。まっすぐのばした人差し指が震えているのを紀子は見る。「この子たち、キスしてたのよ！　大人みたいに、この子がこの子に覆いかぶさって！」

しんと静まり返る。さっきまで響いていた音楽が、紀子の耳にじーんという騒音で残っている。紀子はそこに座りこんだまま、大人たちを掻き分けて賢人の母親が部屋に入ってくるのを見る。賢人の母親は、尻餅をついたままの賢人の腕を引っ張って立ち上がらせ、そして勢いよく頰をはたいた。紀子は飛び上がって思わず目を閉じる。そろそろと目を開けると、賢人が母親に引きずられて部屋を出ていくところだった。

「だから言ったじゃないの！」部屋のまんなかで弾の母は両手で顔を覆い、叫ぶ。弾の父親が彼女に近づき背をさすろうとするが、彼女はその手をふり払う。紀子の父親が部屋に入ってきて、座ったままの紀子を抱き上げる。その段になって紀子は自分が尿意を我慢していたことに気づく。気づくやいなや、なまあたたかい水が太股《ふともも》を流れていく。「ああっ」声をあげた父がどんな顔をしていたのか、抱かれている紀子からは見えない。きっとすごくいやな顔だろうと紀子は思う。汚いものを見るような顔だろう。

「ごめんなさい、すぐ片づけるから。ごめんなさい」今まで見たことがないほど母は取り乱し、洗面所へと駆け出していく。残りの大人たちは数人の子どもたちの手を引き、ぐずぐずとリビングに戻る。

私、そんなに悪いことをしたのだろうか。夜になってようやく紀子はそう思った。私、そんなに悪いことをしたのだろうか。大人が叫んだり、泣いたりするくらいの悪いことを。

七歳の夏に思ったそのことを、紀子はその先もずっと考えていくことになる。昭和が平成に変わったその夏のキャンプが、最後のキャンプだった。それ以来、夏にあの山荘にいくことは二度となかった。樹里や波留、弾たちと紀子が会うことも二度となかった。もちろん、その年結婚式を挙げたちいさな新郎とも。

9

一九九〇年

夏休みがはじまって数日後、今年のキャンプはいつ？　と訊けば、いつも「七月三十日」だの「八月五日」だのと、明快な答えが返ってきた。それを聞いて雄一郎は真っ先にカレンダーに印をつけていた。何か悪さをすると、両親はすぐ「キャンプに連れていかないよ」と脅し文句を言うので、そんな素振りは見せなかったけれど、いつだって雄一郎はその日を心待ちにしていた。早く寝れば早く日にちが過ぎるような気がして、キャンプの日取りを知った日以降、夜の九時には布団にもぐっていた。早く明日があさってになって、あさってが早く三十日になりますように。布団のなかで必ずくり返した。出発の当日は、あまりに楽しみにしすぎていたせいでぐったりと疲れていた。

なのに今年、「キャンプはいつ？」の質問に、明快な答えはなかった。「まだわからない」というのが父の答えで、「連絡がこないから」というのが母の答えだった。毎日両親に同じことを訊きすぎたせいで、「二度とその質問をするな！」と、しまいに父親に叱られた。

それでも雄一郎は信じていた。だれかから連絡があり次第、「八月十五日に出発」だの、「八月二十日だって」だのと、父か母が答えてくれるのを。八月三十一日、夏休み最後の日になっても、まだ信じていた。今年は九月の連休ですってよ、などという答えを。

十月も終わるころになってようやく、今年はキャンプがなかったのだと雄一郎は理解した。

「ねえ、キャンプ、今年はなかったんだね」

父と向き合った夕食の席で、また叱られるかもしれないと覚悟した上で雄一郎は口を開いた。

「そうだな」父は短く答え、コップにビールをつぎ足す。

「なんで？　毎年あったのに」

「早坂さんの都合が悪かったんだろ」

あの別荘が弾の両親のものであることは雄一郎も知っていた。弾の家はずば抜けて金持ちであることも、両親の交わす会話からなんとなくわかっていた。けれどそれを鼻にかけることもせず、馬鹿げた遊びをいっしょにやってくれる弾を、雄一郎は好きだった。早坂家の都合が悪いなら別荘が使えない、そのことも理解できたが、けれど腑に落ちない。だって毎年毎年別荘は開いていたのだ。彼らの都合が悪いことなど、ただの一度もなかったのだ。

「来年はだいじょうぶかな」

父は何も言わず、パックに入った南瓜《かぼちゃ》の煮物を口に運ぶ。

それまで父と母と三人でとっていた夕食を、父と二人でとるようになったのは雄一郎が小学校に上がったときだ。最初、父は父なりに料理を作ろうとしていたことを雄一郎は覚えている。手伝ったこともある。キャンプの子ども夕飯みたいでたのしかった。ハンバーグや餃子を大騒ぎしながら作った。けれど父には料理の才がないのか、ほとんど失敗した。市販のルーを使うカレーやシチュウですら、野菜が生煮えだったり、「試しに」と鯖缶を入れたりして失敗した。雄一郎が二年に上がるころには、父はぱったり料理をやめてしまった。仕事帰りにスーパーで見切り品の総菜を買ってきてテーブルに並べる。このごろではパックから皿に移すこともしない。最近の雄一郎は、帰るとすぐにごはんを炊いている。酒を飲みながら食事をする父は、ごはんを炊くこともしなくなったからだ。味噌汁の作り方も覚えた。だし入りの味噌を使えば思いの外かんたんだ。母親が帰ってくるのは雄一郎が眠る直前で、もっと遅くなる日もある。

「ねえ、来年は」父が答えないので、再度言いかけると、

「しつこいぞ」

父は低く言って遮った。その声のあまりの冷たさに、雄一郎は体を硬くする。そのまま父は何も言わず、総菜をつまみビールを飲み続けた。雄一郎も話しかけづらくなり、もそもそと食事を続ける。食事どきにテレビをつけないと決めたのは母親だった。食卓はしんと静まり返って、ものを咀嚼《そしやく》する音が気まずく思えるほど響いているように、雄一郎には感じられた。

ハッ、と父はため息とも笑い声ともつかない吐息をもらすと立ち上がり、ビールを焼酎に切り替える。父の機嫌がよくないことは明らかだったが、その理由が雄一郎にはわからない。最初から機嫌が悪かったのか。それとも自分の何かが父を突然苛立たせたのか。茶碗に残ったごはんを掻きこむと、食べ終えた皿や茶碗をまとめ、流しへと運ぶ。キッチンカウンター越しに父の様子をうかがいながら、雄一郎は皿を洗う。パックに残った総菜には手をつけず、父は焼酎を飲んでいる。

「なあ、ユウ」突然父が流しにいる雄一郎を見、やさしい声を出す。「おまえ、得意科目はなんだ」

「図工かな、算数も好きだけど」自分に向けられた父の笑顔に安堵して雄一郎は答えた。「今、校舎を描いてるんだ。校庭にあるものならなんでも描いてよくて、みんな

は木とか描くんだけど、ぼくは校舎を描くことにして、それで先生に、むずかしいのによく描けてるって言われたんだ。まだ途中なんだけど」

「おれはな、ユウ、図工も算数も大ッ嫌いだった。おれたち、似てねえな」カウンター越しに父は雄一郎を見ている。その顔から笑みは消えていない。けれど、何かいやな感じのする笑いかただと雄一郎は気づく。にたにたと粘つくような笑み。

「じゃあとうさんは、何が好きだったの」そっと訊いてみる。

父は答えず、ハッ、とまた息をもらし、立ち上がりテレビのスイッチを入れる。リモコンで音量を驚くほど大きくしてから席に戻り、画面を見ながら焼酎を飲む。皿を洗い終えた雄一郎は逃げるように風呂場に向かう。水の抜けた浴槽を洗いはじめる。父は何を言おうとしていたのだろう。わからない。わからないが、たのしく会話したいわけではなかったことだけは、わかる。風呂場にまでテレビの大音量が聞こえてくる。あまりに大きすぎるその音は、まるで暴力のように雄一郎には感じられる。

深夜、何かの割れる音で雄一郎は目を覚ました。目を開くと、橙色の豆電球が暗闇に浮かび上がっている。くぐもった話し声が聞こえてくる。母が帰ってきたのだ、と雄一郎は思う。雄一郎が布団に入るのより帰りが遅くなると、母はいつもそっと襖《ふすま》を開け、眠る雄一郎の頰にくちびるを押しつけていく。気づいても雄一郎は眠ったふりをしている。起きているのがばれたら、母はもうそうしてくれないような気がするからだ。もうじき襖が開くかな。豆電球を見上げて雄一郎は思う。けれど次の瞬間、もれ聞こえる話し声の様子がおかしいことに気づく。喧嘩か。

父と母の喧嘩に、雄一郎は慣れていた。二人とも言いたいことをずけずけと言う。だから持ってきたかどうかちゃんと確認しろって何度も言ったろう！　なあに、その言いかた！　自分で確認すりゃよかったじゃないの！　なんだと？　そんな具合だ。夏のキャンプで父と母がそんなふうに言い合いをはじめるたび、紀子は目を見開いて動きを止め、心配そうに雄一郎を見る。紀子の両親はそんなふうに声を荒らげないのだ。

　でも、今日は何か違う、と布団のなかで雄一郎は思う。だいたい、いつもみたいに怒鳴り合っていない。おさえた声で何か言い合っている。何かが壁にぶつかる音がする。ティッシュの箱とか、新聞とか、何か軽いもの。くぐもった母の声。くぐもった父の声。沈黙。くぐもった母の声。

「馬鹿にすんなっ」突然父親の大声が聞こえてきて、雄一郎は横になったままびくりと体を震わせる。ドアが勢いよく開けられ、叩きつけるように閉められる。その音にも体をこわばらせる。玄関のドアが開き、大きな音をたてて閉められる。

　ねえ、何が起きたの？　何がどうなっているの？　暗闇に目を凝らし、雄一郎は話しかける。父にでも母にでもなく、弾や樹里に。短い夏の友人に。ねえ、どうして今年はキャンプがなかったの？　来年は会える？　ぼくら、どうなるの？　どうすれば会える？　どうすれば話せる？　そこまで考え、雄一郎は愕然《がくぜん》とする。もし来年もその先もずっとキャンプがなかったら、いったいどんなふうにして弾たちと連絡をとればいいのだろう？

その夜、母は音をたてないように襖を開けて部屋に入ってきた。けれど雄一郎の頬にくちびるを押しあてることはせず、そのまま雄一郎の布団に入った。雄一郎の手を握ったまま、静かに呼吸をしている。雄一郎は寝たふりをしながら、母の呼吸を聞いた。母が寝ているのか起きているのか、たしかめることができなかった。たしかめることはこわかった。理由はわからないが、ただ、こわかった。

10

一九九二年

最近好きになったばかりのミュージシャンが死んだというニュースを、樹里は学校帰りに駅で受け取った号外によって知った。ええ、嘘っ、と短く叫んで立ち尽くすと、「なあに、それだあれ」「樹里、その人好きだったの」いっしょに下校していた佳奈とリカが口々に訊く。

「それより今日、どうする？　お茶する？　買いもの？」

「ごめん、私、今日はパスする。先に帰るね」樹里は二人の前にまわりこんで言い、二人より先に改札をくぐった。えー、帰っちゃうのー。不満げな声を出す二人に、改札をくぐったところで手をふり、ホームを駆け上がる。

佳奈とリカは、去年、中学に上がったときのクラスメイトだった。今年、リカとは同じC組だったが、佳奈はA組になった。新しいクラスにまだ親しい友人がいないらしく、佳奈は昼も下校時も、樹里とリカを誘いにくる。樹里は佳奈とリカのことを大好きだけれど、ちょっと幼いと感じてもいる。感動した本を貸そうとしても、「なんかむずかしそう」と言って受け取らないし、土曜日に映画を観にいく約束をしても、二人が観たがるのは邦画ばかりで、「まじかる☆タルるートくん」にしようと真顔で佳奈が言ったとき、樹里は心底びっくりした。音楽にしたって佳奈が好きなのは光GENJIだしリカはチェッカーズ。曲や歌詞が好きというより、歌っている人を好きなのだ。

もちろん佳奈とリカ以外にも友だちはいるけれど、完璧に趣味の合う人はいない、と樹里は思っている。中二の全クラスを集めたって、尾崎豊が死んだことにショックを受ける人はきっといないのではないか。

尾崎豊を教えてくれたのは弾だった。たぶん、今の自分といちばん趣味が合うのは弾だろうと樹里は思っている。手紙でしかやりとりをしていないけれど。

昨年進学した中高一貫の女子校は、通うのに電車を一回乗り換えて三十五分かかる。下り電車に揺られながら樹里はイヤホンを耳に押しこみ、ＣＤウォークマンの電源を入れる。

毎年いっていたキャンプがなくなったのは、二年前、まだ樹里が小学生のころだった。夏休みになると、「キャンプはいつからに決まったわ」という母のせりふを樹里はたのしみにしていたのだが、その年、母はそう言わなかった。八月に入って、今年はキャンプ、いつ？　と訊くと、「今年はないの」と、さらりと母は答えた。ないの？　どうして？　びっくりして訊いた。「弾くんのパパ、別荘を手放しちゃったんだって」と母は答え、そのときはじめて、あの大きな家は自分たちのものではなかったことを樹里は知った。じゃあ、もうキャンプはずっとないの？　と重ねて訊くと、「またいつか、ああいう場所が見つかったらあるかもね」と母は答え、「あるといいね」と笑顔を見せた。次の年の夏休みは樹里はキャンプのことを忘れていた。中学に上がり何かと忙しかったし、キャンプは好きだったが所詮《しょせん》年に一度のことだった。

キャンプのことを樹里がはっきりと思い出したのは、冬休みも近づいた日のことだった。学校から帰ってポストをのぞくと、母親宛のＤＭのあいだに自分の名の書かれた封筒があった。差出人のところに「早坂弾」とあり、一瞬それがだれだか樹里には思い出せなかった。「ああ、弾」ようやく思い出すと、薄ぼんやりとした弾の顔立ちと、むせ返るような草いきれが同時に目と鼻をかすめた。

　手紙には、几帳面《きちょうめん》なちいさな文字がびっしり並んでいた。みんなの連絡先を調べていたのだけれど、どうしても見つからなかった、両親も知らないと言って教えてくれない。樹里のものだけなんとか見つけた、本当はもっと早く連絡をとりたかったと書いてあった。その手紙で、樹里は、弾の両親が別荘を手放したからキャンプがなくなったわけではないことを知った。けれど、ではなぜキャンプをしなくなったかについては、弾も知らないようだった。「今年の夏の別荘は家族だけで、なんだかすごくつまらなかった」と、弾は書いていた。「せっかく友だちになれたのだから、たまに手紙書きます。気が向いたら返事ください。それから、もしほかの人の住所を知っていたら教えてほしい」とあり、追伸にはこう書かれていた。「手紙のこと、たぶん、親には言わないほうがいいと思う。ぼくに返事をくれるときは、ジュリーの名前じゃなく、田中伸哉って書いてください（引っ越した友だちの名前なんだ）」

　最寄り駅から家まではバスに乗る。バスが停まっているのが見え、改札を出た樹里は走る。閉まりかけたドアにあわてて体をねじこみ、息を切らせて空いた席に座る。このあいだまで満開だった駅前の桜は、もう真緑に変わっている。イヤホンを耳につっこんだまま、窓の外を流れる商店街を眺め、樹里は帰ったら書こうと思っている手紙の文面を考える。

　尾崎豊が死んだことに、どれほどびっくりしたかをまず書こう。まだ信じられないって。本人が生きているときに弾に教えてもらってよかった、死んでから聴くのじゃ、なんかちょっと違うから、とも。バスは商店街を抜け、高速道路の真下を走る。道路沿いにはちいさな商店がぽつぽつと続いている。高速道路から右折してひとつ目のバス停で樹里はバスを降り、住宅街を走る。母と暮らすマンションの集合玄関の鍵を開け、エレベーターで六階に向かう。外廊下から朝は見えた富士山が、もう見えなくなっている。鍵を開け、だれもいない部屋に向かって「ただいまー」と樹里は言う。

　弾からの手紙を受け取った去年、樹里も母に紗有美たちの連絡先を訊いた。「ママはあの別荘の電話番号しか知らないの。かけたけど、もうつながらなかったわ」と母は言った。「その番号を教えて」と樹里が食い下がると、「つながらなかったから、捨てちゃった」と言う。なぜだかはわからないが、キャンプに参加した親は、みなそれぞれに嘘をついているらしい。

　樹里と弾は手紙でその推測を幾度もし合った。「急に田中が手紙をたくさん書くようになったらへんだから、いっぱいは送らないで」と弾に言われていたから、三ヵ月か四ヵ月に一度のやりとりだけだったが。

親たちが仲なおりも無理なほどの大喧嘩をしたのではないか、というのが、いろいろ推測した結果、もっとも正しいように思えた。毎年の様子を思い出すと、そんな喧嘩をするようには思えないが、でもそれ以外には考えられない。こじれにこじれて、親たちはみんな、本当にたがいの連絡先を捨ててしまったのかもしれない。中学に上がってから、樹里は小学生だったころには考えもしなかったことを思いついた。だれかの父とだれかの母が浮気をしたのではないか。そう思いつくと、それしかないように思えた。その浮気が原因でみんな大喧嘩したのだ。最後のキャンプの、大人たちのへんな様子を思い出せば、それも符号が合うように思えた。けれどそのことは弾への手紙には書かなかった。恋愛とか、浮気とか、そういうことを考える人間だと思われたくなかったからだ。

制服を着替えることもせず、樹里はダイニングテーブルにつき、弾にあてた手紙を書きはじめる。幼かったころは大嫌いだった留守番だが、今は慣れてしまってなんとも思わない。母親は朝、樹里といっしょに家を出て仕事にいき、夜は十時過ぎに帰ってくる。八時半から五時までは近所の病院の受付で働き、六時から九時過ぎまでは英会話教室で働いている。英会話の仕事は、樹里が私立の女子校に合格したときからはじめたものだ。「ママがたいへんなら公立にいくよ」と樹里は言ったが、「そんなことママが許さない」と言われてしまった。「ママも私立の一貫校だったから、それがどれだけ楽で、のちに役にたつか、知っているの」と母は言うが、もちろん、樹里にはまだ、何が楽で何が役にたつのかはさっぱりわからない。でも、母の言うことは正しいのだろうとは思う。

もしオザキのお葬式にファンもいけるようだったら、いっしょにいかないかと樹里は手紙に書いた。二人とも都内に住んでいるのに、会おうと提案したことは今までどちらもなかった。きっと、親にばれたら強く叱られると、双方なんとなく思っているせいだろう。でも、今はそんなことはどうでもいい。なんていったって、私たちの大好きなミュージシャンが死んでしまったのだ。弾だって私以上にかなしんで、ショックを受けているだろう。お葬式にいきたいとも思っているだろう。

その数日後に行われたミュージシャンのお葬式には、四万人のファンが参加したとのちに樹里は知ったが、樹里はそこにいくことができなかった。その日は木曜日で、学校を休む口実を見つけられなかったからだ。そして弾がいったのかどうかもわからないままになった。それきり弾からいっさい返事がこなくなったからだ。

11

一九九五年

　ぽっかりした気分になるときがある。その気分のときは自分では気づかない。けれどそういうときだれかがかならず「何を考えているの」と訊き、そう訊かれて賢人は、ああ、今、ぽっかりした気分だったな、と気づくのだ。ぽっかり、というのは、まさに空白だ。頭のなかが真っ白になる、というよりも、空白にのみこまれる感じ。今も、目の前に座る由利子に焦点を合わせ、まただ、と賢人は思っている。

「何も考えてないよ」答えると、

「嘘。ぜったいなんか考えてた」と、頬を膨らませる。かわいいが、かわいいとわかってやっているんだということがみえみえで、賢人は少々鼻白む。最近そんなふうに思うことが増えた。由利子とはもう終わりなのかもしれない。とすると、三カ月か。最短記録だろうか。こうして何か考えているときは、何を考えているのと人は訊かないのだから、不思議なものだと賢人は思い、溶けた氷で薄まったコーヒーを飲む。

「薄いコーヒーって麦茶の味がする」思ったことをそのまま口に出すと、

「ほんと、ケントって変わってる」由利子は背をのけぞらせて馬鹿笑いをはじめた。

薄いアイスコーヒーをぜんぶ飲んでしまい、トレイを持って席を立つと、「なんか怒った？」と由利子があわてて追いかけてくる。

「え、なんで？　怒ってないよ」怒った？　というのも、よく訊かれることだなと思いながら賢人は答える。どうして人は、なんにも考えていないときに「なんか考えてる？」と訊き、怒っていないときに「怒った？」と訊くのだろう。反対のときは、訊かないのに。

「食べ終えたから、帰ろうよ」

ねえ、本当に私のことが好き？　と、別れ際、ホームに続く駅の通路で唐突に由利子が訊く。

「わかんない」賢人はできるだけやさしい笑顔を作って答える。由利子は目を見開き、その目にみるみる水滴がたまる。

「じゃあ、またね」賢人は片手を上げ、急いで背を向けホームを駆け上がる。女の子が泣くのを見るのは嫌いだった。とくに往来で。

はじめて賢人が女の子と交際をしたのは去年、中学二年のときだった。同じ学校の一学年上の生徒からつきあってほしいと言われ、断る理由もなかったので受け入れた。つきあうって、この子にとってはどういうことなのだろうと賢人は思っていた。交際している男女がどういうことをするのかを賢人はすでに知っていた。毎日いっしょに登下校し、まれに休みの日に渋谷や新宿で待ち合わせることが、彼女にとっての交際を意味するらしかった。そのほかのことで彼女が想像できるのは、せいぜい舌を入れないキスぐらいまでだろうと思えた。登下校する姿を同級生の男子にからかわれたが、気にならなかった。相手にしないでいたら、みんなもなんとも言わなくなった。幾度か舌を入れないキスをした。そのうち、毎日のように甘い菓子を作ってくるようになり、それに辟易《へきえき》して、別れたいと賢人から言った。次の彼女はその年の秋にできた。近所の都立高校に通う三歳年上の女の子で、この子は交際についてもう少し深い理解をしていた。十四歳になって二週間後のクリスマスイブに、渋谷のラブホテルで賢人は初体験をすませた。

この女の子は、けれどそれから一ヵ月もしないうちに「あんたって退屈」と言って賢人をふった。今年のバレンタインデイに渋谷でいきなり声をかけてきて、チョコレートを渡してきたのが由利子だった。目黒に住んでいる由利子は横浜の女子高に通っていて、電車を乗り換える渋谷で幾度か賢人を見かけていたのだと、のちに言っていた。

授業を終え、その日も由利子と約束があったが、いかないことにして賢人は数人の友人とともに駅に向かい、下り電車に乗りこむ。千駄ケ谷のマンションに着くと、妹の茉莉香《まりか》はリビングのテレビでゲームをしていた。「おかえり」と声をかける母は、台所で料理をしている。

「ちょっとテレビ見せて」と茉莉香に声をかけると、「いや」と、ふりかえらずに答える。部屋のテレビは十四インチだが、茉莉香がどかないのならしかたがない。賢人は冷蔵庫から炭酸飲料のペットボトルを取り出し、洗面所でていねいに手を洗ってから自室にこもる。テレビをつけ、夕方のニュース番組をさがす。

今年になってから急に増えた新興宗教関係のニュースに、賢人は異様な興味を持っていた。三月の半ばに、地下鉄に毒薬がまかれる事件が起きてから、連日どこかのチャンネルでそのニュースをやっている。教祖の逮捕されるXデイはもう間近だと、最近のニュースでは言っている。

子どものころの一時期、夏になるとかならずいく場所があり、大人も子どももそのことを「キャンプ」と呼んでいたが、なんのキャンプだったのか子どもはだれも知らなかった。母親同士が友だちなのだと別荘の持ち主の子どもが言っていたが、でも、ならばなぜ急にキャンプは廃止され、二度となかったのか。母は、どの家族の連絡先も知らず、知っているのはあの別荘の電話番号だけだと言い張った。別荘は他人の手に渡り、電話も不通になったと。友だちだったならば、そんなふうに急に音信不通になるものだろうか、と賢人は思っていた。

キャンプがなくなった年の十一月、父と母は離婚した。翌年の新年、見知らぬ男がこのマンションを訪ねてきて、「パパになる人」だと紹介された。「もうじき賢人にきょうだいができるのよ」と母に言われ、驚いた。小柄で痩身《そうしん》の母が身ごもっていることに賢人は気づかなかった。茉莉香が生まれたのはその半年後だ。

男女の体の仕組みとか、どうしたら子どもが生まれるのかとか、そういったことを賢人が学校で習ったのは五年生のときで、その日、賢人は図書館にいって疑問が浮かぶたび本に目を落とし、整理して考え、そうして突如理解した。母は新しく父になったあの男と、離婚前に関係を持ち、妊娠して父と離婚に至ったのだ。言葉で考えたのではなく、もっと深く、実感として理解した。

昨年あたりからある新興宗教がニュース番組で取り上げられるようになり、賢人はふと思った。あのキャンプは、こういう集まりだったのではないか。教祖がいなくなったり、仲間割れが起きたりして、突如空中分解したカルト宗教の集会。それにしては人数が少なかったし、お祈りとか礼拝とか、何かを強制されることはなかった。でも、そうではないとしたらあのキャンプがなんであったのか、なぜ突然行われなくなったのか、わからない。

「ケンー、お手伝いしてくれるー?」母の声が響き、賢人は腰掛けていたベッドから立ち上がり、テレビを消して部屋を出る。

「またカルトのテレビ見てたの？　へんなことに巻きこまれるのはやめてよ」母は賢人に布巾を渡しながら言う。

「巻きこまれるわけがないよ。馬鹿みたいでおもしろいから見てるんだよ。だってアメリカの攻撃とか本気で言うんだよ？　それに」賢人はダイニングテーブルを拭きながら話しはじめるが、「そこ拭いたら、いちごを洗ってへたをとっておいて」母に遮られてしまう。

同級生たちは、ポアとかコスモクリーナーとかいった、カルト団体の使う独特な用語はおもしろがって使うが、その団体やニュース自体には興味は持っていないようで、その話になると急に饒舌《じょうぜつ》になる自分を、みんなが変わりものだと思っていることを賢人は知っている。いや、一学年上の恋人と登下校しているときから、すでにそう思われていたのかもしれないが。

六時に夕食になる。土日以外は、母と茉莉香と三人だ。新しく父になった人は、毎晩十時を過ぎないと帰ってこない。新しい父を、母はタッくんと呼ぶので、賢人もタッくんと呼んでいる。タッくんは前の父、つまり本当の父より輪郭が濃い。顔立ちの、ではなく、人柄の。本当の父は線が細く、どこかナヨッとしていた。眉毛がハの字に下がっていて、だからいつも泣き笑いしているみたいに見えた。内緒話をするみたいに小声で話した。茉莉香が生まれて母が再婚する際、賢人は姓を変えることを拒んだ。結果、賢人は元のまま松澤賢人である。母と茉莉香はタッくんの名字である鈴木を名乗っている。名前を変えないという賢人の頑《かたく》なな主張を、父にたいする愛情であり、勝手な離婚にたいする怒りであると解釈したらしく、「ケン、いろいろごめんね」と母はあやまった。もちろん父を好きだったし、いきなりタッくんを連れてこられても当惑しか感じなかったけれど、でも、名字を変えなかった理由は母が思うようなことではなかった。名を変えることで、永遠に会えなくなることを賢人はおそれたのだった。キャンプにきていた子どもたちと、それから、だだっ広いお寺の公園で結婚式を挙げた、今では顔も思い出せないちいさな女の子と。

12

一九九七年

十七歳になったばかりのある日、紗有美は制服のまま東京駅を目指した。ゴールデンウィークは三日前に終わり、空いていた電車も道路も、また混みはじめていた。

紗有美の住む松戸から東京駅までは三十分でいけるが、ふだん都内にいくことはない。必要な買いものはすべて近場で済んでしまうから。

電車に乗ったときは学校にいくつもりだった。そこがどれほど意に染まない場所でも、紗有美が無断で休んだりサボッたりすることはなかった。いつもどおり混んだ電車に揺られ、ふと、本当にふと、「小田原」という文字が遠い記憶として思い浮かんだ。なんの記憶かすぐにわかった。子どものころ、毎年母とキャンプに向かったときの記憶だ。どこかの駅から列車に乗って、終点でべつの列車に乗り換えた、今までそれしか記憶はなく、どこの駅から何線の、何いきに乗ったのかいくら考えても思い出せなかった。自分はそんなに注意力のない子だったのかと幼い自分をいつも責めたくなったが、でも、あのころは母といれば、何かを覚えたり疑ったりする必要なんて、まるでなかったのだ。母が連れていってくれる先はいつも正解で、あのキャンプにしたって、いつかなくなるなんて思ってもみなかった。

それがいったい何に刺激されたのか、ぽろりと「小田原」が出てきた。

そうだ、小田原いきの列車だったのだと、紗有美は叫びそうになった。その列車に乗りこんだのはきっと東京駅だ。新幹線を見た気がする。そこから先はいつものように思い出せない。でも、小田原までいけば思い出すかもしれない。少なくとも小田原発の列車のいき先は限定できる。

紗有美は高校のある駅で降りなかった。そのまま東京駅を目指した。学校をサボるのははじめてだったが、緊張も不安も感じなかった。それより一刻も早く小田原にいきたかった。

小田原、と文字が思い浮かんだとき、まるで長く沈んでいた水中から思いきり顔を出した気分だった。呼吸がダントツに楽になり、ああ助かったと思う、そんな気持ちだった。

保育園でも小学校でもできなかった友だちは、中学に上がってもできなかった。正確にいえば、ひとりはできた。二年の二学期、女子グループにそそのかされるまで、その子は友だちでいてくれた。キャンプ以外ではじめてできた友だちに、紗有美は全身で頼っていたし好きでいたから、彼女がほかの女子グループに交じって自分を無視しはじめたときは、あまりのショックに数日間食事ができなかった。

高校は、都内の女子校に進学することを紗有美は望んだ。できるだけ遠くへ、自分のことをだれも知らないところへいきたかった。けれど母が許してくれなかった。私立校の学費なんて出せないし、通学費だって馬鹿にならないと言うのだった。もちろん女手ひとつで自分を育てている母のたいへんさはよく知っていたから、紗有美に自分の希望を押し通すことなどできなかった。

さすがに高校生になってまで、わかりやすく紗有美をいじめる人はいない。一年生の新学期は、話しかけてくれる女の子も幾人かはいた。けれど紗有美のほうがだめだった。仲良くなって、また離れられるくらいなら、最初から仲良くなんてならなければいいのだと、どうやら自分は学んでしまったらしい。

今、紗有美を無視する人はいないが、話しかけてきてくれる人もいない。にぎやかな学校で、紗有美は静けさの膜をすっぽりかぶったように暮らしている。つらいとは思わない。運動靴がなくなることも教科書が黒く塗りつぶされることもないのだ。成長するにつれ、母が自分に無関心になりつつあり、それどころかときには疎ましくさえ思っていることをあからさまに態度で示しても、かなしいともつらいとも自覚しなかった。だってそのどちらも、嘘なのだから。そちらが本当だと思っていた夏のキャンプがなくなり、嘘の世界しか紗有美にはなかったけれど、でも、嘘の世界で何が起きてもつらくはないのだった。今、ないとしても、本当はきっとどこかにある。本当の友だちが待っていてくれ、母が本当の姿で笑いかけてくれる場所は、記憶を書きつけたノート以外のどこかにあり、やがて自分はそこにいき着くはずだと、紗有美は日々、思っていた。

小田原にいく列車は東海道線だった。ホームに停車する橙色の列車を見ても、見知ったふうには思えず、新たな記憶も浮かんではこなかった。それでも紗有美は小田原いき列車に乗り、ボックス席に座った。ボックス席には見覚えがあった。キャンプに向かう列車で、母とはいつも向き合っていた記憶がある。列車がゆっくりと動き出す。紗有美は窓に額をつけ、過ぎていくビル群を眺めた。ビルが遠ざかり、遠くにかすんだ山の稜線が見えてくると、新たに思い出すことが何もないにしても、記憶の芯に近づいていくような高揚が感じられた。もうすぐだ、と小刻みに体を揺らし、紗有美は思った。もうすぐ見つける。私の唯一の本当を。

けれど小田原駅に着くと、その高揚もみるみるしぼんだ。大雄山《だいゆうざん》いきの伊豆箱根鉄道、熱海、伊東いきのＪＲ、箱根湯本、強羅いきの箱根登山鉄道、箱根いきの小田急小田原線。下り電車の車両にも、案内板に書かれた文字にも、まるで見覚えがなかった。母と乗り換えた列車がどれなのか、見当もつかない。

それでも帰る気になれなかった。紗有美は賭けのような気持ちで箱根湯本いきの列車に乗りこんだ。行楽客らしき年輩の男女で座席は埋まっていた。みな似たようななかたちの帽子をかぶり、みかんや菓子を広げて交換し合い、にぎやかな笑い声をあげていた。

終点で彼らとともに降り、改札を抜け、紗有美は泣き出したい気分になった。まったく見覚えがないどころか、木々と山に囲まれていた、あの静かな光景とそこはかけ離れていた。人でごった返す駅前ロータリー、停車した幾台ものバスとタクシー、連なるみやげもの屋、温泉と書かれた看板、狭い車道。紗有美は逃げるように切符を買い、降り立ったばかりのホームに戻った。

小田原に戻って違う列車に乗りなおしてみたかったが、そうするには所持金が足りなかった。新宿いきの空いた車内で、紗有美は弁当を食べた。朝、自分で作った弁当だった。

母親が帰ってくるのは早くて十一時、遅いと日付が変わったころだ。母がなんの仕事をしているのか、紗有美ははっきりとは知らない。前は保険の勧誘をする仕事をしていて、その前は船橋の結婚式場で働いていた。今はホテルのフロントで働いていると母は言っているが、紗有美は嘘だろうと思っている。ホテルのフロント係がそんなに毎日遅いはずはないし、お酒くさいはずもない。水商売だろうかとも思うが、でも、好き嫌いが激しく気分屋の母にサービス業などつとまるのか疑問である。

風呂から上がり、歯を磨いた紗有美は自分の部屋にいく。目覚ましをセットし、布団にもぐりこむ。明日は金曜日。いつもより三十分早く起きて洗濯機をまわそう。静まり返った家で、ひとりで眠ることに紗有美は慣れている。中学二年までは、ときどき祖母が泊まりにきてくれた。その祖母は紗有美が中学三年になる直前の春に亡くなった。

母が嘘ばかりつくようになったのは、キャンプがなくなってからだと紗有美は思う。キャンプにいかなかったあの夏、今年はキャンプはないの、と訊くと、「あのウッドハウス、火事で燃えちゃったんだって」と母は言った。冬になり、みんなの連絡先を知りたいと言うと、「この前アドレス帳の入ったハンドバッグを盗まれちゃったの」と言った。そのとき紗有美はたいそうショックを受けたけれど、その後母が嘘ばかりつくようになって、あれもきっと嘘だったのだろうと思うようになった。保護者会をすっぽかしたときは「ママ、駅で倒れて駅員室で寝ていたの」と言い、はじめて朝帰りをしたときは「ママの親友が事故に遭って、一晩病院で付き添ってた」と言った。そういう幼稚な嘘を真顔で口にする。あ、また嘘だ、と思っても紗有美は母を問いつめることはしない。「そうだったの、たいへんだったね」と、こちらも真顔で返す。紗有美は子どものころと変わらず母を好きだった。母が深夜まで働いているのも、自分がまだ学生だからだ。あんたがいるから、と、実際母はときおり口にする。あんたがいるから私は再婚しないのよ。あんたがいるから私はこんなに働いているの。紗有美の耳には「いるから」が「いなければ」に聞こえる。あんたがいなければ私は再婚できるのに。あんたがいなければこんなに働かなくてすむのに。そう聞こえるのだ。そしてそれは、嘘ばかり口にする母の、嘘のない言葉だと紗有美は知っている。

13

一九九九年

一九九九年の夏に世界は終わっちゃうんだって、と、だれから聞いたのだったか。たしかキャンプで聞いたのだ。空から恐怖の大王が降りてくるんだって、とだれかが言い、違うよ、それって核戦争が起きるって意味だよ、とだれかが言った。みんなで指を折って、その年、自分が何歳か数えたことを雄一郎は覚えている。おれ、十八歳だよ、十八歳で終わりかよ。そのときは本気で落胆した。

この夏、雄一郎は十八歳になった。恐怖の大王は降りてこないまま、核戦争も起きないまま、夏が終わった。終わったっていい、いっそ終わってくれと願っていたにもかかわらず、世界は消滅せず、まだ、ある。

マンションのエントランスに腰掛けて、雄一郎は煙草を吸う。陽射しも気温もまだ夏のようだが、頭上に広がる青空はもう秋のものだ。雲に厚みがない。どのくらい稼いだらこんなマンションに住めるのかな、と、たった今ピザを届けたばかりの部屋を思い浮かべる。自分には一生無理だな。雄一郎は短くなった煙草を足元に捨て、踏む。こんなところをだれかに見られ、店に言いつけられたら即刻クビだろうと思いながらバイクにまたがり、エンジンをかける。

夕方六時に仕事を終え、雄一郎は店を出る。制服を脱いでもチーズと油のにおいがする。駅へ向かいながら、友だちの顔をいくつか思い浮かべ、駅前の公衆電話で友春に電話をかける。

「飲まねえ?」と誘うと、

「悪い、うち、今からメシ」と答える。

「オメエ老人かよ、何時に夕飯くってんの」雄一郎は笑い、「食べ終えたら出てこいよ」再度誘う。

「うーん、いいけど」

「じゃ、そっちの庄やにいるわ」友春の家の最寄り駅近くにある居酒屋の名を告げて、電話を切る。チ、と舌打ちし、電話ボックスを出る。

中学時代の友人も、高校時代の友人も、まだ学生で、実家に住んでいる。去年まではみんな、雄一郎の家をたまり場に使っていたくせに、高三に進級するやいなや申し合わせたようにこなくなった。最近では揃いも揃って自分を避けている雰囲気すらあると雄一郎は感じている。

雄一郎が高校を辞めたのは去年の夏休み前だ。もともと熱心に勉強していたわけではないし、停学処分はしょっちゅうだった。学校側も止めず、友人も驚かなかった。

突然、馬鹿らしくなったのだった。大学に進学する気もないのに、朝起きたり電車に乗ったり、机について窓の外を眺めていたり、つまらないことで教師に注意を受けたりすることが。

2DKの古い団地だが、住む家はある。父親からは毎月五万円が振り込まれている。それだけでは足りないから、去年の夏休みは居酒屋の洗い場でアルバイトをした。だれとも会話せず食器を洗い続ける作業は、わりあい自分に合っていると雄一郎は思ったが、学生の先輩アルバイトと喧嘩し、警察まで出てくる騒ぎになって、クビになった。それから今まで、六回ほどアルバイトを変えた。交通整理、ビル清掃、引っ越し屋、倉庫の棚卸し、パン工場、そして今の宅配ピザ屋。貯金はなかなかできないが、ある程度まとまった金ができたら車の免許をとりにいこうと雄一郎は考えている。免許があったほうが仕事の選択の幅も広がるだろう。

友春の家の最寄り駅で電車を降りると、あたりはもう薄暗く、昼間のあたたかさが嘘のように涼しくなっている。パチンコ屋や飲み屋が放つネオンを縫うように歩き、チェーンの居酒屋に入る。店内を見まわすが、友春はまだいない。雄一郎はカウンターに座り、生ビールと串焼きの盛り合わせ、もやしと豚肉の炒め物を注文する。カウンターの隅に設置されたテレビと、膝に広げた漫画雑誌を交互に見ながらビールを飲む。

母が出ていったのは、雄一郎が十四歳のときだ。いつも遅くに帰ってきていたから、最初は気づかなかった。どうやら母は帰ってきていないらしいと雄一郎は気づいたが、どこにいったのか父には訊けなかった。しばらくして手紙がきた。少し離れた場所で生活をはじめるつもりだ、落ち着いたら住所を知らせる、雄一郎といっしょに暮らせるようにがんばる、それまで少しのあいだ辛抱して待っていてほしいと、細かい字で幾度もくり返し書かれていた。

母を責める気にはなれなかった。母が残業をするようになってから、つまり父が夕食の支度をするようになってから、父は明らかに変わったことを雄一郎は身をもって実感していた。殴る、蹴るといった暴力をふるうわけではない。けれど、気に入らないことがあれば壁にものを投げ、食器を割り、大声を出し、壊れるのではないかと心配になるほどの勢いでドアや襖を閉め、ねちねちと嫌みったらしいことを言う、父の、自分や母に向けるそういうひとつひとつもまた、暴力といえるのではないかと雄一郎は思っていた。自分だって、もし生活力があれば逃げ出すだろうと、母の手紙を読みながら雄一郎は思った。

母がいなくなっても父は何も変わらなかった。ものを投げなくなったりもしなかったし、前より多く投げるようなこともなかった。

母から住所を知らせる手紙がきたのは、最初の手紙から八カ月目だった。再婚を考えている相手がいると、手紙にはあった。その男には小学生の娘がいる、よければみんなでいっしょに暮らさないかと書いてあった。住所は静岡だった。雄一郎は返事を書かなかった。父との暮らしからは逃げ出したくてたまらなかったが、知らない男と女の子と母との、知らない土地での暮らしをまったく思い描くことができなかった。

父が家を出ていくまでの二年間、雄一郎は日々緊張して過ごしていた。両手にアトピーが出、慢性的な下痢をしていた。高校に上がった年の春、父は母ではない女と恋愛をし、その女の家に引っ越していった。母方の祖父母が九州からやってきて、弁護士を交え引っ越す前の父と何ごとか話し合っていた。五万円の振り込みや、団地のことなどは、このときに決められたのだと雄一郎は推測している。祖父母は九州にこいと言ったが、雄一郎はひとりで暮らすことを選んだ。ひとりで暮らしはじめると、アトピーも下痢もおもしろいようになおった。友だちがしょっちゅう入り浸る生活は、心底たのしかった。あのキャンプのように。

ビールを二杯飲み、注文した料理を食べ終えても友春はあらわれなかった。店から電話をしようかと腰を浮かすが、座りなおし、雄一郎はビールと唐揚げ、焼きうどんを新たに注文する。食事を終えて出てくるのが面倒になったのだろう。友春も、ほかの友人たちも、いつか自分から離れていくのだろうなと雄一郎はテレビを見ながら考える。ほとんどの友人が進学すると言っている。大学生になり、まともな社会人になっていくのだろう彼らが、自分みたいな男をいつまでも相手にしているはずがないのだ。

店は混みはじめ、あちこちから笑い声や大声が聞こえてくる。ひとつ置いた隣の席で、老人が背を丸めてコップ酒を飲み、新聞のエロ記事を凝視しながら秋刀魚《さんま》を箸でほぐしている。

母が出ていかなかったら、自分もみんなと同じようにまだ高校に通い、大学進学を目指していただろうかと雄一郎は考えたことがある。考えた結果、答えは否だった。人生に分岐点というものがあるとするなら、そこではない。父だ。もし父が、中学を卒業した日、あんな話をしなければ。そうだ、分岐点はそこだ。

卒業式に、父はスーツ姿で出席した。その日の夜、お祝いだと言って焼き肉屋に雄一郎を連れていった。まるきり昔の父だった。炭に火をつけるのがうまくて、冗談が好きで、雄一郎の知らないことを教えるのが大好きな父。それでうっかり、雄一郎はキャンプのことなど口にしたのだ。そういえば、昔よくキャンプにいったよね、あれってどこだったのかな。

それを聞くとビールを飲んでいた父は、煙の向こうから雄一郎を見つめ、薄く笑った。その笑いを見たとたん、失敗したと雄一郎は悟った。理由はわからないが、この話題は出すべきではなかった。しかし遅かった。機嫌のよかった父は、幾度も見慣れたにやにや笑いで言った。「御殿場だよ」さらに続けた。「あのキャンプ、どういうやつらが集まってたか教えてやろうか」

うなずいてはいけないと、雄一郎の勘が告げていた。でも、うなずいていた。だって知りたかったのだ。ずっと。そして父は、話してくれた。すべて馬鹿らしく、無意味に思えたのは、その日からだった。幾度思い返しても、それが今の自分に続く分岐点だったという結論が出る。

焼きうどんを三分の一ほど残して、雄一郎は立ち上がる。勘定を払って、友だちのあらわれなかった店をあとにする。

第二章

1

二〇〇八年

じろじろ見てはいけないと思う。思いながら目を離すことができない。ベビーカーにいくつもスーパーの袋をぶら下げ、帽子を目深にかぶった女性は、夫の帰りを待っているのだろうか。ベビーカーでは赤ん坊が眠り、女の足元には二、三歳の女の子がまとわりついている。女の子は女の脚を片手で抱いたまま、ベビーカーをのぞきこみ、右手をそっと差し入れている。女を見上げ、笑いかけている。子どもたちから女へと視線を移し、樹里は女の年齢をはかろうとする。私より二、三歳は若いのだろうか……そんなふうに思ったとき、

「ただいま」

夫の敦が目の前に立った。

「ああ、気づかなかった」

顔がこわばらないよう樹里は慎重に笑顔を見せる。敦のうしろに、改札をくぐり抜

けてくる大勢が見える。樹里は目の端で、さっきまで見ていた女が手をふっているのをとらえる。相手がきたらしい。だれだろう。見ないほうがいいと思っているのについ見てしまう。手をふりながら彼女に近づくのは初老の夫婦だ。両親だろう。案の定、樹里はかすかに落ちこむ。

「さて、何食うか。中華か和食か」

「スペイン料理、いってみようか」

「ああ、このあいだ通りかかったところ。いいね」

敦と並んで歩き出す。駅の構内を出、商店街を歩く。商店街の明かりがはじけている。この時間になると子連れの女は少なくなる。商店街を歩いているのは会社帰りの男女か、コンビニエンスストアの前にたむろしている学生、路上で立ち止まって話す若者ばかりになる。

樹里が岸部敦と結婚したのは三年前、二十七歳になった年の夏だった。文房具メーカーで働く敦とは仕事で知り合った。樹里がキャラクターデザインをした文房具が敦の会社に採用され、はじめて商品化されたのだった。樹里が直接やりとりしたのは広告代理店の人間だが、最後、文房具会社の企画部と営業部の社員も交えて打ち上げの食事会があった。敦は営業部員としてその席に参加していた。

商店街から垂直にのびる路地を入ると、いきなり住宅街になり、すとんと明かりが消える。目指すスペイン料理屋は、住宅街のなかにぽつんとある。八時過ぎの店はすでに混み合っていた。カウンター席しか空いておらず、樹里と敦は並んで座り、ビールを注文する。グラスが運ばれてくるとそれをちいさく合わせて乾杯をし、二人でメニュウをのぞきこむ。

中学からの友だちであるリカの夫は、風邪で寝こんでいるリカに「ごはんはどうするの」と訊いたそうだ。そのときリカは一歳になったばかりの娘を連れて家出し、樹里の家に一晩泊まっていった。美大時代の友人、治美が同棲している恋人は、家事はひととおりこなすが女癖が悪いらしい。いっしょに暮らしているこの五年、治美にばれた浮気は三回あるという。親しい女友だちはみな自分のパートナーの悪癖を話し、それに比べたら樹里のダンナはできた男だと口を揃える。理想の男だとまで、言う。たしかにそうだと樹里も思う。料理はできないが洗濯は得意だし、樹里が掃除をしなくとも料理を作らなくとも何も言わない。樹里の仕事が忙しいときはそう伝えれば、今日のようにいっしょに外食してくれる。陽気で、酒が好きで、話も合う。

スペイン人らしき店員が注文をとりにくる。敦と樹里がそれぞれ料理名を読み上げると、なめらかな発音でそれをくり返しながらメモし、ウインクして去っていく。

「ホテルのリストをプリントアウトしてきたけど、見る？」

「うん、見せて」

「仕事、どう？　夏休みまでに片づきそう？」

「片づけなきゃ旅行にいけないもん、徹夜したって終わらせる」

今年の夏は一週間、ポルトガルにいく予定になっている。去年は台湾、その前はモルディブ、結婚した年の夏は新婚旅行も兼ねてバリ島にいった。毎年いったことのない国にいこうと、結婚するとき敦が言ったのだ。子どもができるまではね、と樹里が笑うと、子どもができたっていけるさ、と敦は真顔で言った。

その話をリカにすると、そりゃいけないこともないけど、いきたいなんて気持ちがなくなるわよ、と言っていた。こんなたいへんなの連れておむつや哺乳瓶《ほにゅうびん》や大荷物で、飛行機乗ろうなんてぜったい思わない、と。そして続けた。いいなあ樹里は。毎年海外旅行ができるなんて、ほんと、理想のダンナさんよね、うらやましい。

年に一度の海外旅行をもちろん樹里はたのしみにしているし、次にいきたいと思う場所もつねにある。けれど敦が、毎年恒例にしようと言ったとき、本当に心から思ったのだ。そんなのきっと、一、二度だろうな。だって赤ちゃんはすぐ生まれるだろうから。

樹里が生理中、信じられないほどの激痛に襲われ、救急車で病院に運ばれたのは二年前の年の暮れだった。診断はチョコレート嚢腫《のうしゅ》。子宮内膜症の出血が卵巣にたまり、五センチを超える嚢腫になっていた。切除手術ではなく薬物治療もできるが、根本的な治療法ではないから、再発もあり得ると医師は説明した。手術を行う場合、おなかを切らないですむ腹腔鏡《ふくこう》手術と開腹手術があり、大きさからいって開腹を勧めたい気持ちはあるけれど、その後の妊娠にかかわる問題だからどの方法がいいのかご家族とゆっくり話し合ってほしいと医師は言い、このときはじめて樹里は、自分たちが子どもを持てない可能性もあるのだと気づいた。それまでずっと、まるでこうのとりの話を信じる幼い子どものように、結婚すれば自然に赤ん坊は生まれるのだろうと無意識に思っていたのだった。

結局、ダメージのより少ない腹腔鏡手術を行った。その後六ヵ月は妊娠しやすいと聞き、樹里は所属していたデザイン事務所を辞め、フリーランスで仕事を受けるようになり、基礎体温を測りはじめ排卵日とその前後に性交をした。子どもを持てない可能性について気づいたとき、同時に気づいたのである。子どもがほしいという自身の強い願望に。

けれどその六ヵ月間で妊娠することはなく、最初の入院から約一年後、ふたたび子宮内膜症の診断を受けた。今回の嚢腫は以前よりちいさかったが、卵管に癒着していて、開腹手術となった。その手術で樹里は卵巣をひとつ摘出した。

子どものことについては敦と幾度か話し合った。そりゃあほしいけれど、いないならいないでいいと思っていると敦は言った。自分に気遣ってそう言うのだろうと樹里は思っている。それは敦のやさしさではあるが、しかしそのやさしさが邪魔をして先の具体的議論にはいけない。つまり、もし残された卵巣で自然妊娠がむずかしい場合、不妊治療に踏み切るか否か。体外受精も辞さないか否か。そういうことについて敦がどう考えているのかわからない。敦にはなんでも言えるしなんでも訊けるのに、樹里にはそれだけが訊けない。また気遣われるのがいやだからだ。子どものできない原因は自分にあることをそんなふうに自覚させられるのが、つらいからだ。

「案外おいしかったな、店は騒々しかったけど」

暗い住宅街を、手をつないで歩きながら敦が言う。昼間は真夏のような暑さだったが、夜風はまだ涼しい。天気予報では明日から天気は下り坂と言っていたが、雨のにおいはまだしない。

「ポルトガル料理っていうのもあんな感じなのかな」

「隣の国だけど違うんじゃない？　そういえばこの町、各国料理が揃ってるけどポルトガルはないな」

「どんなごはんか想像つかないね」

「ま、あと二ヵ月でいくのにわざわざ東京で食べなくてもな」

今も手をつないで歩くことがあると何かの折りに言ったとき、リカは信じられないと言いたげな表情で、「子どももいないからずっと恋人感覚なんだね」と言い、いつも必ず言う「うらやましい」をつけ加えた。結婚しても、長い歳月がたっても、恋人同士のようでありたいと、結婚する前まさに樹里は思っていた。でも今、それが果たして幸福なことなのかどうかわからない。世間的な意味での幸福ではない、自分が心底欲している幸福なのかどうか、わからないのだ。

2

今年の年度末に仕事を失ってから、紗有美が起きるのは十時前後だ。テレビをつけ、顔を洗い歯を磨き、パジャマがわりのジャージからジーンズに着替え、十一時を過ぎるころ、六畳一間のアパートを出る。向かうのは、徒歩二十分の最寄り駅前にあるネットカフェである。隣のコンビニエンスストアで菓子パンとカップラーメンを買い、ネットカフェの個室にこもる。会員になると一時間三百円でパソコンは使い放題、漫画や雑誌は読み放題、しかもドリンクバーつきである。この二ヵ月、週に四日は紗有美はここに通っている。

個室に入り、紗有美はパソコンを立ち上げ菓子パンを齧《かじ》る。ｉＰｏｄのイヤホンを耳に入れ、検索をくり返す。

ｈａｌ、というミュージシャンを紗有美が知ったのは去年だ。テレビＣＭのバックに流れていた曲が耳について、レンタルショップでＣＤを借りた。ジャケットはどこか外国らしい町の光景の写真だったし、歌詞カードにも本人の写真はのっていなかったから、ｈａｌというミュージシャンが女であるという以外、顔も年齢もわからなかった。もともと紗有美はアイドルにもミュージシャンにも興味が薄く、とくにｈａｌという女性ミュージシャンのことを知りたいとも思わず、ただ通勤のいき帰りにくり返しそのＣＤを聴いていたのだが、聴き続けて一ヵ月ほどたったとき、自分でも驚くほどの唐突さで、紗有美は確信した。このｈａｌというミュージシャンを、私は知っている。ｈａｌ、ハル、はる。はる、という知り合いはひとりしかいない。波留。キャンプでいっしょだった波留。途中から参加した、男の子みたいに活発な子。

その日アパートに帰ると、紗有美は高校生のときから書き綴っているノートを広げ、自分の書いた文字を丹念に読んだ。波留は男の子たちといっしょになって沢で飛び込みをして遊んでいた。私たちは若草物語だと言ったのも波留。コーヒーにアイスクリームを落とすとおいしいことを教えてくれたのも波留。そしてノートをひととおり読み終えたときに、確信はさらに強まった。

こんなことが以前にもあったなと紗有美は思った。そうだ、十七歳のあの日だ。小田原と、突然思い出したとき。あの場所へはそのときいき着けなかったし、今もなお見つけ出してはいないけれど、小田原というのは間違っていないと紗有美は確信している。それと同じくらい強く、ｈａｌというミュージシャンは間違いなく波留であると紗有美は思った。彼女の書く歌詞が見せる既視感は、ほかの「なつかしい感じ」の歌とはまったく違うように紗有美には感じられた。彼女の歌う景色を、紗有美は知っていると思った。しかも「熱いコーヒーにアイスクリーム」といったような、波留としか思えないようなフレーズも出てくる。

インターネットで調べてみると、それが彼女の希望なのか所属事務所の方針なのかわかりかねたが、プロフィールはほとんど公開されていなかった。事務所が営んでいる公式ホームページには「町角で歌っていたところをスカウトされてメジャーデビュー」のような来歴と、今まで発売されたシングルも含めたＣＤ、ほかの歌手に提供した楽曲一覧、コマーシャルや映画に使用された楽曲一覧などの経歴、今後の活動予定が書かれているだけだった。本人の写真すらない。画像検索をすればだれかが撮ったのだろう写真は出てくるけれど、みな画像が粗く、くっきりと顔立ちのわかるものはまったくといっていいほどない。

ｈａｌ本人によるブログもあるのだが、三ヵ月前まで、絵日記ならぬ写真日記で、文字はいっさい書かれていなかった。夜の信号や、いちごののったパフェや、砂糖壺や、道ばたの猫、そんな写真ばかりだったけれど、それが彼女の目線なのだと思うと一日だって逃したくなくて、紗有美は毎日携帯電話からアクセスした。三ヵ月前から数行の言葉が書かれるようになったときは、歓声をあげたいほどうれしかった。ハタから見れば自分は熱狂的ファンなのだろうなと自分で思うが、でも紗有美は、その目線や言葉の切れ端に、彼女が波留であるという確証を求めているのだった。

顔写真も公開しないｈａｌだが、新譜が出ればライブも行っている。紗有美は一度、お台場の会場で行われたライブを聴きにいった。オールスタンディングのフロアのずいぶん後ろのほうで、人差し指程度のｈａｌを見ても、それが大人になった波留だと断言できる要素は見つけられなかったのだが、でも、紗有美はますます信じた。事務所宛に今まで手紙も三通ほど書いた。返事はきていないけれど、もしかしたら明日、くるかもしれない。

紗有美はいつものようにｈａｌのホームページをチェックし、それから彼女の名前で検索をかけ、彼女についての情報をさがす。それが終わると子どものころの記憶に関連する何かが見つからないだろうかと、「キャンプ」「小田原」「一九九〇年」などとキーワードを次々入れ替えて検索をくり返す。それに疲れると個室を出、漫画や雑誌を持ってきて読む。

紗有美は、アンケート集計の結果をパソコンに打ちこむ、という作業内容の契約社員だったのだが、昨年末、来年度の更新ができない旨通達を受けた。同じ立場だった数人は怒り、会社を訴えると言って組合を作っていたが、紗有美は参加しなかった。訴えたところで一生生活を保障してもらえるわけではないし、次の仕事を見つけるのが先決だろうと思ったのだ。実際は、こうしてネットカフェに通う日々になってしまっているのだが。

夕方、紗有美はネットカフェをあとにする。イヤホンを耳につっこんだまま、商店街を通りアパートを目指す。コンビニエンスストアによって弁当やカップラーメンを買うのが習慣になっている。いつも同じところだと何か思われそうだという自意識のため、二日続けて同じ店にはいかないようにしている。幸い、駅前からアパートまでは三パターンのいきかたがあり、その三種の道には五軒のコンビニエンスストアがある。

アパートでテレビを見ながらカップ焼きそばを食べていると、携帯電話からメール受信音が流れた。ディスプレイを確認しなくとも紗有美は送り主がだれだかすぐわかる。紗有美にメールを送るのは、母親と望月里菜しかいない。里菜は、高校卒業後、紗有美が最初にアルバイトをしたオペレーター会社で知り合った同世代の女の子で、何が気に入ったのか、まったく会わなくなった今でもときどきメールを送ってくる。でもこの時間帯なら、母だ。紗有美は焼きそばを食べながら、足元に落ちた携帯電話を拾い上げ、受信したメールを読む。

ごはんは食べているか、困ったことはないかという、いつもどおりさほど中身のない、絵文字満載の母からのメールである。紗有美は左手でやっぱり絵文字満載の返信をうち、送信する。

紗有美がひとり暮らしをはじめたのは、八年前、二十歳のときだった。それまでは松戸の住まいで母と暮らしていた。仕事はいくつか変わっているが、けれど職場はいつも都内なので、自宅から通えないこともない。けれど二年間アルバイトをして貯めたお金で、ひとり暮らしをはじめたのだった。家を出るねと言ったとき、母はショックを受けたような顔をした。「ママと二人じゃ不満なの」とも言ったし、「たった二人の家族なのに離れる理由があるの」とも言った。でも、それは本心ではないのだろうと紗有美はごく冷静に思った。ごめんね、でも、ママに頼ってばかりいられないから。紗有美も神妙な顔をして言い、そうして家を出たのだった。

ひとり暮らしになってすぐ、母がそのとき交際していたらしい男性を家に上げ、ともに暮らしはじめたことを、母はひたすら隠していたが紗有美は知っている。電話の背後で他人の気配がするとか、母の言葉の端々にその人の影があるとか、それを知った理由はいくつかあるが、でもいちばん大きい理由は勘だ。その男と別れたときも、べつの恋人とまた同棲をはじめたときも、勘でわかった。ずっと二人で暮らしていたせいで、いや、自分が母以外の人間と母以上の強い関係を作らなかったせいで、とくべつな勘が働くのかもしれないと紗有美は思っている。

離れてみてもっとよくわかったこともある。母には母の役割が似合わなかったんだなということだ。どうしても母親になりたかった、どうしてもあなたを産みたかったと、母は言ったことがある。どうしてそんなことを思ったんだろう？　と、ひとり暮らしをはじめて紗有美は思うようになった。だって、いちばんふさわしくない役柄なのに。家を出ていくと言ったとき、母はたしかにショックを感じもしたのだろうが、どこかで安堵していたことも、紗有美は理解している。そのことを、かなしいとはあまり思わない。ものごころついたときから、母はそんなふうであったのだ。そういう母をこそ紗有美は愛してきたのだった。

3

雄一郎が最初に自宅に泊めたのは、静岡に実家のある高校一年生の女の子だった。最初はネットではなく渋谷の路上で声をかけられた。そっくり同じに見える格好をした二人組の女の子で、マックでいいからおごってほしいと言ってきた。居酒屋に連れていって話を聞くと、家出してきたものの一週間がたってお金がなくなったとのことだった。

その日、バイト仲間がひとりを連れて帰り、雄一郎が静岡在住のその子を連れて帰った。聞けば、二人は友だちでもなんでもなく、路上で知り合い、ひとりでは危険だからああして二人で行動していただけで、友人が連れ帰った子のニックネーム以外本名も知らないと言うのだった。

彼女は雄一郎の住まいが2DKであることに感激していた。知らない男に幾度か泊めてもらったことがあるけれど、みんなワンルームで気詰まりだったと言う。このとき雄一郎ははじめて、家出した女の子を泊める男たちがいて、その需要と供給がインターネットを通じてうまく合致しているらしいことを知ったのだった。

静岡在住の女の子は一週間、滞在した。雄一郎は合い鍵を渡し、毎日宅配仕分けのアルバイトに出かけ、外食して夜遅く帰った。三日目に、体の関係を持ってもいいと女の子が言ってきたが断った。面倒だった。性交したことで彼女面《づら》して居着かれたら面倒だったし、よく知らない女の子の服を脱がすのも前戯をするのも、やっぱり面倒なのだった。一週間後、女の子は荷物とともに消え、どう工面したのか、ダイニングテーブルに二万円入った封筒が置いてあった。

それから雄一郎はネットの家出掲示板を暇つぶしにチェックするようになった。「謝礼払います」だの「お礼はちゃんとします」などと書いている女の子に幾度か声をかけた。たいていの子がお金を持っていなかったけれど、「光熱費くらいは出せるよね？」とやさしく言うと、彼女たちはいくらか持ってくるのだった。

家出して渋谷や新宿でたむろする女の子たちにはネットワークがあるらしい。ひとつのネットワークが蜘蛛の巣状に広がっているのか、それともいくつか個別のネットワークがあるのか雄一郎は知らないが、自分が安全牌《パイ》としてあるところでは少々有名らしいことを、最近になって知った。

暴力や軟禁とは無縁、性交も求めない、宿泊費をそれなりに払えば泊めてくれる男がいると、そのネットワークで広がり、今では雄一郎が掲示板をチェックしなくても、一カ月に一度か二度は「泊めてくれませんか」と見ず知らずの女の子からメッセージがくる。

泊める女の子はひとり。最長期間は二週間。高額を請求することはないが、無料では泊めない。体・労働での支払いは認めない。勝手にメッセージがくるようになってから、雄一郎が決めたルールである。泊めた女の子とつきあったりしないこと、アルバイトは辞めないこと、女の子が泊まっているときは男友だちを家に上げないこと、などと、自分にだけ課したルールもある。

今も中学三年生の女の子が泊まっている。きれい好きな子らしく、泊めた翌日、仕事から帰ってみるとトイレも風呂もぴかぴかに磨き上げられていた。

六時過ぎに仕事を終え、マンションの最寄り駅まで電車で帰ってきて、駅前の居酒屋で夕食がわりの晩酌をする。九時過ぎに店を出、コンビニエンスストアで明日の朝食を買い、マンションに向かう。階下から自分の部屋を見上げると、明かりがついている。その明かりに動揺するくらい安堵していることに、雄一郎は気づかないふりをする。

女の子たちが差し出す金額は決して高額ではない。援助交際をして稼いでこいと言う「泊め男」もいると、前に泊めた女の子から聞いたことがあるが、そんなことをするつもりも雄一郎にはない。彼女たちの泊まり賃で儲けようなどと思っていない。ではなぜ彼女たちを泊めるのか。見上げた窓に橙色の明かりを見たいからだなどとは、しかし雄一郎は死んでも考えないようにしている。

マンションの鍵を開け、買ってきたパンや飲み物を冷蔵庫に入れていると、貸している和室から女の子が顔をのぞかせている。目が合うと、「お帰り」と言って笑う。おう。素っ気なく言って雄一郎は缶ビールを手に、ダイニングテーブルにつく。液晶でも薄型でもない十四インチのテレビをつけて、リモコンをせわしなく押す。

「私、べつにいいんだよ」部屋から出てきた女の子は、閉めた襖に寄りかかって言う。「はじめてじゃないし、覚悟もしてるし。みんな、ここの人はなんにもしないって言ってるけど、でも、私あんましお金持ってないし」

寝てもかまわない、と言っているのだと雄一郎は理解する。面倒なので「おれ、ゲイだから」と、いつも使う嘘を言うと、「えっ、そうなんだ」と女の子は、等しくほかの女の子たちもそう聞いたときに見せる、安堵と好奇心の入り交じった表情になる。

「じゃあさ、なんで泊めてくれるの。エッチしなくてもよくて、稼いでこいとも言わないんでしょ」

「だって泊めてって頼まれたから。部屋、あるし」

「えーボランティア？　もしかして夜回り先生みたいなの？　説教とかする？」女の子は笑いながら言う。

「しねえよ」雄一郎も笑った。「なんで家出したの」興味はないのだが、女の子がなかなか部屋に戻らないので訊いてみる。

「えー、親、うざいし」女の子は笑う。女の子たちはいつも笑っている。「うざかったでしょ？　うちらくらいのときは」

「おれ、親いなかったから」これも毎度使う嘘である。

「えっ、そうなの」十人いれば十人とも、そう言ってあとは何も訊かない。幼いなりに気を遣うらしい。が、中学三年生のこの女の子は、「なんでいないの？　死んじゃったの？　ずっとここでひとり暮らしなの？」と、質問を重ねた。

「おれさ、捨て子なの」

雄一郎はリモコンでテレビを消すと、言った。ビールを飲み干し、缶を握りつぶす。立ち上がると、女の子がびくりと体をかたくしたのがわかる。冷蔵庫から缶ビールと紙パックのジュースを取り出し、ダイニングテーブルに戻る。向かいの席に紙パックを置くと、女の子はちらりと雄一郎をうかがってから、席についた。

「ものごころつくまでは集団で育てられて、自分で生活できるくらいになってから、ひとりで暮らしてんの」

半分は嘘である。はじめてつく嘘だ。もしこれから、泊めた女の子が今日みたいに突っ込んで訊いてきたら、この嘘でいこうと雄一郎は考える。

「養護施設ってこと？」

「養護施設とはちょっと違うな。捨て子同士が集められて、子どものいない夫婦も集められて、そんでいっしょに暮らすわけ」

「へえー。そんなのがあるんだ」

あるんだよ。新しいビールに口をつけてから、もう飲みたくないことに雄一郎は気づく。部屋が静かなことが気にかかり、またテレビをつける。流れてくる耳障りな馬鹿笑いに薄く安堵する。

「なんか、たのしそうだね。私もそういうところで育ちたかったな。そしたらあんなうざい親とかいなかったろうし……あ、ごめん、なんか」

「いや、べつに」十五歳かそれくらいの子の、気遣いが滑稽で哀れで、雄一郎は思わず笑顔を作る。「あんたの言うとおりだよ、うざい親とかいなくてたのしかったよ」

「そうか、そうだよね」女の子はほっとしたように言い、紙パックがへこむ勢いでジュースを飲んだ。

台所の、細く開いた窓ガラスからぬるい風が入り、窓辺に吊られた風鈴が涼しげな音を出す。ここに泊まった女の子のひとりが勝手に取りつけていった風鈴である。だれだろう？　今までここに泊まった幾人かの顔を思い出そうとしてみるが、雄一郎の脳裏に浮かぶのはただ、歩道から見上げたこの部屋の、橙色の明かりばかりである。

4

家に帰り着いたのが午前二時過ぎで、明日は朝から会議があるから少しでも眠りたかったが、賢人はシャワーを浴び、Tシャツにトランクス姿でパソコンを立ち上げる。起動するまでの短いあいだ、窓の外、すっかり夜に包まれた町を見下ろす。都心の細かな明かりは星空のように見える。最近よくチェックするブログをひととおり見る。それでも見終わると三時近い。歯を磨き、急いで賢人はベッドに入る。去年の秋から同棲している木暮咲は眉間にしわを寄せて寝返りを打つが、目を覚ます気配はない。

賢人が、実家で自分宛の封書を見つけたのは今年の正月だ。高校卒業とともに家を出てひとり暮らしをはじめた賢人は、数年間ほとんど実家には近寄らなかったのだが、今年の正月、咲を紹介するためにともに帰った。帰ったといっても都心にある住まいから実家まで、三十分もかからない。実家ではタッくんと母、年の離れた妹の茉莉香が三人で暮らしている。咲は、本人も戸惑うくらい歓迎された。考えてみれば、中学二年のときから恋人がいないときはなかったが、こうしてきちんと紹介するのははじめてなのだと賢人は気づいた。これでようやく賢人は落ち着くのだろう、このお嬢さんが賢人の堕落を食い止めてくれるだろうと、とりわけ母が思っているのが賢人自身よくわかった。鼻白む思いでもあったが、申し訳なく思うのもたしかだった。十八歳まで迷惑をかけてばかりだったのは事実なのだから。

家を出てから十年間、賢人宛の手紙は、ＤＭまでも母は律儀に転送していた。だから二カ月も前の封書がマガジンラックに突っ込んであるのは不思議だった。しかも一度開封されたらしく、糊付け部分が不自然に歪んでいた。賢人はそれを見つけたことは口に出さず、そっと自分の荷物にすべりこませた。そのまま咲と一泊して、今の住まいに帰ってきた。

もしかしてあなたは、某病院、某医師の元で生まれたお子さんではないでしょうか、とその手紙には書かれていた。その手紙の主は、その時期、その病院、その医師を担当医として出産した妊婦及びその家族をさがしているらしかった。理由は書かれていない。もしそうであるなら、そしてもし何か気にかかることがあれば、連絡がほしいとあり、手紙の最後にメールアドレスが書かれていた。手紙の主が自分に何を訊こうとしているのか、賢人はうっすら推測することができた。なぜ理由が書かれていないのかも。でも、その推測が正しければ、差出人は勘違いをしている。なぜなら賢人はその病院で生まれたのではない。

なぜ無関係な自分のところにそんな手紙がきたのかも、なんとなくだが予測はできた。その病院で生まれたわけではないが、その総合病院の心療内科に連れていかれたことがある。賢人が高校二年生で、交際していた二歳年上の女子大学生を妊娠させたときだ。それがはじめてではなく二度目だった。中学三年の終わりにも似たようなことがあった。それでタックんだか母だかが、お医者さんにみてもらったほうがいいと言い出したのだ。手紙の主は、そのときのカルテか患者名簿かそんなようなものを入手したのだろう。思春期のそのころ、自分の生まれた病院の心療内科に通った、自身と同世代の男女にこうして手紙を書いているのだろう。小石のなかに落とした砂利石を見つけるような確率だと思いながら。

賢人は返事は出さなかった。出さなかったが、手紙の主の名をインターネットで検索し、そうして彼が立ち上げているホームページを見つけた。以来、賢人は日課のようにこのページと、訪れた人が自由に書きこめる掲示板を読んでいる。一日にずいぶん多くのアクセスがあり、ずいぶん多くの書き込みがある。

眠ろうと焦れば焦るほど眠れず、賢人はうっすらとした苛立ちを覚えながら咲の寝息を聞く。咲は横になればすぐ眠りに落ち、眠ったら震度四の地震でも起きない。いっしょに暮らすことになったのは、咲が同棲を強くせっついたからだが、それを受けたのは、でも結婚するつもりはないと咲が宣言したのが大きい。けれど実際のところ、この図太く健やかな眠りがうらやましかったからかもしれないと、暗闇に目を開き賢人は考える。


翌朝、配られた資料に書いてある名が、どんよりと閉じそうになる賢人の目に飛びこんできた。

船渡樹里。

賢人の勤める広告代理店が、飲料会社が新しく発売するアルコール飲料の宣伝を任されることになった。そのマスコットキャラクターのコンペティションが近く、クライアントも招き社内で行われるのだった。個人・法人含むコンペ出品作品の最終決定がなされる会議の席上だった。

賢人はプラスチックカップに入ったコーヒーをすすり、資料をめくる。七人ほどの作品のカラーコピーがありその下に経歴が書いてある。船渡樹里は一九七八年東京生まれで、美大を卒業し、数年前までデザイン事務所に所属していたとある。

樹里。賢人はその字面をもう一度眺める。まさか、と思うかたわらで、こんなめずらしい名前はそうそういまい、とも思う。いや、でも、ペンネームかもしれない。樹里なんて名前はペンネームこそ似つかわしい。

ずっと覚えていたわけではないし、忘れていた期間のほうがずっと長い。子どものころの数年、参加したキャンプの思い出だ。賢人はそこで初恋を経験した。初恋の子とは結婚式まで挙げたのだ。でも、積極的にさがそうと思ったことはない。キャンプの行われていた場所も、そこに参加していた子どもたちも。ただ、ふと思い出すことがあった。十代のころ、ぽかんとした空白にのみこまれてしまうようなことが賢人にはよくあって、そんな折り、空白から戻ってくると、なぜかちらりと思い出したりするのだった。名前を全員覚えているわけでもない。覚えているのは、弾と樹里。めずらしかったから覚えている。あとは紀子。結婚した子だから覚えている。名字に至ってはほとんど覚えていない。ただ、樹里はやけに字画が多かったのを覚えている。名前の漢字がむずかしいというような話になったとき、樹里が自分の名前をひとつの文章にしたことも覚えている。「ふねでわたってきのさとにいくの」と、いうような。「ふねでわたって」のところが、けれど思い出せない。船渡という漢字を見たからそう思うのかもしれない。

結局、賢人が一言も発言しないまま会議は終わった。船渡樹里は落ちた。残った三作品が、他社の持ってくる作品と合わせ、再来週の本コンペで競うことになる。

デスクに戻り、いれなおしたコーヒーをすすりながら賢人はもう一度資料を見る。ほかの作品はみなボトルや酒の原料となる果実をマスコットにしているが、船渡樹里の作品はいびつなかたちの氷だった。

船渡樹里のプロフィールには、彼女のメールアドレスが書かれていた。彼女個人のメールアドレスなのか、マネージャーかだれかのものなのか、そのアドレスの文字面からはわからない。

子どものころのキャンプ、そのとき集まっていた子どもたちがどういった子どもたちであるのか、賢人が母から聞かされたのは、心療内科にしばらく通っていたころだ。代々木にあるこぢんまりしたイタリア料理屋で、母は神妙な面もちでそのことを打ち明けた。やけに薄暗い店だった。「話すつもりはなかった」と母は言った。「ただあなたを見ていると心配になって」と言った。「どうして隠そうなんて思ってたの」賢人は訊いた。なぜなら母の話を聞いて、ようやく合点がいったからだ。自分がなぜ、ときとして空白にのみこまれるのか。だって自分はあの家では他人だからだと、ひねくれているのでも卑下するのでもなく、賢人は理解した。鈴木タッくんと母と茉莉香、鈴木姓を名乗る彼らと、松澤姓を名乗る自分は、姓だけでなく隔てられていて、まるで他家にまぎれこんだようだから、透明人間みたいに感じていただけなのかと、納得がいった。もっと早く教えてくれていれば、もっと自分の在りように、いや、自分をのみこむ空白の処しかたに、折り合いをつけていたかもしれない。「もし」なんてなんの意味もないとわかりつつ、賢人は思った。

「話すことであなたを傷つけたくなかったから」と、賢人の問いに母は真顔で言った。それはそうなのだろうと賢人は思った。何が人を傷つけるかなんて、自分以外にはいつだってわからないのだ。

賢人は新規作成のメール画面を出し、送信するわけではないと自身に言い聞かせて、文字を打ちこんでみる。もしかしてあなたは、子どものころの夏、キャンプに参加していたことはないでしょうか。その文面が、見ず知らずの人からきたものとまったく同じであることに気づき、賢人は苦笑する。

5

私鉄駅から十分ほど歩く。歩道に植えられた木々の影を縫って歩いても、すぐに汗が噴き出し、ブラウスは背中にはりつく。日よけの覆いをしたベビーカーで、あゆみも暑そうにいやいやをしている。すぐよ、すぐ着くからね、と紀子はあゆみに話しかけ、少しばかり急ぐ。赤信号で立ち止まり、携帯電話をチェックする。着信はない。錆《さび》の出た門を開けると、インターホンも押さないのに母親が玄関の戸を開ける。サンダル履きで出てきた母は紀子には挨拶もなく、ベビーカーをのぞきこむ。

「いらっちゃい、あちゅかったねえ」幼児語は使わないでと紀子がいくら頼んでも、母はそんな言葉遣いをやめようとしない。覆いを開けて手をのばし、あゆみを抱き上げる。あゆみはぱっくりと口を開けて笑う。「あー笑った笑った、あゆしゃんが笑いまちたねえ」

「先週も会ったばっかりじゃないの」紀子は笑いながら、母に続いて家に入る。視界が一瞬暗くなり、とたんに解放感を覚える。濡れた水着を脱ぎ捨てたような解放感に、いつも紀子自身がたじろぐ。

母親と向き合って、素麵《そうめん》の昼食を食べる。週に一度、必ず紀子はあゆみを連れてここへきているというのに、母はあゆみを離そうとしない。あゆみを膝に乗せ、自分の食事もそこそこに、朝から作っておいたのだろう数種の離乳食を食べさせる。あんまりしつこくしすぎて、あゆみが泣き出すことがあるほどだ。

先週と同じ、あたりさわりのない話をする。慎也さんはどう、と母は紀子の夫のことを訊き、相変わらずよ、元気よと紀子は答え、おとうさんはどう、と紀子は父のことを訊き、ウォーキングをはじめたの、だとか、お盆に北海道いこうって言うの、だとか、母は紀子よりは長く父の近況を説明する。それからあゆみの話。パパって言ったの。椅子から落ちて泣いてたいへんだったの。児童館でお友だちがなかなかできなくて。そういえば、あんたも人見知りだったわねと、母が昔話をはじめることもある。

食事を終え、紀子は母のぶんとあわせて皿を洗い、二階の自室へいく。ここで暮らしていたときのままになっているベッドに寝転がり、窓の外、盛大に緑の葉を茂らせたメタセコイアの木を見る。階下から、あゆみに話しかける母の幼児語と、クラシック音楽が聞こえてくる。まるで自分があやされているかのようにうとうとと眠くなり、やがて、抗えずに紀子は目を閉じる。

夫の慎也と、昨年十月に生まれたあゆみと、三人で暮らすマンションから、二本電車を乗り継いで四十分ほどの実家に、週に一度紀子は向かう。料理教室のある水曜日だ。ベビーカーを押しての移動は面倒だし、母に会ってもとくに何を話すわけでもない。慎也とあゆみとともに、週末にふらりと立ち寄ることもあるのだから、そう几帳面に帰ることもないのだが、それでも今、水曜日にここにこないことを紀子は想像できない。

自分の笑い声で目覚めた。紀子は目を開けたまま身動きもせず天井を見つめる。笑いが残りかすのように口から漏れ、何がおかしいのだろうと不思議に思ってようやく消える。どんな夢を見てなぜ笑っていたのか、もう思い出すことができない。紀子はがばりと上半身を起こす。そんなことより、今何時だろう。サイドテーブルに置いてある時計を確認すると、三時近かった。一時間ほど眠ったようだ。紀子は起き上がり、冷房を消して階下に下りる。和室で、母とあゆみもタオルケットをかけて眠っていた。

携帯電話には慎也からメールが入っていた。今日は何を習ったの？　夕ごはんたのしみにしていまーす。短い文面のところどころに、絵が入っている。受信した時刻を見ると、まだ十分とたっていない。紀子は急いで返信する。今日習ったのは鰺《あじ》のお寿司だよ。復習するからたのしみにしていてねー。絵も入れる。魚の絵や、笑っている顔の絵や。無事に送信したのを確認し、紀子は急いで母とあゆみを起こす。

慎也とは学生時代に出会った。他校に通う慎也と、就職活動中の三年時に知り合い、四年生から交際をはじめた。慎也と紀子はともにマスコミ志望だった。慎也は大手の出版社を、紀子は児童書を扱う出版社を第一希望にしていた。紀子は第一希望ではないが、翻訳物を多く扱う出版社に受かり、慎也は中高生向きの教材を扱う出版社に内定した。互いの就職先が決まったとき、慎也と紀子はフランス料理屋に予約を入れ、シャンパンで乾杯をした。けれど紀子が勤めたのは一年だけだ。ちいさな出版社だったから、三ヵ月の研修ののち紀子はすぐに編集部に配属され、立て続けに翻訳物の童話を二冊担当させられ、右も左もわからないまま、それでもなんだかこの仕事はおもしろいようだと思いはじめていたのだが、紀子が二十三歳になったその年の秋、慎也に求婚された。もちろんいつかは結婚するのだろうと紀子は思っていたから、承諾した。それまでも慎也は紀子の両親に会っていたし、紀子も、岐阜に住む慎也の両親とは幾度か食事をしていた。

紀子が思っていたとおりにならなかったのは、ひとつだけ、仕事のことだった。結婚しても仕事を続けたいと交際中に紀子は幾度か言っていたから、まさか結納も交わしたあとになって、できれば仕事を辞めてほしいと慎也が言い出すとは思いもしなかった。ずっと専業主婦でいてくれとは言わない、ただしばらくのあいだ、家庭を第一に考えてほしい。紀子は抵抗を試みた。就職してまだ一年もたってない、結婚したら仕事を辞めろなんて今まで聞いていなかった、と、決して喧嘩腰にではない、ただ自分の考えを伝えようと言葉を重ねた。

その後の慎也の言動を、紀子は今でも思い出したくない。

そのとき話をしていたのは、深夜のバーだった。働きはじめてから、待ち合わせて夕食をとったのちによく向かっていたいきつけのバーだ。さほど酔っているとも思えないのに慎也は、飲んでいたウォッカトニックのグラスを思い切り壁に投げつけたのである。「そんなに仕事がだいじなら一生ひとりで仕事してろ、馬鹿」凄むように言い捨てると、そのまま店を出ていった。

その年度末、紀子は仕事を辞め、翌月、予定どおり慎也と結婚式を挙げた。慎也と結婚するか、しないで仕事を続けるかというのは、そのときの紀子にとって二者択一としてあり得なかった。いや、正確にいえば、あのバーの夜から紀子はほとんど自身の思考を停止させていた。慎也の言うとおり、仕事なんてそのうち見つければいい。慎也の言うとおり、しばらく家庭を第一にして何が悪い。すべての思考は慎也のそれを無意識になぞった。

あれ以来、慎也が何かを投げたり、壊したり、口調を荒らげることもない。紀子の誕生日も結婚記念日も忘れたことがなく、プレゼントを欠かさない。残業のない日は息を切らして帰ってきて、あゆみを風呂に入れる。休みの日には食事を作ることもある。紀子の実家にくることを厭《いと》わない。飲むと話のくどくなる父の相手もかって出る。平日は業務の合間に紀子にメールを送って寄こす。「いいダンナさんでよかったわね」と、紀子の母は心底安堵したように言う。

たった一度。たった一度感じただけの恐怖を、たぶん、だれもわかってくれないだろうと紀子は思っている。「仕事を辞めてほしいって言われたの」と、父と母に打ち明けると、「どっちにしろ、赤ちゃんができたらそういうことになるんだし」と、専業主婦の母は言い、「働きたかったらいつでも働き口はあるさ」と、就職氷河期などという言葉を知らないらしい父は言った。紀子の真意は伝わらなかった。いや、自身の真意がなんであるのかも紀子にはわからないのだが。手紙に書けばわかるかもしれない、と、こんなとき紀子は思う。幼いころのように、架空の恋人に向けて思ったことを書き綴れば、いろんなことが明確になるかもしれない。でも紀子はもう手紙は書かない。届ける相手はいないと知っている。自分の気持ちを言葉にするのが正しいとは限らないとも知っている。

駅まで見送りにきた母に手をふり、紀子はベビーカーを押して改札をくぐる。マナーモードにしている携帯電話が、トートバッグのなかでふるえたのがわかる。エレベーターでホームに上がり、ベンチに腰掛ける。もう帰った？　ぼくは今日は八時には帰れるよ。絵入りのメールを読み、残業ないんだね、あゆみと待ってるねー！　返信を打つ。蟬の音が世界を遮断するように響く。送信を終え顔を上げると、いつのまにかすべりこんでいた電車がドアを開けていた。ガラス窓に映る自分の顔を、紀子はぼんやりと見る。たった今送ったメールの内容とはまったく裏腹にうつろな顔でこちらを見ている。ドアが閉まる。ゆっくりと電車は走り出す。あ、と思う。あ、乗り損ねた、と。電車が走り去ると、蟬の声とあゆみとともに、紀子はホームに残される。

6

そのメールは、九月にとった夏休みの直前に樹里の元に届いた。そのおかげで、ポルトガル旅行のあいだじゅう、樹里は上の空で、宮殿も教会もろくに見ず、あれほどたのしみにしていたポルトガル料理も、メニュウ選びはすべて敦にまかせるほどだった。

もし間違ったところに送っていたとしたら申し訳ありません、というのがそのメールの出だしだった。いたずらでメールしているわけではないことをご理解ください。そんなふうに続くものだから、当然ながら樹里は身構えた。そして次の瞬間、あまりの驚きのためにちいさく声を上げた。

もしかしてあなたは、子どものころ、夏のあいだだけキャンプに参加していたことはないでしょうか。学校や地域のサークルのキャンプではありません。何組かの親子が山荘で数日過ごすキャンプです。私はそのキャンプに参加していた者で、その当時のことをなつかしく思い出しております。もしできるならば、あのときいっしょだった人たちと交流を持てないかと考え、失礼を承知でメールをさせていただきました。

差出人の名は「松澤賢人」だった。ケン、とすぐに樹里は思ったが、そのケンの顔すらもうはっきりとは思い浮かばなかった。果たしてケンが、松澤賢人という名だったかどうかも定かではない。「松澤賢人」は、広告代理店で働いていて、樹里のイラスト資料からメールアドレスを知ったと追記していた。自分の連絡先もちゃんと書いていた。

すぐに返事を書かなかったのは、信用できなかったからだ。樹里がもっとも信用できなかったのは、「松澤賢人」なる人物が、自分の願望を知っているからだった。忘れていた期間のほうが長い。それでも樹里はときおり、夏のキャンプを思い出したし、あそこでいっしょだった子どもたちはどうしているかと思いを馳せた。死ぬまでに彼らの行方を知ることがあるのだろうかと思うこともあった。それから勝手な空想もした。たとえば、子宮内膜症にかかったときだ。ねえ、私、子どもが産めなかったらどうするだろう？　あなただったらどうする？　と、とうに顔すら思い出せない友だちに空想のなかで話しかけたことが幾度も。現実の友だちには決して言えないようなことに限って、彼ら彼女らにだったら言えるのだった。

彼らに会ってみたいと自分がひそかに願っていること、それを知っているかのようなメールは、樹里にとって充分あやしむべきものだった。もしかして松澤賢人があのケンであり、ケンもまた、大人になる過程で、ごくたまにだとしても、夏を過ごした面々のことを思い出し、いつか会えると夢想していたのかもしれない、とちらりと考えはしたが、けれど、そう思いこむのは危険だと樹里は思った。あまりにも感傷が過ぎる。それで返信しないまま、ポルトガルに旅立った。

どうしたの？　と、幾度も敦に訊かれた。そのたび樹里は、暑くて疲れちゃった、だの、お昼にワインを飲みすぎたみたい、だのとごまかし続けた。ずっと松澤賢人のことを考えていた。

ポルト、ナザレとまわり、またリスボンに戻った旅の最終日、「頭が痛いから、休みたい」とみやげものを買いにいく敦を送り出し、樹里はホテルに残った。持参していたノートパソコンを開き、そして松澤賢人に返信を書いた。数日間、石畳と城と宮殿と海を見ながら、子どものころのキャンプのことを思い出し、自分がどこで何をしているのか、じょじょにわからなくなっていた。こんなふうな非日常のなかでなければきっと、自分は松澤賢人に返信をしないだろうと樹里は思った。そう考え出すと、もしかしたら松澤賢人に返信するために、自分はこの時期を選んでこの場所を旅しているのかもしれないとまで、思えてくるのだった。

夏のキャンプで私はジュリーと呼ばれていました。

と、樹里は書いた。キャンプは突然なくなり、参加していただれとも連絡がとれなくなりました。中学生のとき、そのなかのひとりと一時期手紙をやりとりしましたが、それも途絶えて、それきりです。あのキャンプのことについて詳しく知りたい気持ちも、参加者を熱心にさがすつもりもないのですが、どうしているかなと思うことはたしかにあります。もしかしてあなたは、ケンと呼ばれていませんでしたか。

そう書きながら、樹里は、自分が成長したケンに宛ててメールを書いていることを確信していた。ケンの顔を思い浮かべることはできなかったけれど。

今日の夕食の席で、敦にこのことを話そうと、メールを送り終え、ホテルの窓から石畳の路地を見下ろし樹里は考えた。夏のキャンプのことも、突然のメールのことも話そう。

けれど結局、敦が予約してきたファドの聴ける店で、樹里はメールのことも夏の記憶も話さなかった。だってファドの店じゃ話せない、と樹里は言い訳をするように思った。夫に話せない理由が、自分でもよくわからなかったから。


目の前に座っているのが、ケン。

想像していたようななつかしさも、再会の喜びも、樹里は感じていない。そのことに樹里自身がとまどいを覚え、幾度も胸のうちでくり返さなければならなかった。今目の前にいるのが、ケン。あのちいさなケン。仲良しの子といつもぴったり寄り添っていた男の子。

けれどいくらそう思ってみても、なんの感慨も湧かない。相手も同じらしく、コーヒーカップにせわしなく触れる指先や、テーブルの下で脚を組み替えているらしいちいさな動きが、そのとまどいをあらわしているように樹里には感じられる。

待ち合わせたのは、賢人の勤める会社近くにあるホテルの喫茶店だった。壁がガラス張りになっていて、くまなく陽が射しこんでいる。そうして今、樹里はコーヒーを前にして賢人と向かい合って座っている。

「あなたがケンだなんて」会ってから十五分ほどのあいだに、二回は言ったせりふを樹里はもう一度口にする。「まさか本当に会えるとは思わなかったな」

「ぼくもです。思いきってメールを送ってみてよかった」

目を合わせ、笑い合う。また沈黙。

そりゃあそうだと、胸の内で樹里は思う。子どものころの、たかだか数年、しかも夏の数日顔を合わせただけの、よく知らない人なのだ。手を取り合って喜ぶほどではないし、面影をさがすほど幼いケンの顔を覚えているわけでもない。

「ほかのみんな、どうしているんでしょうね。もうみんな、名前も顔もおぼろげだけど。ケンは結婚式を挙げた子がいたわよね」樹里が笑うと、賢人も笑った。そんなことに深く安堵する。「あんなに仲良かったのに、あの子とも結局、連絡はとらずじまい？」

「たぶん、ぼくらが今こうして会っているようには、だれも会っていないんじゃないかな。だからジュリーの、船渡さんの名前を見つけたのはすごい偶然だと思う。でも、それこそ船渡さんにだれかから連絡はないの？　ああいう仕事をしていたら、名前や顔を出す機会は多いですよね」

賢人の敬語に居心地の悪さを感じつつ、樹里は思い出す。親には知らさないほうがいいと書いてきた弾の手紙や、不自然なほど何かを隠していた母親の態度を。

「でも、なんだったのかしらね。みんなの連絡先、親は頑なに教えてくれなかったし。あの時期は私のなかではもっとも不思議な記憶として残ってるな」

「親って、自分より賢いとは限りませんからね。子どものころは親ってずっと大人だと思っていたし、親っていうだけで全面的に信頼してましたけど、そうではない人だって親をやってる」

目を細めてガラス窓を見、独り言のように賢人はつぶやいた。賢人が何を言っているのか樹里にはわからなかった。あまりにわからなすぎて何をどう訊いたらいいのかすらもわからず、賢人のあちこちを盗み見た。色の白い肌や、指輪のはまっていない薬指や、きちんと漂白されているワイシャツの襟首や、切りそろえられた爪なんかを。あちこちに名前や顔写真が出るほど仕事はないが、でも、もしだれかから今回みたいに連絡がきたら、自分はどうするだろうと樹里は考える。賢人とこうしているように、会うだろうか。それとも、今回のちょっとした居心地の悪さが厄介になって、もう会わないだろうか。そんなことを考えていると、ガラス窓に顔を向けたまま、賢人が言った。

「ねえジュリー、さがしてみませんか。あのころ、山荘にきていた子どもたちを」

そんなの無理でしょう。第一、さがしてどうするの。こうしてまた、なんとなく気まずくお茶を飲むの？　それだけのために面倒なことをはじめるの？　一瞬のうちに言いたいことがいくつも思い浮かんだが、

「どうやって」

樹里の口から漏れたのは、その一言だった。

7

その男の話を、紗有美は毎日のように通っているネットカフェで聞いた。フリードリンクのコーナーで、高校生か中学生か、とにかく女の子二人が話しているのを聞いたのである。彼女たちは空のグラスを片手にカウンターに寄りかかり、話しているうちに飲み物をとりにきたことなど忘れたらしく、ずっと話しこんでいる。

コンビニエンスストアでカップ焼きそばを買ってきた紗有美は、容器に湯を入れ、

できあがる数分をそこで待っていた。二人が話しているのは「泊めてくれる男」のことらしかった。家出をし、いき場のない女の子を泊めてあげる「泊め男」というのが存在するらしいと紗有美は知った。泊まり賃の代わりに性交を強制したり、援助交際をけしかけて宿泊代金を払わせるひどい男も多いらしいが、「でもその人は違うんだって」と、短い制服スカートの下にジャージをはいた女の子が言い、「えーどう違うの」ハイビスカスに似た花を髪に挿しているほうがへらへらと笑う。「ゲイだからエッチはなしだし、お金もべつに要求しないんだって」「えー、ノリリンそこ泊まったの」「私じゃない、友だちの友だち」「えー、嘘くっさ」「いいよ、信じなくても。教えないから」「でもさ、かえってその人やばくない？　なんか盗撮したりとか、してるのかもよ」

ドリンクコーナーのわきにある流しで紗有美は湯を捨てる。

「その人、捨て子なんだって」「えー何それ」「ちょっと変わったとこで育ったんだって。そんで、人と暮らすようなことに憧れてるって話」「えー、変わったとこって何」「捨て子たちと、子どものいない夫婦が、家族みたいにして暮らすんだって」「えー、でもそんだけで泊めるの、へんじゃん。だったらべつに、そのへんのホームレスだって泊めてもいいわけでしょ」「そんなん私に言われたって知らないよ。でもね、その人、超かっこいいらしいよ」「げーますます嘘っぽーい」

ソースの袋を持ったまま紗有美は動きを止めた。今の話、何かひっかかるところがある。何だ。どこだ。めまぐるしく考える。捨て子と、子どものいない夫婦……。ひっかかった部分をくり返すように確認すると、一瞬、あのキャンプの光景が蘇《よみがえ》った。

彼女たちの話とぜんぜん違うことはわかっていた。あのキャンプは捨て子と子どものいない夫婦の集まりではなかった。そもそも捨て子と子どものいない夫婦が暮らすなんて、養護施設でも里親でもないものは聞いたことがないし、想像もつかない。でも、何かひっかかる。勘のようなものだった。小田原と急に思い出したような、ｈａｌの歌を聴いたときのような、勘。

「ねえ」そのささやかな勘に従って、紗有美は女の子たちに話しかけていた。「その男の子の連絡先って知ってる?」

二人は瞬間、表情をこわばらせたが、おそらく驚きと緊張のせいだろう、へらへらと笑い出した。「えー、なんでー」「ノリリン知ってるんでしょ」「ヨッシーに訊かないとわかんない」

「じゃ、訊いて」

「なんかこわー」「ちょっとおばさん、麺のびるよ」「それに面倒なんですケド」

「でも知りたいの。お願い。教えて」

「えー、ネットで検索すればいいじゃん。ジャーナルとかのサークルで『泊め男』とかやれば出てくるよ」

「ジャーナルって何」

「やーなんかこわー」「なんかこの人、おかしくねえ?」二人はそれぞれに腕をまわし合い、甲高い声で笑いながらその場を離れていった。たしかにカップ麺のソースを片手に、容器を片手に、すっぴんのジャージ姿の女に詰め寄られたらこわいよな、と思いつつ、紗有美は素早くソースと具材を容器に入れて麺をかき混ぜ、個室に戻る。焼きそばをすすりながら、まずはインターネットで「ジャーナル」を検索してみる。

ソーシャルネットワークサービス、SNSというもののひとつらしかった。登録すればだれでも会員になれ、ネット上で友だちを作ったり、日記や写真を公開したりでき、会員同士でそれを閲覧できるシステムだ。女の子たちが言っていた「サークル」というのは、会員同士で作る趣味の場のようなもので、あるタレントの名を検索すればファンクラブのようなものがいくつかヒットし、そのなかで会員同士、情報交換をしたりしていて、つまりはそれが「サークル」らしい。言われたとおり、「泊め男」で検索してみる。該当するサークルはないと表示が出、紗有美はがっかりする。いくつか言葉を換えて検索しなおしてみるが、知りたい情報の切れ端にもたどり着かない。

そうして紗有美は、ジャーナル内に登録されたサークルを検索するのに、音楽、お笑い、テレビ、ゲームなどというジャンルが選べることに気づく。そのジャンルのなかには、地域、学校、学年、団体、といったようなものがある。どういうものなのかのぞいてみると、たとえば、某小学校の一九九〇年卒業生に限ったサークルや、同じ年の同じ月に生まれた人たちのサークルなどが信じられないほどたくさん出てきた。泊め男のことなどすっかり忘れ、紗有美は画面に顔を近づける。ここからさがすことはできないだろうか。何年から何年、夏のキャンプに参加した人たちのサークルなど、存在しないだろうか。このサービスとはかぎらない。SNSというものが多々存在することを、紗有美も知ってはいる。それらすべての会員になって、虱潰《しらみつぶ》しにさがしていけば、いつかたどり着くのではないか。

たぶんだれも彼も、私よりはずっといい人生を歩いているだろう。友だちに囲まれて、あのキャンプのときと同じように、やさしい両親と踊ったり笑い転げたりして成長してきたんだろう。結婚している人も、子どものいる人もいるだろう。波留のようにやりたい仕事についた人も、何か目指している人もいるだろう。私に比べたら、みんな、光り輝くような日々を送ってきたし、今もそうだろう。でも、それでも、幾度となく思い出したはずだ。キャンプでいっしょだった子どもたちとの再会を、願ったことはあるはずだ。そんななかで行動を起こす人はいないだろうか。一昔前なら無理だったかもしれないけれど、今はインターネットもメールもある。それらを通して、あのころの友だちを見つけようという人が、ひとりくらいいてもおかしくない。

気がつくと、十時近かった。十時間も個室にこもっていたことになる。この数時間で、紗有美は四つのSNS会員になっていた。目が乾いて痛んだ。が、手がかりらしいものは何ひとつ得られなかった。紗有美は帰り支度をはじめる。料金を払い、外に出る。ねとついた熱気がまとわりつく。知りたいものは何ひとつ知ることができず、たどり着きたい場所へは一歩も近づいていないのに、紗有美の気分は明るかった。

その一週間後、ネットカフェの同じ個室で、紗有美はインターネット上のニュースを凝視していた。「泊め男、逮捕」の見出しをクリックしてあらわれた記事である。家出をし泊まる場所がないという少女を、保護者の許可なく連泊させたとして、神奈川県戸塚警察署は十一日、無職中村孝利（三三）を青少年健全育成条例違反で逮捕した。

逮捕されたこの男が、女の子たちが話していた泊め男とはかぎらない。まして、あの女の子たちが話していた「捨て子」で、「子どものいない夫婦」と特殊な施設で暮らした経緯を持つだれかであるはずもない。自分とは、自分のさがしている人々とは、まったく無縁のニュースである。そう思いながら、けれど紗有美はそのニュースをくり返し読み続ける。そのニュースの何が気になるのか、紗有美自身がわからないというのに、目を離すことができない。接点の見つからなさと、勝手に暴走している自分の勘に、紗有美は苛立ちを覚える。

もしかして、と思ったのだ。もしかして、女の子たちの話していた「泊め男」が、あのキャンプでいっしょだっただれかではないか、と。そのだれかは、あの不思議な夏の記憶を「捨て子と子どものいない夫婦の時間」などと表現して話しているのではないか。自分がずっと抱えているような、穴ぼこのような孤独感をその子もずっと抱えていて、それでだれかを泊め続けているのではないか……そんなふうに紗有美は空想していたのだった。

もしかして、自分が泊めてもらう側になれば、その男に会えるのだろうか、と紗有美は考える。家出、泊めて、などとキーワードを打ちこんで検索すると、ずいぶんな項目が出てくる。いかにもあやしげなもの、家出サイトと呼ばれているらしいもの……どこまでが本当で、どこまでが何かの組織なのか、皆目わからない。一週間前に感じた淡い希望が、深い森の奥に吸いこまれるようにして消えていくのを紗有美は感じる。あの夏の記憶さえも、雑多な情報と混じり合い、どこまでが本当でどこまでがそうでないのか、わからなくなっていく。

8

目覚めると、波留は体を起こさず横たわったまま、目に映るものすべてを確認する。スタンドライトの明かりに照らされた、天井、カーテン、壁際の本棚、飾り棚、そのわきに掛けたワイエスのコピー作品、ドアノブ。だいたいいつも、昨日と同じものが同じように見える。けれど波留はそのことに確信が持てず、毎朝不安を覚える。昨日はドアの蝶番《ちょうつがい》まで見えたのではないか？　不安に押しつぶされそうになると、あわてて上半身を起こす。よし。ちいさく自身にかけ声をかける。

友だちと会ったり美容院にいったり、プライベートの用事以外の一日のスケジュールを、波留はほとんど把握していない。たいがいマネージャーの須藤から電話があり、その一時間後に須藤の軽自動車が迎えにくる。助手席に座って、一日のスケジュールを須藤から聞く。

今日は病院の予約があった。病院通いをしていることは、波留はだれにも言っていない。だから須藤には、新宿のデパートの前にきてくれるよう告げた。病院から新宿まで地下鉄で二駅だが、病院まで迎えにきてもらうわけにもいかない。新宿ならば、レコードか服でも買っていたのだろうと勝手に推測してもらえるだろう。

まず事務所、事務所で一件インタビュー、その後移動して出版社でもう一件インタビュー、五時から二時間スタジオをおさえてあると説明する須藤の声を聞きながら、波留は窓の外を見遣る。梅雨入り間近の曇り空、立ち並ぶビル、空を区切るような電線、横断歩道に歩く人たち。

段ボール箱のなかに無造作に突っ込まれている手紙や贈り物を片っ端から手にとり、「ちょっと、いくらなんでも管理悪すぎ！」波留は叫ぶ。「これお菓子でしょ？賞味期限三ヵ月前になってるよ。あとこれ、ぜったい手作りっぽい。開けたくない。なんとかして」

「それ、昨日着いたの。送ってくれただけでもありがたいと思いなよ。恨まれても仕方ないのにさ」床に座って雑誌の整理をしながら奈美絵が言う。

「私、手伝います」デスクについていた女の子が立ち上がり、波留と向き合って段ボール箱の中身をテーブルに並べていく。

大手レコード会社に所属していた波留は、半年前、波留をスカウトした真鍋剛、他のレコード会社に勤務していた彼の妻、奈美絵とともに会社を設立した。それぞれの会社から引き抜いた三人を社員とし、新たにアルバイト五人を雇った。今のところ、事務所に所属しているアーティストは、波留と、三年前にやはり剛のスカウトでメジャーデビューしたパンクバンドだけだ。代々木のマンションの一室に事務所を構え、この半年、新事務所にかかわるだれも彼もが忙殺されていた。

しばらく黙って波留は整理に没頭する。ファンからの手紙や贈り物は、今までそう多くはないがレコード会社に送られていた。この半年、放置されていたらしい贈り物が、波留宛のインタビュー掲載誌などとともに、レコード会社から昨日送られてきたらしい。波留は送られてきた手紙はぜんぶ読む。ときどき紛れこんでいる「ボクとキミの結婚パーティには何人呼ぶべきか」といったような、あたまのねじのいかれた手紙も、チェック係が抜き忘れたらしい「ブス、死ね」といったような中傷の手紙も、ぜんぶ。

そうして波留は、また見つける。「牧原紗有美」からの手紙を。向かいの女の子が仕分けしている手紙の山に波留は手をのばし、ほかにもないか確認する。あった。もう一通。この半年で、二通。

以前にも一度、手紙をもらったことがある。そしてたぶん、自分は紗有美を知っているだろうと波留は思っている。

hal、もし違ったら申し訳ないのですが、あなたは以前、夏のキャンプに参加していたハルではないでしょうか。最初の手紙にそう書いてあった。

紗有美は、波留の記憶ではサーちゃんと呼ばれていた陰気な女の子は、あのころキャンプでいっしょだった子どもたちをさがしているらしかった。ｈａｌという表記だけで、本名も生年月日も明かしていない自分が、どうしてキャンプにきていたひとりだと思ったのかは謎だが、でもとにかく、紗有美はｈａｌが波留だと確信して書き綴っていた。あのころの子どもたちをさがして、そして会いたいらしい。なぜ会いたいなどと思うのか、波留にはわからなかった。波留がキャンプのことを覚えているのは、最後のキャンプのあとに、母親からあの集いの意味を聞かされたからだ。もし聞かされていなかったらたぶん忘れていただろう。キャンプにいったのは数えるほどだったし、母親は夏のキャンプだけでなく、全国の子どもたちが参加できるさまざまなイベントに波留を送りこんでいた。スキー合宿というのも一時期いっていたし、子どもを対象にしたトレッキングコースにも波留は母とともに何年か参加していた。その場その場で友だちができ、その後手紙のやりとりをした子もいるが、たいがいが自然淘汰されるように音信不通になる。

だから、紗有美が何を思って手紙を書いて寄こしたのか、波留にはわからなかった。返事も書かなかった。そして今、新たに届いたらしい一通の封を開けるかどうか、波留は迷っている。

「すみません、もうそろそろインタビュー陣、くると思うんですけど」須藤が言いにくる。

「あ、じゃあすぐ片づけます。これ、あっちでやっておきますね」女の子が段ボール箱を抱えてデスクに戻り、応接室を兼ねる部屋のテーブルを、波留と須藤で片づけた。

「ちょっと一服してくる」波留は紗有美からの手紙をさりげなくカーゴパンツのポケットにしまい、煙草ケースを持ってベランダに出る。禁煙するんじゃなかったのー！追いかけてくる奈美絵の声を無視し、しゃがみこんで手紙の封を開く。

どちらも一通目と似たような内容だった。キャンプの参加者をさがしている、会いたい。二通目にはそう思う理由が書いてあった。あのキャンプだけが自分の人生で輝いていた、というようなこと。三通目には、一度いったライブの感想と、自分がｈａｌを波留だと思うに至った理由が書いてあった。自分宛に手紙を書いてくる子たちはたいがいが、孤独だとか絶望だとか不安だとか焦燥だとかを訴えてきて、そのことに波留自身辟易しているし、紗有美の言葉も波留にとってはそれらと変わらなかった。サーちゃん、よっぽどつまんない人生だったんだなと、他人事のように思う。

でも。波留は便箋を曇り空に透かすようにし、煙草の煙を吐きながら、片方ずつ目をつぶって見えるものを確認する。みず色の便箋、文字、曇り空、電線、隣のビルの看板。でも、もしかしたらかかわらなくてはならなくなるかもしれない。

視界が狭まったと波留がはじめて意識したのは、二十歳を過ぎたころだった。それでも最初はとくに気にしていなかった。次は夜に尿意を感じて目覚め、何も見えなくて一瞬パニックに陥った。そのころは電気を消して寝ていたが、まったく何も見えないなんてことはなかったのだ。それでも波留は眼科にいかなかった。二十一歳のとき真鍋剛と出会い、おもしろいように話が進んで翌年メジャーデビューが決定した。レコード会社に所属することが決まって、そのとき勧められて人間ドックを受けたのだった。自宅宛に送られてきた検査結果には、眼科の再検査が必要とあった。そうして訪れた大学病院で、波留ははじめて網膜色素変性症という言葉を聞いた。暗いところでものが見えにくくなり、視界が狭まったり、色覚に異常が出たりするという。急激に視力が衰え失明に至るようなケースは滅多にないが、それでも人によってはじょじょにそうなる場合もあるという。

ご家族に同じ症状をお持ちのかたはいますか？　医師に訊かれ、波留は言葉に詰まった。父親を知らないからである。医師によると、この病気には遺伝の可能性があり、症状や進行に個人差がありすぎるため、家族・親族の病歴を知りたい、それで治療法も対処法も異なってくる、という。波留は迷った末、母に相談した。けれど母も波留の父親がどこにいるのか知らない以上、どうすることもできなかった。父方の病歴がいっさいわからない事情を波留は医師に説明し、とりあえず通院しながら様子を見ることになった。それから四年たっている。目立った進行は今のところない。それでも波留は毎朝、目覚めるたびに不安と恐怖を味わっている。昨日より見えないのではないか。

もしそれで何かわかるのなら、やっぱり、紗有美という、今では顔も思い出せないだれかと、連絡をとってみるべきなのだろうかと、波留は煙草の煙を目で追って、思う。

「インタビューのかた、いらっしゃいました」ガラス戸を開け、アルバイトの女の子が告げる。波留は煙草を空き缶に落として立ち上がる。

9

賢人と会うことになったとき、樹里が思っていたのは、なんとなく昔話ができたらいいな、というくらいのものだった。ときおり空想したように、ほかの友人とは違う感じで親しくなれたらいいな、という思いも、あるにはあった。

あの集まりがなんであったのか、なぜ急に、しかもかなり作為的に、だれとも連絡がつかなくなったのか、その理由がわかるのではないかと期待してもいたが、それを知ったからといって何がどうなるわけでもない、とも思っていた。それにきっと、子どもたちは何も知らないだろうと決めつけてもいた。かつて手紙のやりとりをした弾とだって、推測の域を出なかったのだ。

九月の終わり、賢人とはじめて喫茶店で会ったとき、話が嚙み合わないなと思ってはいた。でもそれは、会わなかった年月が長いせいだろうと樹里は考えた。

あのときの子どもたちをさがそうと賢人は言った。「ほかの人とは違う感じで親しくなれたら」と、賢人も思っているのかなと思いつつ、その方法を二人で話し合ってみた。山荘のあった場所は母親に聞いて知っているから、そこを訪ねて、別荘の管理人から話を聞いてみるとか、それでも何もわからなかったらインターネットを利用して何かするとか。

話しぶりから、賢人は自分とは異なり、母親からいろんなことを聞いて、少しは知っているらしいと思った樹里は、何気なく、「それであそこはどこだったの？」と訊いた。静岡県だと賢人は答え、「やっぱり、知らなかったんですね」と、あわれむような顔で樹里を見た。

その日は、賢人の昼休み終了の時間が近づき、携帯番号を交換してそこで別れた。みんなをさがす何か具体的な案が出たらまた会って相談しよう、ということになっていたが、何か妙に気にかかり、樹里はもらったばかりの携帯番号に翌日電話をかけていた。そして敦には「治美と飲みにいく」と嘘をつき、七時過ぎ、賢人の指定した店に向かった。

外苑前の、入り組んだ路地の先にあるイタリア料理店で向かい合い、単刀直入に樹里は言った。私が知らなくて、あなたが知っていることをぜんぶ教えて。

「本当に知りたい？」前日は敬語だった賢人は、そう言ってじっと樹里をのぞきこんだ。うなずくと、真顔のまま続ける。「すごく重要なことなんだ。聞かないほうがよかったって思うかもしれない。でもぼくは知っておくべきだとは思う。だから話すのはかまわない。でも、よく考えて決めて」

何をもったいぶって、と、このとき樹里はまだ思っていた。たいしたことのはずがない、なのにこんなにもったいぶって、この子、何か企みがあるんだろうか。そう思ったすぐあとで、でも、じゃあなぜ私は敦に嘘をついてまで、わざわざこの子を呼び出して向かい合っているのかと、樹里は不安な気持ちになった。

「決めました。何があろうと、知りたい、です」

冗談めかして樹里は言った。なぜあのとき、あんなふうに笑えたんだろうと後々幾度も思うことを、このときはまだ想像すらしていなかった。

賢人から聞いた話は、にわかには信じられなかった。

あの集まりは、母親同士が友だちだったとか、産院で知り合ったとか、そんなことではない。どの家族もひとつの共通点を持っており、それ故に集まったのだと賢人は言った。

「なんの共通点なの」樹里が訊くと、賢人は樹里を見据えたまま、

「あそこにいた母親たちは全員、人工授精で子どもを産んでいる」と、言った。

意外ではあったが、驚くには及ばなかった。子どもを産むか産まないか、実際の問題として抱えている樹里にとって、人工授精というのはさほど突飛なことではなかった。妊娠しづらければそういう方法も考えて当然だろう。あ、と声を出しそうにもなった。妊娠しづらかった母の娘だから私は子宮内膜症にかかったのではないか、そこに何か遺伝的要因はないのだろうか。そんなふうに思ったのである。そして妊娠しないことへの納得できる理由をさがしている自分に、そんなところで樹里は気づかされた。

「そんなこと、隠すことではないのにね。八〇年代って、そういうの、まだ奇異な目で見られていたのかな」思わず言った。

賢人は何か言いかけ、給仕がパスタの皿を運んでいるあいだじっと口を閉ざしていたが、彼が去ると低い早口で告げた。

「夫の精子ではない精子で、人工授精をして子を得た母親たちなんだよ」

「え？　どういうこと？」

樹里は訊いた。意味がわからなかった。

「ぼくの母親の話をしようか」

賢人は言って、話しはじめた。

賢人の母は結婚したものの子に恵まれず、夫婦で相談した結果、原因を突き止め治療する覚悟で検査にいった。母に問題はなかったが、父は無精子症、精巣が精子を作れない体質だと診断された。でも二人はどうしても子どもがほしかった。話し合った結果、第三者の精子を母の卵子に受精させようということになった。それで、ぼくが生まれた。

でもそれはあなたの話でしょう、と言おうとして、樹里は言葉をのみこんだ。なぜ賢人がそんな、あまりにも私的な話を打ち明けてくれているのか。

つまり、それが共通点だったと彼は言っているのだ。

その後の数分を、樹里は覚えていない。光景が濃淡のある映像となって次々と浮かんだことだけ覚えている。子どもたちだけの夜、こっそり飲んだコーヒー、くっついていたケンと女の子、引きずられて引き離された二人、今年はおれはいかないと言った父、キャンプから帰ったときに玄関に転がっていた父の靴、いなくなった父、ゴルフバッグが置いてあった場所に積もった埃、母より大きくごつごつした父の手。

気づくと目の前には空のデザート皿があった。どうやら茫然としながらも食べきったらしい。そう思うとおかしかった。おかしいと思った瞬間に笑いがこぼれ、やがてほかの客がふりかえるほどの馬鹿笑いになった。スカート、だいじょうぶでしょうかと給仕に訊かれ、確認すると馬鹿でかいワインの染みがあった。いつのまにこぼしたのか。おかしくて、また笑った。その馬鹿笑いを賢人は止めも咎《とが》めもしなかった。ただ、あわれむように見ていた。

閉店だと告げられるまで、樹里は立ち上がらなかった。ほかの客はすべて去り、明かりは半分消えていた。やっと席を立った樹里に、

「だいじょうぶ？」と賢人は言った。「聞きたくなかった？」そう言ってのぞきこむ彼が、子どものころと重なった。そういえば、ケンはやさしい子だった。女の子みたいにやわらかい声で話して、いつも人のことを気遣っていた。

「聞きたいと言ったのは私。だから心配しないで。ただ、信じられないだけ」店を出て歩きながら樹里は言った。そんなに飲んでいないのに、足元がふらついていた。

「信じたくなかったら信じないほうがいいよ。さっき話したのはぼくの家の事情。成長してから聞かされたんだ。そういう集まりだったんだってことも。でも、ジュリーもわかってると思うけど、大人たちはみんな嘘つきだろ？　だからぼくの母が言ったことだって、どこまでが嘘かわからない。自分はそうだったけど、ほかの夫婦は違う事情だったのかもしれない」

本当にそうかもしれないと樹里は思った。たしかに大人は嘘ばかりついたのだ。だれかわからない精子が父親だというのは、賢人だけなのではないか。自分やほかの子は、賢人の言うようにほかの事情があったのではないか。そう、たとえば父の精子との体外受精とか。そうだ、きっとそうだ。賢人と私の事情は違うはずだ。樹里はそう

思うことで自身の混乱を鎮めようとした。

第三者の精子をもらったのは賢人の母親だけ。そのほかの母親たちは、おそらく夫の精子で体外受精を行ったのだろう。おそらく、同じ産院とか、同じ医師の元で。どんなふうにかはわからないが、同じような経路で出産した夫婦と連絡を取り合い、集まるようになった。当時はまだ一般的ではない方法で出産したことが、ただ不安だったから。だから集まった。そうして生まれた子どもがすこやかに成長しているのをたがいに確認するために。そうだ、きっとそう。それだけのこと。

「コーヒーでも飲んで酔いを醒ましていく?」賢人は静かに訊いた。

「ううん、帰るわ。通りでタクシーを拾うから」これ以上賢人といっしょにいたら、もっと訊いてしまいそうでこわかった。もっと訊いてしまったら、このよくは知らない男を理不尽に憎んでしまいそうだった。とんでもない大嘘つきと断じてしまいそうだった。「よかったわ、聞けて」かろうじて樹里は言った。

10

叫びながら目を開けた。目を開けたはずなのに一瞬何も見えず、さらに波留は叫ぶ。叫んでいるうち、間接照明に照らされた部屋が浮かび上がるように見えてきて、そうしてようやく叫ぶのをやめるが、心臓の鼓動は速まったままだ。

ステージで、ブレーカーが落ちるように何も見えなくなった、そんな夢を見ていたのである。夢のなかで、最初波留は本当にブレーカーが落ちたのだと思った。だから歌い続け、じきにはじまるだろう観客のざわめきを鎮めようと思っていた。けれど客席はざわめかず、明かりは一筋も入らない。ああ、ついにきたんだと思った瞬間マイクを落として叫んだのだ。

波留は上半身を起こし、間違いさがしをするように入念に、部屋の隅々を見つめていく。ワイエスのコピー、本棚、本の背表紙、飾り棚、飾り棚のムーミンの置物。

波留が紗有美に手紙を書いたのは、その翌日だった。

その手紙に書いたメールアドレスに、紗有美からのメッセージはすぐに届いた。

「本当!? 本当にハルなの!? うれしいっ」という陽気なテンションに、記憶にある陰気なサーちゃんがうまく重ならず、もしかしてファンに謀《はか》られたかと波留は疑った。

それでも須藤になんの予定も入っていないことを確認したその日の夕方、波留は紗有美と待ち合わせたホテルの喫茶店にたったひとりで向かった。

喫茶店に着き、待ち合わせだと告げて店内をひととおり歩くが、紗有美がどんなふうであるのか想像もつかない。まだ到着していないのだろうと判断し、波留はテラス席を希望する。ガラスのドアからテラスに出、テーブルに着く。眼下を新幹線が走っていく。

「ハルよね？」声を掛けられ、波留はふりむく。もっさりした女が立っている。黒いだぼっとしたズボンに、グレイのカットソーを着ている。太ってはいないが、どことなくたるんでいる。化粧気のない顔は不細工ではないが、体型と同じでぼやけた感じがする。波留は瞬時に紗有美を見分し、やっぱり見覚えがないと結論づける。

「返事がもらえるなんて思わなかった、本当にありがとう。夢みたい」向かいの席に座った紗有美は涙まで浮かべ、礼を言い続ける。隣に立った従業員がメニュウを渡せず戸惑った顔で波留を見る。波留は手をさしのべて彼女からメニュウを受け取り、紗有美に押しつけた。「アイスコーヒー」押しつけられたメニュウを開くことも、従業員を見ることもせずに紗有美は言い、「本当にハルなのね。私、ずっとさがしていたの。会えるなんて思わなかった」と、くり返す。

「本当にあなた、紗有美さん？」本当に、とくり返す紗有美を遮って波留は訊いた。

「そう。サーちゃんって呼ばれてた。あなたはハル。男の子みたいに髪が短くて、男の子といっしょになって遊んでた。コーヒーにアイスクリームを入れて飲むとおいしいよって教えてくれて」

紗有美は一気に話し、ああやっぱり、夏のキャンプのサーちゃんなのかと波留は思う。アイスコーヒーが運ばれてくる。

「でもすごいわ。ハル、ミュージシャンなんて。あのなかから有名人が出るなんて思いもしなかった。帽子もサングラスもしていないのね、あ、でも、そうか、ハルは滅多に顔を出さないからあんなに有名なのにだいじょうぶなんだね。私ハルのＣＤぜんぶ買ったよ。いちばん好きなのは」

「あのね、サーちゃん、私があなたに連絡をとったのは、知りたいことがあるからなの」波留は永遠に続きそうな紗有美の言葉を遮って、言った。「サーちゃん、あなた自分の父親のこと、何か知っている？　それか、あのときの子どもたちのだれかの連絡先を知っている？」

紗有美はぽかんとした顔で波留を見る。

ああ、知らされていないんだな、と波留は思う。予想はしていた。あのときの子どもたちの半分は、あれがどういう集まりだったのか聞かされていないのだろうと。

「連絡先はだれも知らない。それより……私の父とハルと、何か関係があるの？」

無駄だった。この子を喜ばせただけだ、と波留は失望する。せっかくの休みの日、時間が無駄だし、帰ろう。なんと言って帰ろうかと考えていると、

「ハルこそ、だれか連絡先を知っていたりしないの？　そういえば、ハルは、あの山

荘がどこにあったか知っていたりする？　私はずっとさがしていて、高校生のとき、小田原で電車を乗り換えたって急に思い出して、ひとりでいってみたんだよ。でも結局、なんにも思い出せなかった」

ぱんぱんに膨らんだ風船状態だったらしい、と波留は話しやめない紗有美を見ていて思う。どうやら母親に何も知らされず、あのキャンプについてだれかと話したくて話したくてたまらなかったに違いない。やっぱりさっさと帰るにかぎる。

私このあと仕事で……と言い出そうとして、波留は話し続ける紗有美を見つめる。自分にとってあの数回の夏は天国だったと紗有美は話し、記憶の残骸《ざんがい》を拾い集めては話し、あなたにとっても天国だったよねと決めつけて話す。波留の内に、この子にここでぜんぶ教えてあげようかという、残酷な気持ちが湧き上がってくる。いや、それは残酷なことなのだろうか。ずっと知らずにいるほうがはるかに残酷ではないのか。「山荘は、御殿場だよ。私たちはいつも車でいっていたから、電車でのいきかたは知らないけれど。それから私もだれの連絡先も知らないの。だから教えてもらおうと思ってあなたに連絡をしたんだけど、だめだったみたいね」この子が知らず、自分が知っていることを、話そうかやめようか、迷いながら波留は言った。

やっぱりやめよう。何も情報を持っていないなら、この子ともう会うこともないだろう。勘定書を持って立ち上がろうとしたとき、

「あの天国のような時間がなければ、私、もしかして生きていられなかったかもしれない」と、うっとりした顔つきで紗有美が言い、

「あれがなんの集まりだったか知ってて天国だって言っているの？」自分が何に苛ついたのかわからないまま、自身の内にはっきりと悪意を感じながら、波留は言っていた。「あなたなんにも知らないで言ってるんでしょう？　ねえ、知りたい？　本気で知りたいなら、教えてあげようか。私はたぶん、あなたよりは詳しいから」

言いながら、波留は勘定書を元に戻した。視界のまんなかで、紗有美がゆっくりとうなずく。あ、と声を出しそうになる。色白のその顔に、いつも上目遣いで人の気分をうかがっていた、ちいさな女の子の顔がだぶる。

さがさなくてはならない。タクシーの車窓から夕方の町を見て、波留は考える。紗有美は何も知らなかった。だったらほかのだれかをさがさなくてはならない。まさか全員、何も知らないなんてことはあり得ないだろう。でも、どうやってさがせばいい？

紗有美は、あまり驚いていなかった。ショックを受けることもなかった。予想していたのかもしれない。

波留自身は、自分が人工授精、しかも精子バンクの精子による受精で生まれたと母

から聞かされたのは十二歳のときで、それから言葉と理解が追いつくのは五年ほどかかった。そういうことかと理解したときは、傷つくこともショックを受けることもなかった。くり返し考えたのだし、くり返し母と会話したのだ。母がそうなるようにうまく仕組んでくれたのだと波留は思っている。だから、そうでない場合、つまり成人していきなり真実を聞かされた場合、人はどう思うのかまったく想像ができないのである。紗有美のように淡々と話を聞き、「そうだったの」と納得するのがふつうなのかもしれない。あるいは紗有美は、ちょっと変わっているのかもしれない。別れ際、「ありがとう」と言って笑っていた。「教えてくれて、ありがとう」と。

あの天国のような時間がなければ、生きていられなかったかもしれない。その言葉に腹が立ったのだと、冷静になった今ならわかる。どんなつらいことがあったというのだ。いじめられたか、志望校に落ちたか、失職したか、失恋したか、挫折したか。ちっぽけな、つまらないことに違いない。そんなことにも気づかず、悲劇のヒロインになりきって、生きていられなかったかもしれないなどと言う神経に腹が立った。叫びながら目覚め、目覚めるたび視界を確認する私だって、その恐怖はほかの人にしてみたらちっぽけなことだと理解している、と波留は思う。

そしてはっと顔を上げる。キャンプの子どもたちをどうやってさがせばいいか。紗有美が自分を見つけた方法がある。歌うのだ、どこかで暮らしているかつての子どもたちに向けて、彼らにしかわからない言葉で。早急に。

11

紀子がインターネット上でそのサイトを見つけたのは、たまたまだった。

午後二時過ぎ、洗濯物も干し掃除も済ませ、あゆみが昼寝をする小一時間、紀子はインターネットを見ていつも時間を過ごしていた。レシピを検索したり、知らない主婦の料理日記を読んだり、子ども服やおもちゃを売るサイトを見たり、ときには本を買うことも、米や醤油といった重いものを買うこともある。

その日紀子はいつも見ている子ども服のサイトを見ていた。ネットで扱っている商品や店舗情報のほかに、スタッフが交代で書いている日記がある。さしておもしろくもないのだが、暇つぶしで紀子はときどき読んでいた。その日更新されていた日記に、新商品の紹介があった。新進イラストレーターが描いた動物シリーズのマグカップが新発売になった旨書いてあり、これから衣類だけでなくこうした雑貨も扱っていく、その第一弾であると書いてあった。マグカップの写真があり、新進イラストレーターの名前とホームページのアドレスがあり、紀子は本当に意味もなくそのアドレスをクリックした。新しいウィンドウが開き、表紙があらわれる。

画面と向き合っていた紀子は、胸がざわつくのを感じた。理由はわからない。表示されているのは、まっすぐ伸びた木々に囲まれた一本道のイラストである。木々の向こうに木で組まれたかわいらしい建物がある。なんだろう。なぜこんなに胸が騒ぐのだろう。わからないまま、紀子はエンターボタンを押す。

プロフィール、作品紹介、今までの主な仕事、ブログ、と目次が出てくる。ブログを開く。女性イラストレーターの日記である。自分が絵を描いたマグカップが発売されたことがここにも書かれている。レストランで食べた食事の写真があったり、こんな仕事をしたという宣伝があったり、どこそこの町に買いものにいったなどという、なんの変哲もない日々雑記が書かれている。なんの変哲もないが、なんとなく読ませてしまう魅力が文章にある。この人、どんな人なんだろう、若いのかな。軽い興味でプロフィールのページを開く。

イラストレーターは自分と同世代の女性だった。東京都出身で、美大を卒業し……読み流して、紀子は画面に顔を近づけ、最後の文章を幾度も読む。次第に手が汗ばんでくる。組んだ脚が小刻みにふるえる。喉がからからに渇く。

表紙の絵は、とちいさな文字で書いてあった。私が夏の数日を過ごしたキャンプを思い出しながら描いたものです。夏の数年間、小学生だった私は数人の友だちといっしょにキャンプをしていたのです。ねえ、思い出した？

夏のキャンプ。薄れかけた記憶がゆっくりと蘇る。緑の葉の擦れ合う音、カレーのにおい、騒々しい音楽、大人たちの笑い声、赤ん坊みたいな孔雀の鳴き声。ねえ、思い出した？　女の子があらわれて、訊く。いちばん大人びていた少女。鼻のあたまに少し皺を寄せて、笑うのだ。ねえ、思い出した？　紀子はイラストレーターの名前を確認する。船渡樹里。ジュリー。もう長いこと思い出すこともなかった名前が、こぼれるように口をついて出る。キャンプがなくなったのは、自分のせいだと思っていた。すごく悪いことをしてしまったから、キャンプは中止になったのだ。でもそんなに悪いことを私はしたのだろうか。考えるのはつらかった。あまりにもつらかったせいかどうかはわからない、そのうち、水たまりが蒸発するように忘れてしまった。引き出しにたくさん詰まった手紙は、架空のだれかに宛てて書いたものと思いこんでいた。その手紙も、とうに捨ててしまった。

木々のあいだに走る一本道に落ちるレースのような木漏れ日。お寺の白くて丸い屋根。だれかの泣き声。紀子は顔を上げる。響き渡る泣き声が、隣の部屋で寝ているあゆみのものなのか、記憶のなかのだれかのものなのか、判別がつかないくらいあざやかに、忘れたはずの過去が紀子を取り囲む。

水曜日の午後、紀子は本当に他意なく、「ジュリーって覚えてる？」と、母に訊いた。いつものように、母とあゆみと三人で、ドライカレーの昼ごはんを食べていた。

「子どものころのキャンプにきてた子。なんだか、すごく有名なイラストレーターになったみたい」

「会ったの？」そう訊く母の声は、奇妙な感じにうわずっていた。

「ううん。ネットで見たの。キャンプのこと、なつかしんでいるような感じだった。人違いかなと思ったけど、たぶんおんなじ子だと思う。なんだかそんな気がする」

「キャンプのことが書いてあるの？」母は話題とは不釣り合いの深刻な顔で訊く。

「ううん。そのころのことを思い出して絵を描いたんだって。ホームページ宛にメール送れるようになってたから、連絡とってみようかな。でも、もう有名人だから返事なんかくれないかな」

母は黙ってあゆみの髪を撫でている。そして言った。

「そうね。そんなに有名なら、無理よ。返事はこないでしょうね」

母はかたい声で言った。まるで何か怒っているみたいに。

「私何かへんなこと言った？」

母の反応の意味がわからず、紀子は訊いた。

「人違いの可能性のほうが高いわね」

母は言い、それきりその話は終わりだとでも言いたげに、「あゆしゃーん、眠い、眠いねえ」と、腕のなかのあゆみにばかり話しかけた。

話があるからひとりできてほしいと母から電話があったのは、それから二日後の午後だった。ひとりで？　あゆみは？　と訊くと、あゆみはいいが、慎也は連れてこないでほしいと母は言う。とりあえず紀子は慎也に、急用で実家に帰らねばならなくなったとメールを打ち、手早く夕食を作って身支度を整え、家を出た。

食卓で父と母と向かい合うと、あゆみがいても高校生に戻ったように紀子には感じられる。気楽なような息苦しいような、中途半端な気持ちになる。テーブルにはスコッチエッグとサラダ、野菜の煮物と味噌汁が並んでいる。スコッチエッグが好物だったのは小学生のころなのにと、紀子はおかしくなる。

「あのキャンプのことなんだが」話し出したのは父である。グラスのビールは一口飲んだだけで、料理には箸もつけていない。「あそこに集まった家族は、友だちや親戚ではなかったんだ」

なんとなく食べはじめるのに気が咎めて、紀子は父を見てうなずく。

「いつかちゃんと話そうとは思っていたんだが、どう言ったらいいのかわからなくて、こんなに時間がたってしまった。そのことはどうか許してほしい」父が頭を下げるので、紀子はぎょっとする。

「なあに、急に許してほしいなんて言われたらびっくりしちゃう」

紀子は笑ったが、父も母も笑わない。そうして彼らは交互に話し出した。紀子にはにわかに信じ難いことを。

どんなふうにして帰ったのか、紀子はよく覚えていない。電車が混んでいたのか空いていたのか、自分は座ったのか立っていたのか、あゆみは泣いたかおとなしくしていたか、まるで覚えていないのだ。マンションの玄関を開けたのは覚えている。ただいま、と言った。遅くなってごめんね、と言いながらダイニングルームに向かった。慎也はテーブルについていた。テーブルにはつぶれた缶ビールと缶酎ハイの空き缶が四、五本のっていた。夕食はすでに食べ終えたのか、皿はなかった。ちょっと実家でいろいろあって、と言いながら、今日聞いたことを慎也に話すかどうか迷ったことも覚えている。ごはん食べた？　と訊いた、そのときだ。空き缶が勢いよく飛んできたのは。それは紀子の足元に落ち、幾度か跳ね返った。からんからんと間抜けな音がし、紀子の腕でうとうとしはじめていたあゆみが、勢いよく泣き出した。

「何調子のってんだ、おまえ」それだけ言い捨てて、慎也は部屋を出ていった。寝室のドアが閉まる音がし、続けて鍵を締める音がした。顔を赤くして泣き続けるあゆみをあやすことも忘れ、紀子は茫然と慎也の去っていった暗い廊下を見る。やがて脚がちいさくふるえ出す。あゆみをしっかりと抱いたまま、ふるえる脚で台所にいき、紀子は冷蔵庫を開ける。ラップをかけた夕飯は手つかずのまま残っている。食べていないんだ、と思い、私は何を確認しているのだろう、と紀子は笑い出したいような気持ちになる。が、笑いを懸命に堪《こら》える。泣くのを我慢するように。

12

テレビの前に置いた安物のソファにだらしなく座り、雄一郎はしばらくテレビのリモコンをいじっていたが、電源を消してそれを床に転がす。十センチほど開いた襖の向こうからずっと漏れている音楽が、静まり返った部屋に急に大きく響き出す。雄一郎は酎ハイをすすりながらしばらくその音楽を聴くともなく聴いていたが、ふと立ち上がり、襖の前に立つ。耳を澄ませる。のぞくつもりはないが、十センチの隙間から和室の様子が見えてしまう。一昨日やってきた女の子は、小型のスピーカーを抱くようにしてじっとしている。泣いているのかと思うが、視線に気づいたのか顔を上げた女の子の頬は濡れていない。

「それ、だれの歌」

目の合った女の子に雄一郎は訊いた。女の子は手をのばして襖を開ける。家具のほとんどない部屋には、女の子の持ちこんだカートつきナイロンケースが置いてある。彼女が抱えている小型スピーカーには、ピンク色のｉＰｏｄが突き刺さっている。「音、おっきかった？」女の子は笑顔で問うが、頬に脅えた表情がかすかにこびりついている。

「いや、いいんだ。この歌、だれの歌か教えてほしいだけで」彼女をこわがらせないように雄一郎は笑顔を作る。ハル、と彼女は答える。曲がとぎれ、べつの曲に変わる。「もう一回、今の、聴かせてくれる？」

「気に入ったの？　リピートにしてあげようか。私もハル、すっごい好き。がんばれるって思う。好きな曲はいちんちじゅうでもリピートしてる。友だちはそういうのキモいとか言うけど」女の子は言って、何か操作する。数秒の静けさのあとで、ゆっくりと曲がはじまる。和室の入り口に突っ立ったまま、頭を垂らし、雄一郎は集中して聴く。

待ち遠しかったのは、クリスマスじゃなく夏のキャンプ。子どもたちはくすくす笑ってクッキーを焼く。さんざめく光の下で、大人たちはダンス、キス。天窓から星が降り、子どもたちは明日の結婚式のため、白つめ草でブーケを作る。

長い歌のなかから、いくつかの言葉がふと立ち上がって雄一郎に光景を見せる。なんだこれ。なんだ、これ。曲は終わり、また、はじまる。待ち遠しかったのは、クリスマスじゃなく……。おれ、これ、ぜんぶ知ってる。なんなんだ、これ？　胸の内で雄一郎はつぶやく。

「え？」

床に置いたスピーカーに顔をくっつけるようにして聴いていた女の子が、訊く。実際に声を出していたらしい。

「なんつう人がうたってるって言ったっけ」

「ハル」

「ハル？」ハル？　ハル——。幼い女の子の顔が浮かぶ。髪を短く切った、日に焼けた笑顔の女の子。彼女が果たしてハルのついた名だったかは思い出せないというのに。「どんな字？」

「アルファベット三文字で、ｈａｌ。レンタルショップにいけばふつうにあるよ。これはシングルで出たばっかりだから、新譜コーナーにある。ほかにもいい曲がいっぱいあるの。ライブはまだいったことないんだけど」襖の前に立ち尽くしていた宿の主が、暴力をふるうわけでも襲いかかってくるわけでもないと理解したらしい女の子は、安堵のためか饒舌になる。

十時過ぎ、女の子が出かけるまで、雄一郎はその見知らぬ女の子と二人でその曲を聴き続けた。二人とも何もしゃべらず、音楽だけが流れ続けた。出かける間際、「これ、置いていってあげようか」女の子はｉＰｏｄを指し、雄一郎はうなずいた。

とうに冬だというのに、素足にミニスカートで出かけていった女の子は、本当かどうかはわからないが、実家は埼玉だと言っていた。渋谷で知り合いになったアリサという子に雄一郎のことを聞いたのだと言っていた。アリサは今年の梅雨時期に、一週間ここに泊まったらしい。もちろん雄一郎はアリサも覚えていないし、ついさっき出ていった子の名前ももう忘れている。そういえば、昨日も一昨日も、ずっと音楽を聴いていたなと思い出す。この部屋で、さっきみたいに、スピーカーを抱きしめていたのだろうか。

ここに泊まる女の子の部屋は、衣類やアクセサリーや雑誌で滞在中たいてい散らかっているのに、さっきの子はスピーカーとナイロンケースしか置いていない。その部屋で、雄一郎はあぐらをかき、ｈａｌというミュージシャンの歌を聴き続ける。ストップボタンを押さないかぎり、それは永遠にくり返され、幾度も幾度も、遠い記憶に沈んでいた光景が浮かんでは消える。あの子はこの歌の向こうに、何を見ているんだろうなと雄一郎は思う。

雄一郎の父が死んだのはその年の夏で、連絡をしてきたのは、雄一郎が十四歳のときに家を出ていった母親だった。通夜と葬式は千葉の斎場で行われるという。迷った挙げ句、近所の量販店で喪服一式を買い、通夜に出かけた。悼《いた》む気持ちというよりは、本当に死んだのかどうか、それから彼と自分の関係はいったいなんだったのか、知りたくて出かけた。後者は知りようがないとわかっていながら。

斎場の最寄り駅は幕張本郷という、雄一郎が降り立ったこともない駅で、そこから二十分ほど歩かねばならなかった。喪主は父の現在の妻で、このときはじめて雄一郎は、父が再婚していたことを知った。喪主の女は、痩せた、目鼻立ちのくっきりした女だった。

五十ほど椅子の用意された席はまばらにしか埋まっていなかった。いちばんうしろの席に座った雄一郎は、二列前に母のうしろ姿を見つけた。十年以上会っていないのにすぐわかった。遺影のなかの父は屈託無く笑っていて、それは雄一郎が子どものころに見知っていた男だった。

葬儀のあと、清めの席に参加することも、父の妻に挨拶することもなく、雄一郎は斎場をあとにした。歩きはじめてすぐ母が追いついて、「ごめんね。大きくなったね」と目を潤ませた。

駅前にあったチェーンの居酒屋に母と入った。うしろ姿ではすぐに母とわかった母は、カウンターで隣り合うとたんに見覚えのない、やけに老けた女に見えた。母はつまみにはほとんど手をつけずビールを飲みながら、あれこれと言い訳をくり返した。自分が家を出た言い訳、雄一郎を置いていった言い訳、手紙を送った後音信不通にしてしまった言い訳。

「いいんだよ。言い訳なんかすることないんだよ」と、思ったままを雄一郎は口にした。本当にそう思っていた。父の元から逃げた母を、ずるいと思ったことなど一度もないのだ。ただ、知りたいことがあった。今の自分の在りようをだれのせいにするつもりもないが、しかし、ここに至る分岐点としか思えない父の発言について。

「おれって捨て子だったの」母の言葉がとぎれたとき、単刀直入に雄一郎は訊いた。

中学を卒業したあの日、焼き肉屋で、父は言ったのだ。あそこにいた子どもたちはな、みんな、親に捨てられて養護施設にいた子どもたちだ、と。大人たちは全員、子どもに恵まれず、里親になった夫婦ばかりだ。養護施設にいた子どもたちがどう育つか心配で、ああしてしばらく、たがいに様子を見ていたんだよ。父は言い、にやりと笑った。

そうか、捨て子だったのか。雄一郎はすんなり信じた。だから、母はいなくなったのか。そして何かやりたいとか、何になりたいといった希望が、その日からおもしろいように失せた。

「夏のキャンプは、捨て子と里親たちの集いだったの」目を丸くして自分を見ている母に、雄一郎はもう一度訊いた。母は目をそらし、両手で顔を覆って泣いた。だれがそんなことを言ったの、と泣きながら訊いた。あの人ね。それが復讐だったのね。両手で顔を覆ったまま、くぐもった声で母はうなされたようにつぶやき続けた。そして顔を上げて正面からぎらつくような熱のある目で雄一郎を見据え、低く言った。「捨て子なんて冗談じゃない。あなたはれっきとした私の子よ。あの父親の子ではないというだけ」

背後に酔っぱらった男たちの歓声が聞こえる安居酒屋のカウンターで聞いたからか、捨て子だという父の言葉を信じきっていたからか、母の突然の告白は、さほど雄一郎にとって衝撃的ではなかった。

自分は遺伝子的にあの父とのあいだにつながりはなく、母と、母もその素性を知らない精子との人工授精によって生まれたのだということに、雄一郎はささやかな安堵すら覚えたほどだった。その後終電間近まで続く母の新たな言い訳――精子バンクを頼った言い訳、それを雄一郎に今まで言わなかった言い訳、父とうまくいかなかった言い訳、生物学的父ではない父の元に雄一郎を置いていった言い訳、そしてそこから、先に述べた言い訳へとつながっていき、放っておいたらこの母は永遠の言い訳の環《わ》から抜け出せないのではないかと雄一郎は本気で思い、「ありがとう、話してくれて」と笑顔を見せて母の話を打ち切った。「よかったよ、捨て子じゃなくてほっとした」本当に笑いがこみ上げてきた。笑い続けていると、母も安堵したのか、ようやくいっしょになって笑った。

ｈａｌというミュージシャンはまだ歌い続けている。あまやかな夏休みが永久に続くように。雄一郎はのそりと立ち上がり、寝室に使っている隣の部屋の学習机の引き出しを片っ端から開けていく。中学のときの名簿に挟まっていたその紙切れをとりだし、眺める。居酒屋から駅へと向かいながら、あのころのだれかの連絡先は知らないのかと雄一郎は問うた。母は、ある母親と数年前まで連絡をとっていたと言い、少し戸惑いながらも、罪悪感の故なのか、まだここに住んでいるかはわからないけど、と言いながら、その連絡先をメモ帳に書き取って雄一郎に渡した。キャンプが終わったあと、父との関係がうまくいかなくなったころからずっと、相談に乗ってもらっていたらしい。しかし走り書きされた名前を見ても、それがだれだか雄一郎には思い出せなかった。これ、だれ？　と訊くと、母は答えた。「船渡涼子さん。ジュリーちゃんのママよ」

船渡涼子。数ヵ月前に母が書いた文字と十桁の数字を、雄一郎は諳《そら》んじるほど眺める。背後では、まだ見知らぬ女が歌っている。美しい夏の日々を歌っている。

バスの窓から見える銀杏《いちょう》は、真っ黄色に染まっている。突き抜けるような空の青と銀杏の黄がこんなにも似合うことを、ふいに樹里は思い知る。高速道路から右折して、ひとつ目のバス停で樹里はバスを降りる。かつて暮らしていたマンションは、ずいぶんとくたびれて見える。

インターホンを押すと、母が笑顔でドアを開け、「これ」樹里はデパートの地下で買ってきたケーキの箱を持ち上げる。

これから娘が何を訊くのか知っているだろう母は、開きなおっているのか、それとも話せることに安堵しているのか、思いの外リラックスしているように樹里には見える。大学を卒業するまで二人で食事をしていたダイニングテーブルに、並んで座る。その位置に座ると、ベランダに続くリビングのガラス戸から、遠く副都心の明かりが見えたのだった。だから母子は向かい合わずに、そうして並んで夕食をとっていた。

切り分けたロールケーキと紅茶を運び、母親は樹里の隣に座る。紅茶は樹里がイラストを描いたマグカップに入っている。できあがってすぐ、母に送ったものだ。

「これ、なかなかいいね」

「でしょ。評判がいいらしくて、今度は子ども用の食器も作るの」

「へえ。順調じゃない。敦さんは元気？　そうそう、おみやげありがとうね。ポートワイン、おいしかったわ」

家のなかはほとんど変わっていない。ベンジャミンもゆたかに葉をつけているし、本棚の本も、増えも減りもしていない。樹里が購読していたイラストの専門誌もまだ背表紙を見せている。

「順調よ。仕事はね」

「仕事はねって、何よ。敦さんと喧嘩でもした？」母はからかうように言って樹里をのぞきこむ。

「喧嘩なんかしてない。やさしい人だもの。……子ども、ちっともうまくいかないの」

「なあんだ、そのこと。前にも言ったけど、あなたまだ若いんだから、ゆっくりでいいじゃない」

「でもママならわかるよね。ほしくてほしくて、もう頭がどうにかなっちゃいそうなくらいそれにとらわれてしまうって気持ち、ねえ、ママならわかるんでしょう？」

母は樹里をのぞきこんだまま、表情を変えない。口元には薄い笑みが残っている。

「そうね。わかる」そして静かに母は言う。「だから言うの。本当に心の底からほしいのなら、方法はいくらでもある。ましてママのときより医学も人の意識もうんと進んでる。だからゆっくりでいいじゃないかって思うの。樹里、もし本気で子どもを作ろうと思うならそれ相応の覚悟が夫婦ともに必要よ。原因を突き止めて、その結果を共有して、そして助け合っていくの。時間もお金もかかる。でもそんなことより、精神的なことだわね、いちばんたいへんなのは。もし原因が、一方的にあなたにあるとはっきりわかったら、あなたも敦さんもそのことに耐えられる？　今だけじゃない、この先ずっと、よ」

樹里は自分を見据える母を、じっと見つめ返す。

「ママたちは話し合って決めたんでしょう」樹里は訊く。賢人と会ったときの動揺が嘘のように消え、唐突に覚悟が決まる。何があっても受け入れる。この母のしたことを私はいっさい責めも非難もしない。

「そう。私たちは幾度も話し合って決めた。私たちの場合は、パパだった。樹里はもう顔も思い出せないかもしれないわね。不妊の原因はパパにあるとお医者さんにはっきり言われた。治療法がないということも。パパもすごく苦しんだと思う。そしてね、私たち、子どもはあきらめるといったんは決めたの。私は仕事を辞めていたんだけれど、また働きはじめて、そのころはやりはじめてたヨガなんて習ったり、パパと二人で恋人みたいにデートをしたりしてね。けっこう優雅な、たのしい日々だったわよ」

母は樹里から視線を外し、窓の外を見つめて紅茶を飲む。母にも母になる以前の日々があるのは当然のことなのに、樹里にはうまく想像ができない。八歳のとき以来会っていない父の顔も、今ではぼんやりしか思い描くことしかできず、そのぼんやりした輪郭も、実際の父のものかどうか確かめる術《すべ》がない。幼い樹里と母の写真は残っているが、父のものは一枚もない。

「私が勤めたのは健康食品の会社だったの。オーガニックや無農薬なんて今ならごくふつうに聞くけど、健康ブームとはいえ、まだまだめずらしかったころね。私は事務として雇われたけど、忙しければ店舗も手伝わされるような、ちいさな会社でね。そこで、お客さんのひとりから聞いたの。人工授精を受けさせてくれるクリニックのこと。その当時、そういう相談に乗ってくれる大学病院もあるにはあったの。男性に不妊の原因がある場合、第三者の精子を使って人工授精をしてくれるのね。だけど私が聞いたのは、それとは違う、なんていうのかしら……」母はそこで言葉を切り、爪を噛んだ。樹里は何も言わず、続きを待った。「非配偶者間人工授精、つまり夫ではない人の精子をもらって人工授精をする場合、大学病院では、ドナー、精子提供者の情報をいっさい教えないということが前提となっているの。だけどそのクリニックでは、詳細な個人情報は同じく非公開だけれど、ある程度、たとえば身長や体重や最終学歴なんかをこちらに教えてくれるというシステムになっていたの。アメリカには商業的な精子バンクというものがあるでしょう。あれと似たようなものと考えていいと思う。そうしてそのクリニックのことを聞いたとき、なんていうか……大学病院のものとはまったく違うという印象を私は受けたの。もっと自由で、開放的で、隠すようなことじゃないというのかな……子どもができないことで私たちはずいぶん罪悪感を抱いていた。何か悪いことをしたからじゃないかなんて、馬鹿みたいな考えにとらわれることもあった。でもそのクリニックの話を聞いたとき、そんなんじゃないって思えたの。罪悪感を覚えるようなことではない、絶望的なことでもない。そう思える何かがあったの。少なくとも、私とパパはそう思ったの、そのときはね」

樹里は紅茶をすするが、それが熱いのか冷たいのか、甘いのかストレートなのか、感じることができない。何があっても受け入れると今し方つぶやいた言葉を、もう一度くり返すが、まるで覚えたてのせりふを舌の上で転がしているように感じる。

「私たちはそのクリニックを訪ねて、あるご夫婦と知り合いになったの。実際にそこで非配偶者間人工授精を受けているご夫婦。年齢も近くて、私たち、意気投合した。まもなくその奥さんは妊娠して、私たち四人、昔からの知り合いみたいに手を取り合って喜んで……それでね、私たちはまた話し合って、もう本当にこれ以上ないってくらい話し合って、最後の賭けのつもりでやってみようということになったの。私たちが決めたのは、一度きり、それで妊娠しなかったら、もう金輪際子どもの話はしない。そして私たちはそのクリニックに賭けてみることにした」

「そして賭けに、勝ったのね」樹里は言う。耳に届いた自分の声は、思いの外落ち着いていた。

「妊娠したとわかったとき、あの日のことは本当に忘れない。浮かれて、外に食事にいって、レストランで乾杯して、お店の人にも妊娠したんだってあの人言ってまわって、見ず知らずの人たちが私たちのために乾杯をしてくれて、私、自分が生まれてきたのはこの日を生きるためだったって思ったの。そのくらいうれしかった。でももっともっとうれしいことが待っていた。あなたが生まれたときよ」

母はそう言って、窓の外に目を向けたまま、少女のようにうっとりとほほえんだ。たしかに自分は望まれて生まれてきたのだと、母の横顔を盗み見て樹里は思う。今はいない父も、たしかに自分の誕生を喜んだのだ。父と母の抱いた苦悩と喜びは、今の樹里にはたやすく想像できる。

「もしかしてあなたは怒ってるかもしれない。今まで黙っていたこと。パパが出ていった原因だって、よくはわからなかったでしょうね。でも私は、あなたに訊かれるまで言う必要はないと思っていたの。だってあなたは間違いなく私たちの子だもの。私とパパが、子どもがどうしてもほしい、どんな方法でもやっぱりほしいと強く思った時点で、あなたはもう私とパパの子だったの」

気をゆるめると、ぼうっとしてしまう。樹里はケーキにフォークを突き立て、甘いとも酸っぱいとも感じられないそれを一気に食べる。そうしながら、母の話は、知りたいことのまだ入り口だと樹里は考える。母の話を信じるか否か、知りたいことをすべて知ってから決めたっていいと思い、そう思っていることに樹里は笑いたくなる。信じる、信じないの余地なんて、残されていないのに。

第三章

1

二〇〇九年

会合はひたすら気詰まりだった。

居酒屋や喫茶店よりは、と、賢人は自分の住まいを提供した。それで、正月気分もすっかり消えた一月最後の土曜日に、樹里は賢人の住まいに向かったのである。中目黒にある七階建てのマンションで、最上階の部屋は思いの外広く、まるでインテリア雑誌に登場するかのように整然と調えられていた。樹里は最初の客で、時間を前後しながら、雄一郎と波留、そして紗有美がやってきた。しかし樹里のなかで、雄一郎、波留、紗有美、と記号のように名づけてあるだけで、あらわれたのは、雄一郎という名の、波留という名の、紗有美という名の、見知らぬだれか、でしかなかった。

ソファと、ダイニングテーブルにばらけて座った。みな緊張しているのがわかった。目を合わそうとせず、何から話していいのか迷っているようだった。紗有美はひとり興奮して、なつかしい、うれしい、信じられないを連呼していたが、あまりにあからさまなその興奮は、かえって芝居じみて見えた。賢人がやけに香りの強い紅茶をいれて、ティーカップをそれぞれの前に置いた。

ねえジュリー、さがしてみませんか、あのころの子どもたちを。賢人にそう言われ、そうする意味もわからずに、樹里は協力した。協力といっても、それまでは自分の作品の単なる紹介用だったホームページに日記を書くようになり、そしてエンターページのイラストを変えただけである。記憶にある山荘の絵を描き、それから、あの子どもたちが見ればわかるようなメッセージを入れた。けれど樹里はこれでだれか見つかるなんててんで信じていなかった。そもそも一日せいぜい百人程度しか訪れないことをアクセスカウンターが告げている。日本全国に、いや、世界各国にいるかもしれないあの六、七人が、さほど名もないイラストレーターのホームページを見にくる偶然なんて、無に等しい。実際、雄一郎と連絡がついたのは、ホームページでの協力のせいではなかった。雄一郎が、樹里の母に、樹里と会いたいと連絡をしてきたのである。年明け早々のことだ。雄一郎の携帯と樹里のパソコンのメール交換で、今日の約束を取りつけた。双方、電話で話すほどの勇気はなかった。

今日、波留も連れていくと、樹里は一週間前に雄一郎からメールをもらっていた。どうやって会ったのかと驚いて訊くと、「波留の事務所にいったらすぐ会えた」と返事がきた。波留がプロの音楽家であることを樹里ははじめて知った。ネットで検索し、発売されているCDをすべて買って、聴いた。昨年末に発売された、いちばん新しいCDシングルの歌詞を聴いて樹里は呆気にとられた。自分がホームページにのせたメッセージと、言葉は違えど意味はまったく同じであるように樹里には感じられた。

みんな、どこにいるの。これを聴いたら連絡をちょうだい。

そうささやいているように。そして名を知らなかったhalというミュージシャンのこの歌のほうが、自分の何倍も効力があるだろうと想像した。

雄一郎が波留も連れてくるらしいと、樹里は賢人に電話で伝えた。賢人は、どういう意味なのかわかりかねる笑い声を短くあげたあと、「すごいな、こんな短期間に集まれるとは思ってもみなかった。神さまに応援されているね」と言った。神さまに何を応援されているのか、樹里はまったくわからなかったが。そして昨日の段になって、波留は紗有美を連れてくるそうだと、またしても雄一郎から連絡が入ったのだった。

雄一郎に、紗有美に波留。二十年近く会っていない子どもたちに、明日会うのだと思うと、昨晩樹里は緊張のあまり眠ることができなかった。そうして今、賢人の家のダイニングテーブルにつく樹里は、その緊張が、拭えない居心地の悪さに変化していることに、気づく。

「自己紹介でも、してみますか。ずいぶん会っていないから、ぜんぜん知らない人みたいだし」

明るく賢人が言い、みな顔を上げる。賢人の目的はなんなんだろうと、ふと樹里は考える。そして、目的などという言葉を使った自分を不思議にも思う。大多数ではないという意味において「特殊な」生まれの、かつて仲のよかった人たちをさがして、集めて、会う、そのことに目的などいらないではないか。だいいち私たちはもう子どもではない。会いたければくるし、会いたくなければ誘われたってこない。そうして今、五人が断らずに集まったのだ。そのうちのほとんどが、会いたくてたまらなかったようにはあまり見えないとしても。

だれも話し出さず、「じゃ、こっちから、右まわりで」笑顔のまま賢人が雄一郎を指さす。賢人のその笑顔を樹里はちらりと見る。なぜだろう、顔立ちの整ったこの男の人がにこやかに笑えば笑うほど、何かこわいような気持ちになるのは。

「フリーターっていうか、アルバイトしてます」雄一郎は言った。埼玉にほど近い都内の団地で、ひとり暮らしをしているとつけ足した。

「私もアルバイト。去年不況のあおりで派遣切りされて、今は仕事が見つからなくて、短期のアルバイトをくり返してるの。結婚どころか、彼氏もいません。なんかもっと立派なこと、言いたかったけど、このみんなにだけは嘘つけないし」紗有美はまったく緊張していないのか、あるいは緊張しているからか、つい先週もいっしょにおしゃべりしていたような気安さで話した。

「ぼくは広告代理店に勤務してます。その縁で、船渡さんと会うことができて、それで、あのころのみんなをさがそうって話になって。恋人といっしょに暮らしているんだけど、今日は出かけてもらったんだ。この関係をうまく伝えられるかわからなかったし」賢人が言い、樹里を見るので、

「お久しぶり、って言うのもへんなくらい、久しぶりです」樹里は、まるで見覚えがないと言っても過言ではない人たちを見まわし、口を開いた。「ジュリーって呼ばれてました。結婚して、夫とふたりで暮らしてます。イラストを描いてます」

「なんかすごいな、みんな。ミュージシャンがいたり、イラストレーターがいたり。私までなんだか誇らしい気持ち」紗有美が言い、樹里は自分でも意外なことにその発言に苛立ちとも腹立ちともつかない、淡い不快感を覚える。皮肉にもその不快感が、遠い記憶を一瞬にして呼び覚ます。サーちゃん。すぐにすねて泣く、あのサーちゃん。サーちゃんの記憶は、大きな波のように樹里を浸す。ユウくんに、ハル。果敢で、マイペースで、やさしかったユウ。男の子といっしょになって遊んでいた、年齢よりうんと物知りだったハル。それからケン。ちいさな女の子といつもいっしょにいたケン。なぜみんな、こんなところにいるの。いきなり鮮明な光景を思い出した樹里

は、かえって戸惑う。知らない大人たちが、知らない空間に集っていることに。

「私は波留です。音楽をやってます」最後になった波留が口を開く。「私が今日ここにきたのは、というより、事務所を訪ねてきてくれた久米雄一郎さんに会ったのは、こうして集まって思い出話をしたいからじゃなくて、父親を知りたいからです。ねえ、みんなそうよね？」

波留の言葉に、みんなはじかれたように顔を上げる。どの顔にも困惑がある。

「私はそんなことは考えてもなかった。っていうか、そういうつもりでここにきたわけじゃない。またみんなに会いたかったから。前みたいに仲良くできないかなって思ったから、だからきたの」紗有美が言う。

私はなぜここにきたのかと、樹里は自身に問う。雄一郎から連絡をもらって、なぜ賢人にこの会合を提案したのか。父を知りたいとまで考えなかった、かといって、積極的に仲良くしたいというわけでもなかった。でも、こないという可能性はなかった。もしかしてキャンプに参加した母親たちも、こんな気持ちだったのではないかと、ふと樹里は思いつく。

「もうみんな、あのキャンプがなんだったのか、というより、私たちの共通点がなんであるのか、知っているのよね？　ここで、そこから話さなくてもいいわけよね？」

波留はあからさまに紗有美を無視してみんなを見まわし、続ける。「私が生物学上の父を知りたいというのは、アイデンティティの問題とか自分さがしとか、そんなロマンチックで悠長なことではないの。私はその人の病歴を確実に知りたいの。知らなければ困るの。みんな、理由は違えど似たり寄ったりじゃないかって私は想像したんだけど。つまりみんなで知っていることを持ち寄って、父親をさがすために今日、ここにきたのよね？」

部屋は静まり返る。樹里が感じていた居心地の悪さは、不条理な夢ほどに膨れ上がる。

「だから、私が知っていることを話します」波留はソファに深く座りなおし、怒っているみたいな顔で話しはじめる。

2

波留の母、野村香苗が結婚したのは一九七四年、香苗が二十八歳の年である。結婚相手の木ノ内宏和は学生時代の先輩で、新聞社に勤務していた。八年間に及んだ地方勤務からようやく本社勤務に戻ったのを機に、結婚したのである。結婚後も香苗は子ども服メーカーで働き続けていた。早く子どもを作れと双方の両親からせっつかれていたが、二人とも深く考えることはしなかった。避妊しているわけではないのだから、いつか自然なかたちで新しいいのちはやってくるだろうと思っていたのである。香苗が三十歳を過ぎても、二人の考えはとくに変わらなかった。仕事がおもしろかったせいもあるし、二人ともまだ新婚気分が抜けなかったせいもある。

結婚五年後、社会部の取材で地方に出張していた宏和が宿泊先で亡くなっているのを、ホテルの従業員が見つけた。解剖の結果、直接の死因は急性硬膜外血腫《けっしゅ》という、香苗には聞いたことのないものだった。繁華街の飲み屋が、ひとり飲みにきた宏和は泥酔して帰ったと証言した。その後、酔って転んだかあるいはだれかと喧嘩をしたか、頭をしたたかに打ち、その場ではなんともなくホテルに戻り、その後に切れた血管が詰まり死亡したのではないかと推測された。

意味がわからなかったのは香苗である。学生時代から知っている宏和は健康そのもので、風邪だってめったにひかなかった。三日ほど前に、帰ってきたら焼き肉を食いにいこうと言って出張先に向かったのだ。しかも死のその瞬間を、だれも見ていないのだ。なんの前触れもなくいなくなるなんて、あり得ない。死んでなんか、いないかもしれない。

それでも葬儀を終え、四十九日を終えると、双方の両親はやんわりと木ノ内から戸籍を抜くことを香苗に勧めた。子どもはいなかったのだし、香苗はまだ三十代のかろうじて前半である。今からなら充分再婚できる。けれど香苗は頑として断った。薬指の指輪を外すこともしなかった。

「ママね、二度とだれかを好きになるまいと決めたの」と、香苗は、波留が十二歳になったときに話した。「そう思ったんじゃなくて、そう決めたのよ」

決めた、というのがどういうことなのか、波留はもう少し成長してから理解した。母は、子を産み、シングルマザーとして生きることで、夫以外の男を好きになるまいとしたのである。十代半ばのころ、母のその話は、理解できない部分があるにせよ、波留にとって何かロマンチックな響きを持っていた。けれど年齢を重ねるにつれて、それはロマンチックなんてものではないと波留は気づくようになる。もっと異様な、すさまじいことではないか。子を産むことで、だれとも恋愛しないと決めるなど、波留の想像を超えている。

香苗は、その決意どおり、宏和の一周忌と前後して、あるクリニックを訪れた。そのクリニックのことは、たまたま深夜のテレビ番組で見て知っていた。

軽井沢に不妊治療専門のクリニックがあり、夫婦間の不妊のみならず、あらゆる相談に乗ってくれるのだとそのテレビでは紹介されていた。たとえば法的な夫婦だけでなく、結婚相手がいないのにどうしても子をほしい女性の相談などにも、応じてくれるのだという。テレビ番組自体は、そのクリニックの存在を、不妊治療の救世主のように描きながら、いのちがビジネスとして取り引きされる危うさにも言及しており、賛否が中途半端な作りだったのだが、しかし香苗にはそれこそ救世主だった。だれにも相談せず、打ち明けることもなく、香苗は軽井沢のクリニックを訪れた。

　そうして香苗は一九八二年の五月、実家のある北海道の産院で女の子を産む。木ノ内から籍を抜くこともなく、一生再婚しないと言い放った末、人工授精で妊娠したと一方的に告げる娘を、二度と帰ってくるなと勘当した両親だが、東京で臨月までひとり働き、大きなおなかを抱えて帰ってきた香苗を拒絶することはできなかった。まして子どもが生まれてみれば、それはやっぱりまごうことなき「娘の」子であり、かわいく感じないはずがないのだった。波留、と香苗が名づけた。一年間の産休の終わり間近、波留は香苗に連れられて東京のアパートにやってきた。翌月から波留を保育園に預け、香苗は仕事を再開した。以来、ずっと二人で生きている。母は決意どおり、父以外の男を愛したことはない。それが、波留の聞かされた話である。

「波留はね、だから私とパパの子なんだよ」と、はじめてこの話をしたときから、母はくり返しくり返し波留に言った。「私がパパを一生愛そうと思って、そのためにママのところにきてもらったの。だから波留はパパがこの世にいた何よりの証《あかし》だよ。もしかして波留はパパの生まれ変わりかもしれないね。だって、強くてやさしいところがパパとそっくりだもの」

幼いときからそんなことをくり返し言われたせいで、波留は、どこかのだれか、知りもしないだれかが自分の父親であると思いもしなかった。いや、もちろん頭では知っている。母は生物学上の父についてきちんと説明したのだ。しかし、どこのだれかわからない男よりも、くり返し語られる「パパ」のほうが当然のことながら身近だった。その人ならば写真がある。子どもというのは、精子と卵子の結合によって生まれてくるものではなくて、だれかがだれかを思う強い気持ちが作るものなのではないかと、そんなふうに言葉にはしなかったが、なんとなく波留は思いながら成長した。

そんなことはないと今ではわかる。自分の生物学上の父親は、もしかして網膜色素変性症の家系かもしれない、知らない男なのだと納得している。しかし、父、という言葉を思い浮かべるとき、写真で見慣れた木ノ内宏和がくっきりと浮かぶ。母がそのようにしてくれたのだと波留は思っている。自分の出自に混乱しないように、自分がそこにいることを疑わないように、母が、長い年月をかけて自分と対話してくれたからだ。もし目が見えなくなる恐怖と無縁だったら、父をさがそうなどと思いもしなかったろう。そもそもキャンプの数日など、自分の人生にさほど影響したとは波留は思っていないのだった。

母の、揺るぎないあの自信はなんなのかと、母が結婚した年齢に近くなった波留は不思議に思うことがある。十八のときの初体験の相手を、波留は死ぬまでいっしょにいる運命の人だと思ったが、三年後にはあっけなくほかの人に恋をした。三十前後で、なぜ母は、彼が人生で唯一の男と決めたのだろう。そしてそのことを、娘が理解しないはずはないと決めてかかっていた、あの強い自信はなんなのだろう。もちろん、母にその自信があったからこそ、自分は自分の出自に疑いを持たずに今いるのだと波留にはわかっているのだが、しかし母を完全に理解できたとは言えない。母の強い決意も、それを支えたものも、もしかしたら一生理解できないかもしれないと波留は今、思うのだ。

「私が知っているのは」波留は周囲に座る面々に向かって、告げる。「そのクリニックは軽井沢から車で十分ほどの距離にあって、正確にはわからないけれど、九〇年代の前半にはクリニックは閉院したってこと。体外受精は夫婦間においてしか認めないとする日本産科婦人科学会と、そのクリニックは初っぱなから合わなかったし、再三の会告を無視したとしてクリニック院長が学会を除名されたことまでは、調べたの。でも閉院後、その院長がどこにいったのか、存在したはずのカルテはどこにいったのかまでは、わからない。だからこうして集まった私たちは……」
「ちょっと待って」割って入った樹里は、ずいぶんと疲れた顔をしている。「波留さんの話はわかるけど、ねえ、でも、みんながみんな、あなたのようにずっと前からこの話を聞かされていたわけではないの。ほんの数カ月前に聞いたばかりの人もいるの。そんなふうに先を急がれても、ついていけない人もいると思う」

ジュリー。ふと、波留は思い出す。いちばん年上の女の子。正義感が強くて、みんなと率先して遊んでいた子と、目の前の痩せた女性があざやかにダブる。ずいぶんあとからキャンプに参加した波留は、最初、先生みたいなジュリーに反感を抱いた。なんでみんなこの人のゆうことときくんだろう、と思っていた。でもすぐ、みんなと同じにこの子に頼るようになった。ジュリーは間違ったことは言わなかったし、人を傷つけることも、悪く言うこともなかった。おねえさんだからしっかりしなくちゃいけないの、と言っていたことが、たしかあったような気がする。だれのおねえさんなの？　みんなの？　と、そのとき波留は不思議に思ったのだ。

「つまり、あなたがついていけないってこと？」

なのに、自分の口から攻撃的な尖った声が出るのを、波留は不思議な思いで聞く。

3

否認、それから怒り、その先に抑鬱《よくうつ》。癌を告知された患者が、それを受容するまでに至る段階のことを、どこで聞いたのか樹里は思い出せないが、でも、たぶんそんなような感情の移行があったように記憶している。今の私みたいだと、母親から話を聞いたのち樹里は思った。何があっても受け入れると、母の話を聞く前に決意したのに、聞いているうちにそれはあっけなく崩れた。まず賢人に話を聞かされたときは、私は違うだろうと否認し、母の話を聞いたあとでは、自分でもコントロールできない怒りが湧いた。

なぜ今の今まで黙っていたのか。なぜ隠し通さなかったのか。そんな言葉にしてみたけれど、どの言葉も樹里の怒りを正確にはあらわしていなかった。樹里は、自分でも何に怒っているのかわからないのだった。なぜ産んだのかと、思春期にぐれた子どもが言うようなせりふまで思いついて、おかしくなった。そんなことじゃない。子どもを授かることができるのならなんだってすると願った夫婦の心情は、今なら痛いほどわかる。子どもができないかもしれないと思ったとたん、自分でも驚くほど強く、子どもがほしくなるのだ。あの服がほしいとか、おなかが空いて何かが食べたいという欲求とはまったく異なる、子どもがほしい、というじりじりひりつくような願望について、樹里はもう知り尽くしている。子連れの夫婦がねたましくなり、そんな自分を嫌悪する。自分の母である前に、船渡涼子というひとりの女性が、悩みに悩んで、客から聞いた情報を頼りに、信頼に足るかどうかわからないクリニックを目指したことは、だから想像にたやすい。今の自分より数歳年上だった涼子が抱えていたかなしみも、怒りも、不安も、恐怖も、迷いも、そしてたった一筋の希望も、樹里は自分のことのように思い描くことができる。

この先は抑鬱かと、樹里は客観的に、幾分茶化すように思った。そして抑鬱がくる前に、幾度か母親と話す必要があると判断した。もっと聞かねばならなかった。もっと話さねばならなかった。受容に至るまで。

大学病院の治療ではなく、名を聞いたこともないクリニックに頼ると決めたときのことを、船渡涼子は今でも鮮明に覚えている。

「ドナーの情報がある程度開示されている」ことは大きかった。だってそこならば、夫に似たドナーが選べるかもしれないのだ。長身、痩せ型、髪と目の色が黒よりは茶。そうした情報がないよりはあったほうが、ずっといいように涼子は思った。クリニックにいって話を聞こうと提案したのは、だから夫ではなく涼子である。

そのクリニックを訪ねて驚いたのは、ファイルにまとめてあるドナー情報が思っていたよりずっと多かったことだ。身長体重ばかりではない、最終学歴、趣味、特技、現在の職種まで書かれている。さらにクリニック側は、ドナーに提出を義務づけている書類サンプルを見せてくれた。身長体重血液型といった細かなデータ、子の有無とその人数、学歴経歴、服用している薬の有無と種類、骨折・手術経験の有無、刺青《いれずみ》の有無、ドラッグ使用体験の有無、得意学科、趣味特技、さらに運動音楽芸術等、抜きん出た才能の申告とその証明という項目まであり、思わず涼子は笑ってしまった。病歴についてはもっと詳しかった。本人に加え家族三代における病歴、遺伝的欠陥の有無、そこからずっと、涼子の聞いたこともない病名が続き、チェックするようになっている。

もしかしたら、大学病院でも同じような細かいデータチェックをしているのかもしれない。けれど夫婦でかつて相談にいった大学病院で、そういったものは見せてもらえなかった。この書類チェックをパスしたあとには、専門医師による面接があるという。そうしてはじめて、ドナー登録ができるのだと、大学病院の看護師よりはずいぶん親身で人間味のあるスタッフが説明した。

クリニックは清潔だが無機質ではなかった。カーテンはクリーム色の小花柄で、ソファはモスグリーンの布張りで、壁にはウォーホルの版画がかかっていた。置いてある雑誌は健康雑誌や医学雑誌ではなく、ファッション雑誌だった。ここでは私たちは患者ではないと、ある衝撃を持って涼子は気づいた。患者ではない、顧客なのだ。医師と患者という関係だと、どうしても患者は弱者になる。けれどここでは対等なのだと涼子は思った。頬をはたかれて目覚めたような衝撃だった。そしてその気づきと同時に、涼子は決めていた。

夏休みにはまだ早かったが、軽井沢の本通りはずいぶんな人出だった。通りに面した喫茶店に入り、涼子は夫の意見を乞うた。「前にいった病院よりはいいかな」と、言いにくそうに夫は言った。言いにくそうなのは、慎重に言葉を選んでいるからだとそのとき涼子は思った。

「私もそう思ったの」同意見だったのがうれしくて、涼子は叫ぶように言い、夫は声が大きいとジェスチャーで示した。「大学病院よりはずっといいって。料金は高くなるけど、それだって安心料だって私には思えたわ。それに何より、私たち、患者扱いされないんだよ」

「それはぼくも感じた」夫はうなずいた。

一週間後、涼子は仕事を休み、夫には内緒でひとりでクリニックを訪ねた。診察にいくのではなく、話をもっとくわしく聞く権利があるといった、すでに利用「客」の気分だった。意識しなかったが、そのことは驚くほど涼子の気分を軽くしていた。予約をとって、せわしなく話を切り上げようとする医師に、こんな話はするべきではないのかと焦りながら相談するのと、予約した一時間内で、一笑に付されるかもしれない不安まで洗いざらい話せるのとでは、気持ちの負担がまるで違った。

そうしてその日、涼子は、待合室で早坂碧《みどり》に会った。

碧はカバーのかかった文庫本を読んでいた。名前を呼ばれ、診察室に消えた。彼女の姿を見送った涼子は、何か話がしたいと思った。あとになって考えてみると、もうすでに自分は一種の興奮状態にあったのかもしれない。診察室から出てきた碧に、実際涼子は話しかけたのである。私は四十分の予約をとってあるんですが、もしお急ぎでなければ、お話しできませんか、と。碧は驚いたふうだったが、本通りの喫茶店の名を告げ、そこにいる、と言って微笑《ほほえ》んだ。「すごくせっぱ詰まっているように見えて、断るなんてできなかったわ」と、のちに親しくなった碧はそう言っては笑うのだった。

碧の指定した喫茶店で、涼子は、彼女と自分が驚くほど似た境遇であることを知った。年齢も近かったし、結婚した年も近く、双方都内に住まいがあり、そして夫に原因があり子どもができない。碧は涼子より早くクリニックに通っていた。今まで二度の治療経験があるがうまくいかず、三度目のチャレンジをしているのだと言った。初対面の碧が、そんなふうに率直に話してくれることに涼子は感激した。私たちはものすごく仲良くなれるかもしれないと思いもした。それで、連絡先の交換を提案した。碧は断らなかった。

仕事を終えてやってくる夫と軽井沢のホテルに泊まるのだという碧と、その場で別れた。

結果的に涼子の夫がそのクリニックでの治療に賛成したのはそれから半年もたたないときで、都内で家族づきあいをするようになっていた早坂碧の妊娠がきっかけだった。少なくとも、そのときの涼子はそう思っていた。「やってみるか」と夫から言い出したのは、早坂夫婦の喜びを間近で見たせいだ、と。

「でも、違ったのね」話を聞きながら、樹里はつぶやいた。父の記憶は年々薄れ、今ではくっきりと輪郭を思い出すこともないけれど、でも、そのときの彼の心情は生々しいほどに理解できる気がした。少なくとも、若かった船渡涼子よりは理解できると樹里は思う。

前の病院よりはいい、と言ったとき、言いにくそうだったのは、つまり彼は負い目を感じていたのに違いないと樹里は想像する。この時点で彼はほとんど涼子の判断にゆだねていたのではないか。一筋の希望にすがるように邁進《まいしん》しようとする、健康な若い妻に。友人夫婦の成功は彼にとって一歩を踏み出すきっかけだったのではなくて、もう一歩も戻れない断崖だったのではないか。こんなのは考えすぎだろうか。もちろん樹里はその想像を、母に言うことはできない。でも、母はきっとわかっているのだろう。「そのときはそう思った」という表現を使っているのだから。樹里は、ふと、早坂夫妻とはその後どうなったのだろうと不思議に思う。思い浮かんだことをそのまま母に訊いた。「もしかして、早坂夫婦って、弾のご両親？」

そうよ、と母は言った。「私の想像どおり、私たち、すごく仲良くなれた。途中まではね」

「途中って、キャンプが終わるまで？」

母はそうだともそうではないとも言わなかった。そして樹里に促されるまま、その続きを話しはじめた。


ドナーは、夫と一緒に選んだ。できるだけ夫に似ていると思えるもの。背が高く、痩せ型、芸術的能力よりは運動能力に優れ、瞳と毛髪が茶色。学歴をチェックするときは奇妙な緊張をした。学歴で人を判断することがどれほど愚かなことか、そういう教育を自分は受けてきたし、そう思っている自負が、涼子にはあった。自身だって私立大卒だが、一流校というわけではない。けれど、国公立から私大、専門学校高校とずらり並んでいると、そこで何かを判断しようとする自分がいることに涼子は気づかされた。つまるところ、名前を聞いたことのない大学卒よりは、有名校卒のドナーを選ぼうとしているわけだった。夫もそうであることがわかった。自分よりすぐれたものを持つドナーを、夫もまた選ぼうとしていた。

はじめて軽井沢のクリニックを訪れたときから軽い興奮状態にあったと、涼子はのちに思うことになるが、このときはそんなことは意識していなかった。もしかして夫もある興奮状態に陥っているかもしれないとも、考えなかった。患者としてではなく、顧客として選ぶ、無意識のうちにそのことに夢中になった。神の気分というのは大げさだが、決定権を今自分が持っている、そんな奇妙な万能感があった。そのときどんなふうに思っていたのと、ずっとのちに娘に問われたとき、涼子はそんなふうにはもちろん言わなかった。

「自分たちも持っていないほどのいいものを、生まれてくる子に与えたかったし、それができるんだって思った」と、言った。それだって間違っていない。あのとき涼子は心から願った。夫ももちろん、そうなはずである。自分より成績のいい人。自分より健康な人。自分より容姿のいい人。自分より運動能力のある人。自分より芸術的才能がある人。自分より……自分より……。その場でとことん客観視し、自分が平凡で人並みの人間であると知ることなど、なんでもないことだった。プライドも何もなかった。ともかく、自分たちのもとにやってくる子どもには、何がなんでもいいものを与えたかった。

そのようにして、涼子と夫は完璧に思えるドナーを選んだのだった。

もしその一回が成功しなかったら、二度はないはずだった。涼子は夫と、治療を受ける前にも受けると決めたあとにも、できるかぎりの時間と言葉を尽くして語り合った。二度、三度とめげずにチャレンジし続ける早坂夫婦と同じことをするつもりはないと、くり返し互いの意思を確認し合った。そうしてその一回で、涼子は妊娠したのである。

生きていたらこんなにうれしいことがあるのかと涼子は思った。その喜びをあらわす言葉の何ひとつ、知らなかった。夫は泣いた。お祝いに出かけたレストランで、みんなに祝福され、泣いたのだ。その日の夜、夫は涼子に語った。じつはクリニックにいったときも、その後も、ずっと迷っていた。治療を受けると決めたときもあとに引けなくなっただけで、本当はこれでいいのかとずっと思っていた。でも今日、ようやくこれでよかったんだと実感できた。ぼくは父になる。父になるって実感できた。だからぼくが父だ。ぼくだけが父だ。そう言って、夫はふたたび泣いた。

先に妊娠した早坂碧は、安定期に入る直前、流産した。それでも早坂夫婦と涼子たち夫婦が気まずくなることはなく、涼子と夫は二人で早坂眞美雄《まみお》、碧の夫婦をなぐさめ、もう一回チャレンジすることを勧めた。

涼子の母も、夫の両親も、安定期に入ってから事後報告した涼子の妊娠を喜ばなかった。涼子が中学生のころ父は亡くなっていて、その後女手ひとつで、東京の大学にまで涼子と妹弟を通わせ卒業させた母は、不妊の原因が夫にあるとわかった時点で涼子に離婚を勧めていたほどだった。涼子が打ち明けた非配偶者間人工授精など、古い体質の母親には到底認めることはできなかったらしい。二度と帰ってきてくれるなと、母は電話口で言った。妹と弟に取りなしてもらおうとしたが、無駄だった。「私の子どもは最初から娘と息子の二人きりだ」と言っているらしいと、親戚を通して聞いた。夫の両親はそこまでではなかったが、よく思っていないことをあからさまな態度で示した。「あんたが産んでも、うちの孫じゃないんだから」と、夫の父母はわざわざ電話をかけてきて涼子に告げるのだった。正月には夫とともに帰省していたが、妊娠がわかった翌年の新年から、夫ひとりだけで帰るようにと義父から通達があった。けれどそんなことも、妊娠の喜びを減じさせはしなかった。好きにすればいい、と涼子は思った。

肉親たちが喜んでくれないぶん、涼子は早坂夫婦との距離を縮めていった。流産したかなしみを見せることなく、眞美雄も碧も涼子の話を親身になって聞いてくれ、親戚や親に勧められたという妊娠や子育てにかんする本を貸してくれたりもした。そしてもうじき臨月だというころ、碧は幾度目かの治療の甲斐あって、妊娠した。一回流産経験があるからか、眞美雄の碧への気配りは尋常ではなく、料理と掃除と洗濯、それぞれ専門の家政婦を雇い、碧がスーパーマーケットに買いものにいくのも嫌がるほどだった。だから、出産までの期間、涼子はしょっちゅう早坂家を訪ねた。父親の経営する、レコード機器を製造する会社に勤めているという早坂眞美雄の自宅は、世田谷区にあり、同世代夫婦の住まいとは思えないほど立派だった。百坪はありそうな土地の半分が芝生敷きの庭で、西洋風の屋敷が建っている。庭に面したリビングで、お茶を飲みながら涼子は碧とよく話した。夫には言えないことも話した。「やっぱりドナーはダンナさんに似た人を基準に選んだ?」だの、「もし子どもが夫にちっとも似ていなかったらどうしよう」だのと、つまるところ碧にはなんでも話せるのだった。

碧は涼子と違い、確固とした考えを持っていた。眞美雄と話し合った結果の考えであることは、涼子にもよくわかった。眞美雄も碧とまったく同じ言葉で話したから。「私たちはドナーがだれであったかなんて気にしていないの」というのが、碧たちが話し合っていき着いた答えだった。「私たちがこれほどまでに子どもがほしいと望んだ時点で、もうこの子は私たちの子なのよ」その揺るぎのない答えは、そのうち涼子の意見にもなった。「だから私たちは、生まれてくる子にこのことを話すつもりはないの。隠すんじゃない、最初から私たちの子なんだもの」それもまた、涼子の意見になった。そのうち、涼子はわからなくなるほどだった。その自分の信念が、碧の単なる受け売りなのか、夫と話し合った末に導き出されたものであるのか。

「私たちね、この子が生まれたら、都内じゃなくて自然があふれる場所に家を買おうと思っているの」と、まだでっぱってもいないおなかをさすって、碧は話した。「転げまわって、土のにおいをいっぱい嗅いで遊べるような場所。ねえ、夏にはそこでいっしょに過ごさない?　庭にテントをはったり、虫とりにいったりして」と、うっとりと語る。まるで靴下を買うように家を買うと話す碧の感覚に驚きながら、涼子も夢見ずにはいられなかった。母や義父母の住む田舎で盆暮れを過ごすのは無理そうである。もし碧が田舎にそんな場所を作ってくれるのなら、自分も生まれてくる子に自然を味わわせてやることができる。「そうね、ぜひ呼んでよ」と、涼子は冗談交じりに笑って言った。

一九七八年、涼子は無事女の子を産んだ。樹里、と名づけた。名づけたのは夫である。生まれると連絡をもらって病院に駆けつけて、待合室で待っているとき、窓の外に、葉を茂らせた木が見えたんだと、夫は、生まれたばかりの樹里をおそるおそる抱いて、病室で声を落として話した。絵みたいに美しくて、見とれてしまった。ぼくらはこの子がいつでも安心して帰れる場所をこれから作るんだ、そこは、あんなふうに美しくなきゃいけないと思ったんだと、樹の里と名づけた理由を照れくさそうに話した。

気詰まりな会合は、結局なんの実りもなかった。父親をさがしたいと波留は言ったが、もちろんだれも、かつて存在し、今はないクリニックの情報など持っていない。「仕事があるから、今日は帰る」と言い出したのは波留だった。それでみんななんとなく帰り支度をはじめた。またこういう場を設けようと賢人が言ったが、そうしようと陽気に答えたのは紗有美だけだった。みんなで駅にぞろぞろ歩くのが嫌で、おもてに出るなり樹里はタクシーを止め、ひとり乗りこんだ。
山荘にいかないかと、雄一郎からメールがきたのは、会合の二週間後だった。

4

小田原で乗り換えた電車も、東京から乗った電車と同じく空いていた。電車が走り出すと、並んで座った樹里と雄一郎は、どちらからともなく買ったばかりの駅弁の蓋を開けた。顔を見合わせ、笑う。東海道本線に乗っていた約一時間半のあいだに、賢人の家で会ったときと比べたら奇跡のようにうち解けていた。そのことに雄一郎は安堵していた。あのあと紗有美から連絡をもらって会い、うち解けたとは言い難い時間を過ごしたあとだから、なおのことだった。東海道本線に乗っているあいだ、樹里は、自分の母親について話してくれた。母がどのようにしてクリニックにいき、どのようにして身ごもったのか。だから、鯛飯を食べながら、雄一郎も母の話をはじめた。樹里ほど詳しくは聞いていないが、断片的にならば聞いていた。おもに樹里の母の話のその後、つまり、キャンプの母親たちがどのように知り合ったのか、についてだ。
父親の葬儀で会って以来、母とは、電話でだが、数度話した。雄一郎は樹里のように訊きたいことを訊けなかったし、雄一郎の母は樹里の母のように理路整然とは語らなかった。

「だからジュリーみたいに詳しくはないんだよ」と前置きして、雄一郎は話した。

「そのクリニックは患者同士が知り合うことをとくに規制したりはしていなかったらしい。出産した人の話を聞きたいと患者が言えば、会うセッティングもしてくれたんだって。うちの母親は、それでジュリーのおかあさんに会ったってわけだ」

樹里は箸を持つ手を止め、雄一郎をのぞきこむようにしてじっと話を聞いている。その背後の窓は、灰色に膨れ上がった空を映している。暖房がききすぎていて、汗ばむくらいだった。

雄一郎の母、俊恵は、臨月のときに樹里の母を紹介してもらったのだと話した。雄一郎の父親、つまり夫と、そう幾度も意思を確認し合ったわけではなかったが、それでもそうして子を作ることは双方の希望だったし、臨月まで疑問も不安もなかったのだが、出産が間近になって急に俊恵はこわくなった。あとから考えれば、生まれた子が重病にかかったらどうしよう、いい母親になれなかったらどうしよう、という、もしかしたらだれしもが持つ不安ではあった。それでも俊恵は、自分が「ごく一般的な」妊娠とは違う経緯を経たからこその不安だと思いこみ、クリニックに頼んで、出産経験のある人を紹介してもらったのだった。

涼子は、まるでボランティア活動をしているみたいだった。彼女自身がクリニックに、もし話を聞きたい人がいれば私を紹介してかまわないと言っているのだった。その涼子は三年前に女の子を産み、育てていた。涼子は俊恵のまとまりのない話を辛抱強く聞き、自分の意見を言った。

「子どもを産まなかったら、という仮定を私はもうすることができない。あなたもきっとそう。不安なことなんて何ひとつない」と、言葉や表現を変え、幾度も幾度も涼子は言い、それを聞くうち、俊恵は自分が何かをこわがっていたことを笑い飛ばしたくなった。そして涼子は、俊恵が出産した江東区の病院に、見舞いにやってきた。「よかったね、本当によかった」と、生まれたばかりの雄一郎を抱いて、くり返した。自分たちの両親よりも、よほど喜んでいるように俊恵には見えた。

雄一郎が生まれてから、頻繁にではないが、年に数度は涼子と連絡をとり合うようになった。近所に住む、同世代の子を持つ母親たちと親しくなったが、けれど（でもこの子はみんなとは違う）という気持ちを、俊恵はしばらくのあいだぬぐい去ることができなかった。涼子とは違い、クリニックの話を息子にするのか否か、夫ときちんと話し合ったこともなかった。話し合おうとすると、ちょっとしたことでいつも口論になる。もちろん俊恵も夫も喧嘩っ早く口が悪いのは結婚前からで、夫を好きだという気持ちのなかには、なんでも言える気安さもあったのだが、けれどこの問題で口論すると、そののちになんともいえず嫌な気分が残った。それであまり触れなくなってしまったのだった。だから、涼子の存在は、俊恵にとって両親とも母親友だちとも夫とも違う、とくべつなものだった。友だちにも夫にも言えないことを、彼女になら相談し、うち明けることができた。そしてだからこそ、頻繁に連絡をとるべきではないと無意識に思ってもいた。涼子と話すと、否が応でも雄一郎の生物学的父親を思わずにはいられなかったから。

御殿場にある山荘で、夏の数日を過ごさないかと涼子が声をかけてきたのは、雄一郎が三歳になる前だった。同じクリニックで妊娠した夫妻が、別荘を持っていて、そこに泊めてくれるのだと言う。夫には、ただ、友だちの友だちが呼んでくれたとだけ、言った。どうしてなのかわからないながら、でも、みんな同じクリニックで子どもを身ごもったのよと、俊恵は無邪気に言うことができなかったのだ。

雄一郎がはじめて夏のキャンプに参加したのは、三歳になった夏である。その年集まったのは、涼子の家族、別荘の持ち主だという早坂家、やはり男の子のいる松澤家だった。同じ年ごろの子どもたちはすぐに仲良くなり、そのおかげで両親たちも、ほかの場所で会うよりは早くうち解けた。

まったく驚いたことに、その別荘はプチホテルほども広く、各家族が一部屋使ってもまだ部屋数があり、早坂夫婦はとんでもなく裕福らしいが、気取ったところがなく人をもてなすことに長《た》けていて、やれバーベキューだやれダンスパーティだと企画しては人の手を借りず実行するのだった。

　みんな同じクリニックにかかった夫婦なのだと俊恵は言わなかったが、翌年、夫の知るところとなった。だれかがてっきり知っていると思って、夫に話しかけたらしかった。キャンプのあいだ、夫は前年と同じくたのしそうにしていたが、帰宅してから喧嘩になった。「いいか」と夫は俊恵に言った。「あそこにいる男たちはみんな、父親じゃないんだぞ。今年も新しい家族がきて、たぶん来年もくるんだろう。ずっとあそこにいくかぎり、参加する男はそれを思い知らされるんだぞ」と。俊恵はそれを聞いて二重のショックを受けた。ひとつは、「父親ではない」と、この期《ご》に及んで夫が思っているらしいことに。涼子の夫だって、碧の夫だって、みな正々堂々と自分が父だと思っているのだ。そしてもうひとつのショックは、ああ、だから自分はそのことを昨年夫に言わなかったのだなと気づいたからだった。涼子や碧のようには、「この人だけが父親だ」と、言い切ることができないから。

「じゃあいかなきゃいいじゃない」深夜まで続いた喧嘩は、結局この一言で収束した。「ああ、もういかないよ」夫はそう言ったが、翌年の夏、碧や涼子から誘いの連絡がくると、会社の休みを調整し、前年と同じく三泊四日、泊まることになった。一年ごとに参加する家族は増えていった。おそらく自分のようにクリニックを通じて涼子やほかの母親に会った家族だろうと俊恵は推測した。とくにだれも、クリニックのことを話したりはしなかった。あのクリニックで身ごもったことは暗黙の了解になった。母親たちは、俊恵がそうしていたように、気の合う相手を見つけてはときどき話した。自分の抱える不安や悩みについて。両親に絶縁されたと話す母親もいた。ドナーと会ってみたいと思っている母親もいた。夫と最近うまくいかなくなったと言う母親もいた。夏の休暇を終えて帰ると、毎回口論になるのだと俊恵自身も、涼子や、親しくなった賢人の母親に話したこともある。口論できるだけいいじゃないと、賢人の母は言っていた。彼女は口論すらできないのだと打ち明けた。こなければいい、ああ、もういかないと、毎年くり返し、けれど夫はキャンプに参加し続けた。どうしてくるの、と訊くことはもちろんできなかった。

「私たちはただたのしいだけの時間だったけど、大人にしてみればそういうわけでもなかったのね」鉄道駅から乗ったバスを降り、灰色の空の下、雄一郎と並んで歩く樹里が言う。

「そりゃおもしろくなく思う父親もいただろうなとは、思うよね」

「でも、だったら、こなければよかったのよ」樹里は母親とおんなじせりふを言った。

ふと、雄一郎は思い出す。樹里の父親は、ある年から急にこなくなったのではなかったか。けれど言ってはいけないことのような気がして、雄一郎は何も言わず冷たい空気のなかを歩く。

車道を曲がると、急に道は未舗装になる。まっすぐ続く一本道の両側に、葉を落とした木々が並ぶ。あまりのなつかしさに雄一郎はめまいを覚える。

雄一郎の記憶では、だだっ広い大地に、馬鹿でかい家がひとつだけ建っていたけれど、実際はそうではなかった。広大な別荘地で、間隔は離れているが周囲には似たような規模の別荘が並んでいる。木立のなかを走る一本道を進むと、名字の書かれた案内看板があちこちにあり、そうして驚いたことに、そのうちのひとつに「早坂」名があった。２０３１と番号がふってある。

「名前があるってことは、まだ弾の一家が所有してるのかな。ジュリーのおかあさんは何か言ってた？」

「手放したから連絡はとれないんだって聞いたことあるけど。でもずいぶんと昔」

「それも嘘だったのかな」

「私、中学生のころ、偽名を使って、弾と幾度か手紙のやりとりしたの。それがあるとき、急に返事がこなくなったから、引っ越したのかなって思ってた。引っ越したなら、あの別荘も手放したのかなって」

そうして「早坂」の看板に導かれるようにして、雄一郎と樹里はたどり着いたのだった。

曇り空のせいでなおのこと暗い道を、知らず早足で二人は歩いた。

「看板だけ、そのままなのかもしれない」


どっしりと高級そうな造りの家で、今見ても敷地も家も大きいことは大きいが、記憶と比べるとやはりちいさく見えた。雄一郎の記憶のなかで、山荘は大型旅館ほども広く、バーベキューやキャンプファイヤーをした庭はグラウンドくらい広かった。刈り揃えられた垣根から、カーブを描いて砂利道が続いている。垣根の向こうに見えるウッドハウスにひとけはない。

「前はこんなにまわりに木がなかった」門も扉もないが、透明のそれらがあるかのように、砂利道に切り替わるところでぴたりと足を止めて樹里は言う。

「記憶違いかもよ。おれももっとでかいと思ってた」発した自分の声が、やけに遠く聞こえる。水を抜いたプールの底で話しているみたいだと、雄一郎は思う。

「ううん。記憶違いなんかじゃない。このへん、こんなに木はなくて、もっと開けた感じだった」どうでもいいことのはずなのに、樹里は譲らない。

「だれもいないみたいだけど、どうする、入ってみる?」砂利道を数歩進んで、奥をのぞきこみ、雄一郎は言った。玄関がどうだったか、みんなで食事をした部屋はどのあたりだったか、今では思い出せない。

ユウくんもろくな人生じゃなかったのねと、紗有美はうれしそうに言った。よかった、成功した立派な人たちばっかりじゃなくて。紗有美は、こぎれいな部屋に住む賢人や、プロのミュージシャンである波留や、イラストレーターとして活躍している樹里と、自分を比較したらしかった。比較して、今まで抱いていなかった感情が芽生えたのだろう、そう言う声は嫌な感じにくすんでいた。雄一郎にはそう聞こえた。自分でもまともな日々を送ったと言い難いが、しかしそう言われると、そうだろうかとも思える。そうかな、と、つまらなそうに言うと、「なんとも思わないの？　こんなふうに人生をめちゃくちゃにされて、くやしいとか、腹立たしいとか、ないの？」と、真顔で紗有美は訊いた。だれに何をめちゃくちゃにされたのか、と訊くと、「馬鹿な判断をした母親と、金ほしさに精子を絞り出したドナーよ」と答えた。紗有美のその暗い思考回路にあきれたが、でも、そう言われて、考えたのはたしかだ。もし母が、もっと父と言葉を交わしていたら。もし母が、父との果てしない口論から逃げ出さなかったら。もし父が、父である覚悟を持っていてくれたなら。もし、もし、もし。あのときからずっと周囲にちらばっているいくつもの「もし」が、吸い込まれていくように砂利道の向こうは静まり返っている。

「待って。ねえ、待って」やけに切実な声で樹里が言い、ふりむくと、やっぱり透明のドアがあるかのように、樹里は砂利道の手前に立っている。「さっきの看板に、不動産屋の名前が書いてあったでしょ。管理、太陽不動産って。そこにいって、まず訊いてみよう」

緊張しているのか、ためらっているのか、けれどそう言う樹里の顔は、まるで恐怖に歪んでいるように、雄一郎には見えた。

個人情報云々で、もしかして教えてもらえないかと危惧《きぐ》したものの、不動産屋にぽつりとひとり座っていた初老の男性は、よほど退屈していたのかお茶までいれてくれた挙げ句、「今の所有者は息子さんだね」と、古びた台帳をめくりながらいともたやすく言った。

「息子さんって、早坂弾、ですか?」樹里がパイプ椅子から身を乗り出す。

「うーん、そういうことだね。私はね、あれなのよ、ここは五年前にきたの。その前は住宅メーカーで家売っててね。定年でね。定年ったってまだまだ働けるでしょ。それでここに雇ってもらったわけね。知り合いだったからさ。それでえーと、あそこはあれだ、親御さんが手放したものを、息子さんが買い戻したって、これは有名な話。といってもね、私がここにきてから、息子さんに会ったことないんだけど」台帳を閉じ、管理人は切れ目なく話す。

「じゃあ、買ってから弾は、早坂さんは一度もこっちにきていないんですか」樹里は遮って訊いた。

「そらね、だれもがここに顔出すわけじゃないから。手みやげ持って今年もお世話になりますって言ってくる人のが多いけどね、全員がそうとは限りませんなあ。しかし親が売ったものを買い戻すってのは、えらい息子さんだわってみんな言ってたな、ああ、私ひとりってわけじゃないの。今出はらってますけどね、もっと若い営業マンがちゃんと……」

「所有者の、早坂弾さんの住所を教えてもらえますか」管理人の話が終わらないことに焦《じ》れて、雄一郎は思いきって言った。この調子ならぺろりと言うだろうと思った。が、管理人はかけていた眼鏡をずりあげて雄一郎を見、

「ところであんたがた、早坂さんとどんなご関係？」と、不審な顔つきで訊く。

「子どものころ、あの別荘で過ごしていたんです。早坂さんご一家にはずいぶんお世話になって。急に連絡がとれなくなったので、ここにくればわかるんじゃないかと思って」樹里が言った。

「それ、私嘘だと思わない。思わないけど、そういうのは教えちゃいけない決まりになってるんだわ。所有者だってほんとは言っちゃいけないの」

「お願いします。今ここで弾に連絡して確認とってもらえれば、あやしくないってわ

かると思います」雄一郎は言いながら、この男が自分を信用するはずがないと思って笑いたくなる。もしかしたら、樹里ひとりのほうがよかったかもしれない。自分は髪を金色に染めているわけでもないし、鼻にピアスをしているわけでもない。でも、人はどういうわけだか見破ることを雄一郎は知っている。見破るのだ。この男が、だらしのない、ろくでもないやつだと。

「いやー、もうほんと、それはダメ。規則だから。さ、て、と。いつまでも油売っていられないからね、これ、もういい？　洗うから」管理人はそそくさと立ち上がり、雄一郎たちがほとんど手をつけていない湯飲みを持って奥にいってしまう。立ち上がり、何か言いかけた樹里を雄一郎は制し、カウンターをまわりこんで、さっき管理人がわきによけた台帳を開く。すばやくページをめくる。番地順に書類が並んでいる。2031と、さっき見た番号がとっさに浮かぶ。奥の部屋から聞こえてくる水音に耳をすませて、ページをたぐる。あった。樹里に目で促し、台帳をそちらに向ける。そして雄一郎は、奥の部屋との仕切りに立って、男に声をかける。「いやほんと、すみませんでした。ぼくらが過ごした山荘が人手に渡っていなくて安心しました。いろいろご親切に、ありがとうございました」

丸めた背中がこちらをふりむく。水道の音が止まる。水切り籠に湯飲みを入れながら、管理人がほっとしたように笑みを浮かべ、こちらに歩いてくる。ジュリー、もう書き写したか。

「じゃ、ぼくら、これで失礼します。ほんと、ありがとうございました」

「東京から？　気をつけて帰ンなさいよ、一雨きそうだからね」

おそるおそるふり返る。台帳は元の位置にあり、樹里は管理人に笑顔を見せた。

「無理を申しまして本当にすみませんでした。手紙を置いていくので、ご安心ください」

不動産屋を出ると、樹里はいきなり十一桁の数字をくり返しはじめた。そしてしゃがみこむと、鞄からペンを取り出し手の甲に書き殴る。数字と、漢字と数字。携帯の番号と、住所らしかった。のぞきこむと樹里は顔を上げ、笑い出した。雄一郎も笑い出す。笑い声が、まるで時間を巻き戻していくように雄一郎には感じられ、笑いながら、ふいに泣きそうになる。

5

自分も経済的に不自由していないほうだが、この男はそういうレベルではないと、喫茶店のテーブルについた男を見て、賢人は思った。着ているスーツやはいている靴、ちらりと見えたフランク・ミュラーの時計のせいでそう思ったのではない。身のこなしや雰囲気といった、目には見えないものから、彼が享受してきて、今も続けている物質的ゆたかさが透けているように、賢人には感じられた。隣に座る樹里はそれに気づいたか気づいていないかわからない。体をかたくしたのが伝わってきたが、それはおそらく緊張の故だろうと賢人は思う。

「ご連絡、ありがとう」

自分とそう年の変わらないはずの弾は、そう言って笑みを浮かべた。喜んでいるのか、社交辞令かわからない笑み。

「会えて、うれしい。手紙交換したの、覚えてる?」

「覚えてるさ。ジュリーには男友だちの名前を使ってもらっていたんだよね。突然手紙がこなくなったときは、さみしかったんだぞ。ケンも元気だったか。また会えるとはな」弾はためらいなく幼い頃のあだ名を口にし、従業員にコーヒーを頼んだ。

「待って、手紙、そっちの返事が急にこなくなったのよ。私の偽名じゃ宛先不明で返ってくることはないけど、引っ越したんだろうって思ってた」樹里がはじかれたように身を乗り出し、言う。

「え?」弾は樹里をじっと見すえ、息を抜くようにして笑った。「そうだったんだ。たぶん、親があやしんで読んで、捨ててたのかもしれないな」独り言のようにつぶやき、続ける。「それはともかく、別荘にいったんだって？ 言ってくれればよかったのに、って、それは逆だよな。そっちにいってくれたから、こうして会えたんだもの」

「ご両親、手放したんですってね」

「ああ、ぼくも高校に上がると家族旅行なんていきたくなるし、一度もいかない年も増えて、それで手放したんだ」

「でも、買い戻したって聞いた」

「ローン組んで買って、必死で返済してるのに、まだ一、二回しかいってないよ」弾は笑う。「でも、よかったよ。あそこを買ったおかげで、つまりは今の再会があるってことだ」

「弾はその、知ってるの？　なんでキャンプがなくなったのかとか、そういうこと」

賢人はおそるおそる口に出した。弾はまっすぐ賢人を見つめ、笑う。射貫《いぬ》かれたような気になる。この男に他意はないと、唐突に賢人は思い知る。この男が笑ったときはたのしいから笑うのだ。再会を喜んでいると言えば、本当に喜んでいるのだ。きっとこの男も、咲のように深く強く眠るのだ。

「ああ、ケンが何を言いたいか、わかるよ。ぼくは社会人になってから聞かされた。といっても、言うつもりはなかったらしい。調べたんだ、自分で。それで親に迫った、真実を言えって」弾は樹里に詰め寄る真似をして、また、笑う。この屈託のなさはなんだろうと賢人は不思議に思う。

「なあ、このあと、時間ないの？　どこか河岸《かし》変えて話さないか？　お茶飲みながら話すってのもオツではあるが、ぼくは今日は仕事は終わりだし、はっきり言えば、飲みたいんだな」

新宿の飲み屋はだれも知らないというので、喫茶店を出て適当な店に入ってみると、若い客ばかりが多い居酒屋だった。妙に暗く、すべての部屋が簡単な仕切りで個室状になっている。へえ、安いんだなあ、とメニュウを広げ弾は声を上げる。弾と樹里が次々と注文をしていくのを、賢人は眺める。

もともと弾の祖父はレコード機器を製造する会社を営んでおり、弾の父が車専用のオーディオシステムを開発、製造し、一気に会社を大きくした。大学卒業後、電機メーカーで五年「丁稚《でっち》奉公」したあと、父の会社に戻り、今は「社長見習い」として「こき使われている」のだと、喫茶店から居酒屋に移動するあいだに弾は話した。話しているあいだ、樹里の緊張がどんどんほぐれ、心を開いていくのが賢人には伝わってきた。弾のこの気取りのなさ、率直さ、表裏のなさ、そうしたもので人の心をつかむ術は、成長過程で取得したものなのか、それとも生まれ持った素質なのかと賢人はつい考える。少なくとも自分の過去は屈託がないとは言えない。親が打ち明けた話のせいだとは言わないが、まったく関係ないとも言い切れない。以前賢人に手紙を送ってきた見ず知らずの男性は、やはり非配偶者間の人工授精で生を享《う》けていた。賢人たちと同じクリニックではなく、大学病院である。成長してから聞かされたその話に彼は自殺を試みるほど悩み、そして今、砂利道に落ちた小石をさがすように、自分と同じ境遇の人をさがしている。語り合うためでもあり、ドナーである父親を、協力してなんとかさがすためだ。会ったことはないが、その人と、弾と、何が違うのだろうと賢人は考えずにはいられない。あるいは自分と、弾と。

　ビールが運ばれてきて、乾杯をする。安居酒屋がはじめてなのか、弾はものめずらしそうに個室内を眺めまわし、馬鹿でかいメニュウに見入る。刺身盛り合わせ、自家製豆腐、トマトと水菜のサラダと、次々と運ばれてくる。

「はじめて聞いたとき、驚いたよね？　今はもう、なんとも思ってないわけ」いきなり樹里が核心をついた質問をする。

「そりゃあさ、びっくりはしたよ。したし、なんていうか、ぽかんとしたな。嘘つきやがってとか、そんなことは思わないけど、知らない男が父親だって言われても、困るさ。ぼくってなんなんだろう、というようなことも考えはした。でも、途中で飽きたんだな。考えることに飽きた。だって何がどうだって自分はもうここにいて、明日がくる。明日になりゃ、腹が減る。それに、薄々思ってたんだ。何か違うって。勘みたいなものだね。自分はもらわれた子なんじゃないかと思っていた。そう疑っていたときのほうが、じつは苦しかった」

　樹里はじっと弾を見ている。

「キャンプのことについて、両親と話すこともあったのかい」賢人は訊く。自分たちは訪ねる側だったから、今年から中止だと言われれば従うしかなかった。けれど弾は、あのあとも別荘を訪れたに違いないのだ。

「子どものころは誤魔化されていたけどね。大人になって聞かされた話は、なんていうか、あきれたというのがいちばん近いかな。だって、子どもたちが恋愛したらまずいっていうんだから……」

「え、どういうこと」「何、それ」樹里と賢人は同時に声を出した。

「え、知らないの？」きょとんとした顔で、弾は語り出した。

　夏のキャンプが恒例になって数年後、クリニックのドナー管理が、説明されていたようには徹底されていないのではないかと弾の両親は疑いはじめた。きっかけは、クリニックで妊娠したひとりの女性の裁判騒動だった。三十代後半だった未婚の彼女は「リミット前に産みたい」という理由でクリニックを訪れ、実際に妊娠、出産したのだが、この子どもが生まれつき心臓の病気を患っていた。規約と違うとほとんど言いがかりのように裁判を起こし、もちろん彼女が勝つことはないのだが、マスコミがそのクリニックに注目した。その当時ですら、「相手がいないが子だけはほしい」という女性を妊娠させるクリニックはめずらしかった。そしてあるゴシップ誌が、ドナーを自称する男に取材をした。匿名の自称ドナーは「アルバイトよりよっぽど割がいい」からドナーになったと得意げに話した、と記事にはあった。その記事によれば、自称ドナーはお金目当てで幾度も精子提供したと言い、さらに、クリニックでは学歴や病歴などを詳しく書かせるが、その半分は証明書も何も必要なく、たいていの男は適当に書いていたと語っていた。それをたまたま読んだキャンプ仲間の母親が、弾の両親に記事のことを告げ、驚いた弾の両親は真偽を確認するためにクリニックを訪れた。もちろんクリニック側はそんな記事は嘘っぱちで、裁判を起こす準備を進めていると言い、彼らにはあるドナーが提出した証明書を住所氏名だけ隠してすべて見せた。それでも弾の両親は信じられず、取材を受けた自称ドナーをさがすのだが、見つけ出すには至らなかった。

疑いはじめればキリがなかった。もしゴシップ誌にのった自称ドナーの、幾度も精子を提供したという話が本当ならば、クリニックで治療を受け生まれた子どもたちのなかには、生物学的きょうだいが存在する可能性もあると、その段になって弾の両親は考えた。

弾の両親は、同じ境遇のもの同士、いつでも話し合え、悩みを打ち明けられる場を作りたいと真剣に考えていた。この先何か起きたとき、似たような立場の家族がいれば彼らも、また子どもたちも安心だと思っていた。けれど、彼らがともに育つうちに、恋愛というものを知ってしまったら。今の時代、十代半ばで肉体関係を持つ子どもだって少なくない。あと三、四年のうちに、もしものことがあったら。

「あ」賢人は思わず声を出した。頬をはたき自分たちを引き離した大人の姿が浮かぶ。そして、笑い出す。「馬鹿げてる」あの口づけが、大人たちを恐怖におとしいれたのか。なんて馬鹿な大人たちなんだろう。

「そう、馬鹿げてる」困ったように弾は笑った。「それだけでもないらしい。もっと複雑な、親たちの関係もあったみたいだ。つまるところ、子どもたちには楽園に思えた場所が、大人たちにはそうではなかった、ってことだ。その後いっさい、かかわりを断つくらいには」

6

弾は幼いころから今に至るまで、母親を、冷静で聡明な女性だと至極客観的に思っている。出自について訊いたときも、あわてたり動揺する素振りは見せなかった。父を交え、秩序だって何がどうであったのかを話した。その口調には迷いも戸惑いも感じられず、ひたすら自信にあふれていて、おそらくそのために自分も動揺しなかったのだろうと弾は思う。

　だから、キャンプの母親たちについて話すときだけ感情的な言葉を口にしたのが、弾には忘れられない。

　みんながみんな、私たちのような夫婦ではなかった、と弾の母、碧は言った。つまり、考えて考え抜いて、話し合って納得して、そうして子を産んだ人たちばかりではなかった。子どもがほしいと軽い気持ちで考えた人もいたようだし、夫婦間でさほど話し合うことなくそうした人たちもいた。あの場に集まった母親たちはだいたい三十代、今思えば、まだぜんぜん若かった。夫がいないから、日々の暮らしや将来にふと感じる不安を、キャンプで一緒になる他人の夫に相談する母親も、いた。

「勘違いするのよ」と、母親は言った。「一年のうち会うのはほんの数日なのに、おたがいプライベートなことを知っているからでしょうね、毎日会うような身近な他人より、もっと親しいと錯覚する馬鹿な女もいたの。忌々《いまいま》しいったらないわ」と。

　具体的に何があったのか母は言わなかったが、想像できた。つまりキャンプに参加していた男親と恋愛関係になったり肉体関係を持ったりする女親も、いたということなのだろう。おそらく、自分の父親もそうした騒動に、一役買っているのだろう。

　恒例のキャンプがなくなったあと、弾が別荘にいったのは二度くらいしかない。自分が高校生になって別荘に家族ではいかなくなって、と弾は樹里と賢人には説明したが、実際は、中学に上がるころにはほとんど両親は別荘にいかなくなった。

母がどんな場所を作りたかったのか、弾はたやすく想像することができる。同じ境遇の人たちがたがいを支え合うコミュニティを作りたかったのだ。木々に囲まれた、空の広いあの美しい場所で。母はそういうことができると本気で信じるような人だ。そしてそれに失敗した。あの山荘は、母にとって夢の残骸のような、忌々しいものに成り代わったのかもしれない。その母も、まだ売れ残っているらしいあの別荘を買い取りたいと言う弾に、反対することはなかった。せいぜいがんばってご自分でローンを支払うことね、と笑った母は、弾のよく知っている冷静で聡明な母だった。父も母も、弾の買い取ったあの別荘に足を運ぶことはただの一度もなかったが。

父親をさがしたいと波留が言っている、と樹里は話した。自分はそうは思わないが、当然そう考える人もいるだろうと弾は冷静に思う。おそらく自分は、ほかの人たちよりも例のクリニックに関しては詳しいだろうと弾は思っている。ゴシップ誌の件でクリニックを調べたのはおそらく親たちのなかでも自分の両親だけだろう。九〇年代に入るやいなやクリニックは閉院され、医師が行方をくらましたときも、彼らは医師を見つけようとしていた。結局彼を見つけたのは弾である。といっても、見つけたのは死亡記事だ。朝刊の隅に出ていた死亡記事の、「半田憲尚」という氏名と、「光彩クリニック」というかつて彼が経営していた病院の名が目にとまり、母親に確認したのだった。ちょうど一年前の春である。インターネットで調べてみたが、得られる情報はほとんどなかった。ただ、半田憲尚は光彩クリニックを閉じたあとサンフランシスコに住まいを移し、そこで医療関係の仕事に携わっていたらしいことだけはわかった。

半田憲尚について知りたいと両親に言うと、彼らはスクラップブックを見せてくれた。分厚く膨れ上がったそれをめくると、色あせた新聞や雑誌の切り抜きが几帳面に貼られていた。すべて光彩クリニック関係のもので、年代順に貼られていた。弾はひととおり目を通した。好意的な記事も、そうでないものもあった。とくに八〇年代も半ばを過ぎると、つまり例の裁判沙汰《ざた》ののちは、馬鹿げた揶揄《やゆ》も含め批判的なものが多かった。

半田憲尚はそれまで都内の大学病院の産婦人科に勤務していたが、七〇年代半ば、軽井沢に「光彩クリニック」を開業させる。「私は人生が平等だとまったく思っていない」と、半田憲尚はある雑誌のインタビューで語っている。「しかし生まれることと死ぬことだけは平等だ。それが平等であることに私は人生の意義を感じる。だから私たちはだれしも、産む権利と生まれる権利を持っている。そう信じているから、今のような治療をしている」と。

弾の印象では、クリニック開業時の半田憲尚は、希望と正義に満ちあふれた医師である。直接的な言葉を使うわりに偽善や欺瞞《ぎまん》は感じられない。が、必然か偶然か、時代がバブルと呼ばれる好景気に突入しはじめるころ、半田憲尚は進んでインタビューや取材に応じはじめ、そしてその言葉には何か変化があるように弾には思えた。施術費が高額だと叩かれると「高額なのは当たり前でしょう。高額だからこれだけのドナーを揃えられているんです」と答え、命の売り買いと叩かれると「売り買いしないと手に入らない人がいるから、需要があるんだ」と応戦している。もちろん、書き手の書き方によって、その人の印象など自在に操れることは承知の上で、でも弾は思うのだった。この医師は開業したときとはっきり変化した、と。拝金主義とどこかの記事には書かれていたが、そのとおり、じつにわかりやすく金儲け主義になったのかもしれず、あるいは、「命の売り買い」によって神の万能感を得たのかもしれない。

件《くだん》の裁判では、半田憲尚は勝訴している。が、「嘘と杜撰《ずさん》の売買クリニック」と見出しのつけられたある記事で、目に黒い線を引かれた「自称ドナー」と、「元スタッフ」が、ドナー情報のほとんどが嘘っぱちであることや、学歴や才能の差によって支払われる謝礼が異なったことを打ち明けている。たぶん、父と母が疑いを持つきっかけになった記事だ。「高学歴だったり、何かの分野で名を成していればいるほど、高い値を支払うわけです。患者さんはもちろん喜んで支払いますよ、だれだって優秀な子がほしいですからね」と、「元スタッフ」は言っている。「ただ、それがお金ほしさの自己申告だったらと思うと……」と続けている。

両親が語ったとおり、このあと半田憲尚は名誉毀損で裁判を起こしてそれも勝っている。出版社側が謝罪文を出し、百二十万円を慰謝料として支払ったという、ちいさな切り抜きまで貼られてあった。でも、そのことは両親を決して安心させなかったろうと弾は思った。

弾は両親に言わず、それらの取材記事の署名入りのものをさがし、書き留めた。そうして仕事の合間に、ネットで検索をかけたり出版社に問い合わせたりして、彼らをさがしはじめた。ほとんどはつかまらなかったが、二人、見つかった。ひとりは驚いたことに弾も名を知っている作家だった。彼は大学卒業後しばらく、本名でライターとして働いていて、三十歳を過ぎてペンネームを用いてデビューしていた。もうひとりは現在も新聞雑誌に取材記事を書いているフリーランスのライターだった。作家には出版社宛に手紙を出し、ライターはホームページを持っていたのでそこからメールを書き送った。どちらとも返事などくれないか、万が一くれるとしたらライターのほうだろうと弾は思っていた。しかし弾が同封した名刺のメールアドレスにメールを送ってきたのは、作家だった。会って話をしてもかまわない、と書いてあった。

作家と会ったのは、昨年の十二月である。

そのことを、弾は父と母には言わなかったし、久しぶりに再会した樹里と賢人にも言わなかった。いずれ言うことになるのだとは思う。全員が、とは思わないが、何人かはきっと深刻に知りたいだろう。波留のように父親の情報を知りたい場合もあるし、クリニックの実情を知りたい場合もあるだろう。そして自分のように、何が知りたいのかわからないまま、何か異様な力に突き動かされる場合だってある。

いつか、あのころの面々で山荘に集うことはできないだろうかと、弾は漠然と考える。気が合わない人がいるかもしれないとか、会いたくないと思っている人がいるかもしれないとか、弾には思いも及ばない。みんななつかしがってやってくるはずだ。このあいだ会った樹里と賢人のように。小学校の同級生とは違う親密さで、集まれるに違いない。そう考える。母のように。

笑顔で集まる面々に、だから、何をどう説明しようかと弾は静かに考える。父と母がかつて懸念したとおりだったと、疑ったとおりだったと、いったいどう説明すればいいのか、と。

7

慎也があれ以来、何かを投げつけてきたり、すごんだようなもの言いをすることはない。ふだんと変わらず機嫌良く会社にいき、帰ってきては疲れもみせず、ときにはあゆみを風呂に入れる。食べ終えた食器を進んで洗うこともある。あの日は自分が悪かったのだと、だから紀子は思っている。冷蔵庫に料理を放りこんで、遅くまで実家にいた自分が悪かったのだ。いくらその日、両親が自分の人生を変えるほどの重大な話をし、聞き終えるまで席を立てなかったのだとしても、そんなことを慎也は何ひとつ知らないのだ。怒って当たり前だ。

今も水曜日、紀子は実家にあゆみを連れて帰っている。けれど昼寝もすることなく、食事すらも断り、数十分過ごしただけでそそくさと帰ってくる。本当は、毎週実家に帰ることも控えなくてはならないと思うようになった。毎週一度は帰省する妻なんて、世間的にふつうとは言い難い。そうされておもしろくないと思う夫のほうが、一般的には多いだろう。

「あの話、しないほうがよかった？」

年明け最初の料理教室のあとで実家に立ち寄り、あわただしく帰り支度をしている紀子に、テーブルに座った母がふいに言った。ふりかえると、紅茶ポットに湯を注ぎなおしている。

「あの話って……」

「おとうさんと、三人で話したでしょ。あなたのこと。キャンプのことよ。なんだかあの話をしてから、あなた逃げるみたいに帰るようになったから……」

「違うわ」紀子は言いかけ、口をつぐむ。あの日慎也が気分を害した話など、言えない。よけいな心配をするに違いない。よけいな心配をしすぎて、慎也に言う必要のないことを母が言う可能性もなくはない。「そういうんじゃないの」

「私はね、あのとき、あなたがジュ……そのイラストレーターに連絡をとって、万が一にも彼女が本当の樹里さんで、いろいろなことをその人から聞いたりしたら嫌だと思ったの。私たちは最後まで言うつもりはなかったけれど、他人から真偽含めて聞かされるなんてまっぴらだって思ったの。だから私たちから話そうって、話し合って……」

「だから違うって！」思わず大きな声が出、あゆみが顔を歪めて泣きはじめる。「ごめんあーちゃん、怒ったんじゃないの」あゆみを抱き上げてあやしながら、紀子は言う。「そういうんじゃないの。スーパー、夕方には混むの。三時前後にいけば空いてるから、早くいきたいのよ」

「そうなの……ならいいんだけど……紅茶、おかわり、飲む時間ないわね？」

顔を上げると、泣くのを堪えているような母と目が合う。

泣きたいのは私だ、と、駅に向かって歩きながら紀子は思う。曇り空が重苦しく広がり、鼻の頭がきりきりと痛む。抱っこしたあゆみの帽子を、深くかぶせなおしてやる。

何から考えていいのか、紀子はまったくわからないのだった。両親から聞かされた話を整理して考えようとすると、慎也の投げつけた空き缶が思い浮かび、そうすると体も頭も硬直したようになって、もう何も考えることができなくなる。両親の話を受け入れたわけではないが、受け入れてないわけでもない。そのどちらを自分が望んでいるのかも、わからない。両親がかわるがわる話しているあいだ、遠い耳鳴りがして考えをことごとく邪魔したが、その音が今も鳴り続けているようだ。

偶然見つけた船渡樹里のホームページのアクセスコーナーを幾度もクリックし、そのたび出てくるメールフォームを、メールアドレスを覚えるくらい眺めはしたものの、まだ連絡はとっていなかった。紀子はほぼ確信していた。ねえ、思い出した？そう訊いているのは、間違いなくあのジュリーだ。だからなおのこと迷うのだった。ジュリーに連絡してどうするのか。キャンプがなくなった理由も、あそこに集っていた家族の共通点も、知りたいことはもうぜんぶ知った。樹里が、そのことを知っているのかどうかわからない。知らなかったらと思うと、慎重に話さなければならないし、知っていたとしたら、何をどう話せばいいのかわからない。

みんな森に集まります。NONちゃん、どこにいる？

エンターページに描かれた木々は、昨日までは冬の尖った木々だった。今日、季節は春に変わっている。すべての木々に新芽がつき、色とりどりの花は蕾《つぼみ》を開きはじめている。そして、そこに書かれたメッセージも変わっていた。NONちゃんが、自分への呼びかけだと紀子はすぐにわかった。ノンちゃんと自分を呼ぶ幼い声に、すぐさまそれは変換されたから。

森ももう春のよそおい。だから、私たちは森に集まります。思い出の奥にある、あの扉を開けて。ねえ、思い出した？

紀子は口に手をあてた。そうしないと、声を上げて泣き出してしまいそうだった。口をふさぎ、そうして人差し指を嚙む。痛いほど強く嚙む。そうして泣くのを堪えるが、右目から涙がこぼれる。マーマ。マンーマ。足元であゆみの声がする。歯形のついた指で涙を拭き取り、紀子は猛然とアクセスコーナーをクリックし、あらわれたメールフォームに文字を打ちこむ。マーマ。あたたかい手のひらが、ぺたぺたと脛《すね》に触れる。一気に書いて、ろくに読み返しもせず、送信ボタンを押す。そうして素早くしゃがみこみ、足元にうずくまるあゆみを抱き上げる。あゆみのさらさらした黒髪に顔を埋めて、甘ったるいにおいを思い切り吸いこむ。

その夜、紀子は樹里からの返信を受け取った。送られてきたメールを、パソコンに顔を近づけて何度も読む。

一縷《いちる》の望みを懸けてホームページにあんなことを書いていたけど、まさか、見つけてくれるとは思わなかったと樹里は書いていた。驚いたことに、樹里はあのころの子どもたちを見つけ出したのだという。雄一郎、弾、紗有美、波留、そして賢人。名前を羅列されても、顔が思い浮かばない。ユウくんとか、サーちゃんとか、呼び名がうっすら浮かぶだけだ。だれと仲良くしていたのかも思い出すことはできない。ノンちゃんと自分を呼ぶ、いくつかの幼い声しか、思い出せない。

そして驚いたことに、五月のゴールデンウィークに、山荘で集まる計画を立てていると樹里は書いていた。もし休みがとれるようだったら、参加しないか。みんなこられるとはかぎらないが、もしいっぺんにみんなに会うのがこわければ、私がその前に会ってもいい。そのあとで、それとも賢人のほうがいいかしら？（笑）と、ある。

風呂場の扉が開く音がし、あわてて紀子はメールを閉じる。「あゆみを頼むー」声がし、脱衣所にすっ飛んでいって裸のあゆみを慎也から受け取る。バスタオルで全身を拭いてやりながら、心臓が喉元にせり上がってきたようにどきどきしていることに気づく。

こんなにも早く会えるなんて。今まで何をしていたの。どうしてすぐ、メールをしなかったの。風呂場から慎也の鼻歌が聞こえてくる。頭を洗っているらしい、シャンプーを泡立てるかすかな音も。何を話せばいいかなんて、なぜ考えたのだろう。話なんかしなくたっていいのだ、会いたかったのだ。ただ会いたかった。あゆみが何か言いながら、笑う。紀子も笑う。ゴールデンウィーク。一カ月半先だ。あの場所に、もう一度いくことがあるなんて。あゆみにパンツをはかせ、パジャマを着せる。あゆみはキャッキャッと澄んだ声で笑う。シャワーの音が聞こえる。あゆみの髪をとかしていた紀子は、はたと手を止める。

慎也になんと言おう。なんと言って一日出かけよう。実家に帰る、はやめたほうがいいだろう。友だちと会う？　クラス会がある？　いってはいけないなんて言う夫ではない。気持ちよく送り出してくれるだろう。けれど紀子の頭のなかに浮かぶのは、あの日の慎也だ。何調子のってんだ、おまえ。その言葉と、からんからんと転がる空き缶。

風呂場のドアが開き、紀子はびくりと体をかたくする。

「あ、まだそこにいたの」慎也はバスタオルを手にし、体を拭きはじめる。

「あ、うん、ごめんね、邪魔よね」紀子はあゆみを抱き上げ、脱衣所を出る。

「あーちゃん、いつまでいっしょに風呂に入ってくれるかなー」上機嫌に言う慎也の声を聞きながら、紀子はリビングに戻り、ダイニングテーブルに広げていたノートパソコンの電源を落とす。

ジュリー。ねえジュリー。私はここにいるの。ここにいるのよ。あゆみを抱き上げ、頬ずりをし、紀子は胸の内で静かに叫ぶ。

8

最初は単純に、うれしかった。幼いころ、一年のうちほんの数日をともに過ごしたにすぎないけれど、それでも紗有美は、その記憶が自分を生かしてきたと心底思っていた。ものごころついたときからうち解けて話したのは、いや、自分の存在を認めてくれたのは、彼らをおいてほかにいないのだ。

けれどそうはならなかった。波留は有名人であることを鼻に掛けているように見えた。あんたみたいな取り柄のない一般人と話すことなど何もないと、言外に言われているように紗有美は感じた。樹里は、知名度の違いか、そこまではなかったけれど、でも何か拒んでいるように思えた。出生の秘密によるものだろうと紗有美は想像する。つまり、彼女は隠しておきたいのだ。自分たちと仲良くすることで、その秘密が友人や周囲の人、もしかしたら夫にばれることをおそれているのではないか。

賢人は冷酷に見えた。みんなを集めるのに賢人が一役かったと聞いたけれど、自分のように純粋に会いたいからそうしたのではなく、何か、もっと陰湿な目的があったのではないかと紗有美は思った。子どものころに憧れていた雄一郎は、面影が充分に残っていて紗有美はうれしかった。それに、波留みたいに有名人でもなく、樹里みたいにしあわせな家庭を営んでいるふうでもなく、賢人みたいに稼ぎがいいようにも見えなかった。拒絶する感じも、冷酷さも感じなかった。だからはじめて会ったあの日、紗有美はもっと話がしたいと彼を誘ったのだ。

話してみれば、雄一郎は自分とよく似た境遇だった。紗有美は雄一郎があっけらかんと話す身の上話を聞きながら、プラスとマイナスで自分たちのどちらがより不幸か、無意識に換算しようとしていた。母親が彼を捨てたのはずいぶんなマイナスに思えたが、友だちには恵まれていたようだからそこは自分よりもプラス。が、父親も家を出て、十代からひとりで暮らしていたというのもかなりのマイナスだ。ずいぶん転職をくり返しているのは自分とイコールだからプラマイゼロ、でも今仕事があるぶん、少しプラス、そんな具合に。結果として、雄一郎は自分よりもマイナスの人生だった。自分では認めたくないが、でも、そのことに紗有美は妙な安堵を覚えたし、うれしかった。何を言っても雄一郎ならわかってくれると思ったのだ。波留や賢人がきっとわかってくれないことを、雄一郎ならわかってくれるし、否定しないに違いない。それで紗有美は、はじめて降りた駅の、駅前ロータリーの居酒屋で、雄一郎に言った。ユウくんもろくな人生じゃなかったんだね、と。そうかなと、わかっていないような答えが返ってきたことに驚いて、紗有美は言い含めるように、言った。

「私たち、人生をめちゃくちゃにされたわけだよね」と。「母親たちがそんなへんなクリニックにいったことは責めないけど、そのあとが悪かったと思わない？　勝手にキャンプをはじめてみたり、急にやめたり。それに私は教えてほしかった。波留やケンにじゃなく、もっと早くに母親から話してもらいたかった。ねえ、わかるでしょ？」

しかし雄一郎は、わからない、と言った。「おれの人生は……人生っていうほどたいそうなもんじゃないけど、べつにだれかにめちゃくちゃにされたわけじゃないよ」と言って、小馬鹿にしたように笑った。小馬鹿にしてなんかいなかったのかもしれないが、でも、紗有美にはそう見えた。それで紗有美は、言い募った。母親に捨てられて、父親にも捨てられて、高校も辞めてしまって、今だってその日暮らしで、おそらく波留みたいに有名になることもなく、樹里みたいにまともな結婚をすることもなく、賢人みたいにいい会社に勤めることもない、それがめちゃくちゃじゃなくてなんだっていうの？　なんとも思わないの？　こんなふうに人生をめちゃくちゃにされて、くやしいとか、腹立たしいとか、ないの？　そもそもあなたの母親はあなたを血のつながらない父親にゆだねるべきではなかったし、父親は父親の自覚を持ってあなたを引き受けるべきだった。かたわらに置いたレモンサワーの氷がぜんぶ溶けているのも気づかず、紗有美は言い続けた。

「だれに何をめちゃくちゃにされたの」雄一郎は訊き、紗有美は、この人は私を馬鹿にしているわけではなくて、ただちょっと鈍いだけなのかもしれない、と思った。そう思ったとたん、気の毒になった。考えることもできないんだ、自分が何をされたかということも。

「馬鹿な判断をした母親と、金ほしさに精子を絞り出したドナーよ」紗有美は教え諭すような口調で答えた。雄一郎は正面から紗有美を見つめ、口を開いた。

「あんたさ、ずっとそんなふうに生きてきたわけ?」

雄一郎の言う意味を、紗有美はわかりかねた。少し考えて、ずっとつらかっただろう、と言われたのだと理解した。理解したとたん、両目からつるつると涙が流れた。

雄一郎と関係を持ったのは一週間後である。どうしても話したくなって電話をかけ、押し掛けるようにしていっしょに飲んでもらったのだった。紗有美は自分のことばかり話した。キャンプにいかなくなってから今に至るまでのことを話した。雄一郎は静かに相づちを打っていた。その静けさに緊張し、緊張をほぐすために飲みすぎて、気づいたら道ばたで吐いていた。休みたいと言って雄一郎におぶってもらい、ラブホテルにいった。自分から服を脱いだことも、このままだと一生処女だから体験させてほしいと懇願したことも、紗有美は覚えている。ことが終わって眠り、起きると雄一郎はもういなかった。そして翌日から、着信拒否されるようになった。公衆電話や固定電話からかけても、雄一郎は出なかった。

得体の知れない粘ついた液体が、どこかから染み出してきて全身を満たすような不快感を、紗有美は抱きはじめた。今まで自分を支えてきたあの記憶が、何ものかによって汚され貶《おとし》められたように思えた。いや、母の言うとおり、記憶自体嘘っぱちだったのかもしれないと思えてきた。

お正月にも帰らなかった実家に、二月、紗有美はふらりと帰った。マンションのインターホンを押しても応答がない。鍵を開けてなかに入ると母は留守だった。いっしょに暮らしていたときより部屋は散らかり、荒れている。また恋人が変わったなと紗有美は勘で思った。新しい恋人はまだこの部屋に出入りしていないだろう、とも。

母はなかなか帰ってこなかった。窓の外が暗くなり、小腹が減った紗有美は、買い置きしてあるカップラーメンを勝手に食べた。テーブルに載っている公共料金の支払い用紙に汁が飛び、その茶色いしみを見ていたら、猛烈に腹が立ってきた。

今まで紗有美は、母が自分にそんなには興味を持っていないらしいと思い、そのことを嘆きはしてきたが、一度でも母を嫌ったり疎んじたりしたことがなかった。片思いをしているかのように、愛されたいといつだって願っていた。なのに、このとき急に悟った。悟ったような気になった。

めちゃくちゃにしたのは、母、その人ではないか。どんな事情があったのか知らないが、願って産んで、なのに興味がなくなったに違いないのだ。あなたがいるから、と母はずっと言ってきた。あなたがいるからがんばっているのだと。でも、その本当の意味は、あなたがいなければばってことだと、ずっと以前思ったことがある。そのときはそう思ってもちっともかなしくなかった。けれど今、それらは違った響きで紗有美の内に広がる。あなたがいなければ私はもっと好きにやれる。もっといい条件で働けるし、好きな男ともっとうまくいく。だけどあなたがいるから。あなたがいるから何ひとつうまくいかないわ。あの女は私にずっとそう言い続けてきたんだ。

凝視する染みの向こうに、ある記憶が蘇る。キャンプの記憶だ。あれはだれの父だったろう、だれかの父親に顔を寄せ耳打ちをし、親しげに腕に腕を絡ませる、母親の姿。もしかして、あのキャンプが中止になったのは、母のせいではないのかと紗有美は思いつく。あの母が、参加していただれかの父親と関係を持ったのだ。あれはいっただれの父親だったろう。思い出せない。でも今、母のいない家で、紗有美は確信する。母が、壊したのだ。台無しにしたのはあの馬鹿で男癖の悪い、母だ。

食べ残しのラーメンを三角コーナーに捨て、汚れた容器を流しに放置し、紗有美は時計を見る。七時を過ぎている。待っていれば母は帰ってくると無意識に思っているけれど、帰ってこないことだってあり得るのだと今さらながら気づく。紗有美は食器棚の引き出しを開ける。メモ用紙や文房具に交じって、ちいさく折り畳まれた一万円が入っている。それをジーンズのポケットにしまい、紗有美は母の部屋にいく。クローゼットを開け、引き出しを次々と開けていく。何をさがしているのか紗有美自身にもわからない。でも、何か見つけたかった。見つけなければならなかった。見つかれば、自分がそれをさがしていたことがわかるはずだった。

9

何か落ち着かない。家に招くのではなかったと樹里は思い、それをあわてて打ち消す。そんな。よくは知らないけれど、知っている人ではないか。あやしい人でも悪い人でもない。

「ケンのところもきれいだったけど、ジュリーの家も雑誌に出てくるおうちみたいだね」ソファに腰を下ろしたものの、すぐに立ち上がり、あちこち歩きまわりながら、紗有美は言う。無遠慮に台所に入り、ひととおり眺め、廊下に出て、樹里の仕事部屋の戸を開けている。

「紅茶にする？　コーヒー？」もう一度ソファに座るよううながしながら、樹里は訊く。

「私はこんなおうちに一生住めないな」

「何言ってるの。ごくふつうのマンションじゃないの」樹里は台所にいき、紅茶の缶を用意する。この落ち着かない気分はなんだろう。会えてうれしいとくり返していた、賢人の家での紗有美を思い出す。みんな口の重たかったあの日、紗有美だけが無邪気に再会を喜んでいた。そんな紗有美は年齢よりずっと幼く見えた。その紗有美相手に、何をこんなに構えているのだろうと樹里は思う。三日前、会いたいと電話をもらったときは、そんなふうに思わなかったのだ。うれしくもあったし、弾のことも紀子のことも話そうと思っていた。けれど今、理由はわからないながら、樹里は弾と会ったことを話す気になれず、そのことに戸惑ってもいる。

「ジュリーはさ、今すんごくしあわせ?」

樹里は顔を上げ、キッチンカウンター越しに紗有美を見る。

「そうね、すんごくしあわせだわ」樹里は紗有美の言葉をわざとおどけて真似してみせる。

「ねえ、訊いてもいい? ずーっとさ、子どものころからずーっと、すんごいしあわせだったの?」

トレイにのせた紅茶を紗有美の前に置くと、紗有美は樹里をのぞきこんで訊いた。笑っているが、何かせっぱ詰まった表情が目の奥にこびりついている。

「そういう話をするには、しあわせって何だと思うか? ってことの前提から話さなきゃならないんじゃない?」だから向かいに腰掛け、樹里は茶化しもせずおどけもせず、返答した。「私はね、すごくたのしいとか、すごくうれしいってことは、点だと思ってるの。そしてしあわせというのは線。ずーっとたのしいこと続きということはあり得ない。だから、ずーっとしあわせというのもあり得ないと思ってる。ただ、一瞬でも一日でも、あるいはもっと漠然とでも、ああたのしかったたって思えることがあったら、私はとりあえずしあわせだって」

「私は点でも線でも、たのしいと思ったことも、しあわせと思ったこともなかった」

樹里の話を遮って紗有美は言い、何かを目で追うように、窓の外に視線を移した。

「それって、考えかた次第よね。しあわせの定義が狭いのかもしれないし」

「私のママはね、軽い気持ちで考えたらしいわ。子どもがほしいって。ボーイフレンドはいたけど、でもその人と結婚する気はなかったんだって。その人、高卒で、勤めてもすぐ仕事辞めちゃうような人だったから。ママはどうせ子どもを産むなら、もっと優秀な人のタネがほしいって思ったんだって。国公立の大学出てて、大手企業勤務か医者とか学者。それか、スポーツ推薦で大学まで進んだ現役プロ選手。そういう人の子じゃなきゃ、ほしくないって。それでそういうのを売っているところに買いにいったってわけ」

樹里は途中から、紗有美の話を意識して聞かないようにした。紗有美が、自分と同じくつい最近、自分のルーツを知り、それもやっぱり自分と同じく動揺していることはかんたんに推測できる。でも何か、決定的に違っている。この人の話を真剣に聞いてはいけないし、この人と本気でコミュニケーションをとろうとしてはいけないと、樹里の勘が告げている。

鰆《さわら》。塩焼きか、ハーブ蒸しもいいな。紗有美の話を聞き流しながら、樹里は意識して、夕飯の献立を考える。

「子どもは?」目の前で手を叩かれたような気分で、樹里は紗有美に視線を戻す。紗有美は表情のない顔で樹里を見ている。「え」出した声がかすれていた。樹里は紅茶を口に含む。冷たく、苦かった。「子どもは作らない主義なの?」

「できないの」樹里は咄嗟《とっさ》に言っていた。「夫じゃないわ。原因は私。病気をしてね、卵巣がひとつしかないの。それでほかの人よりは妊娠しにくいわけ」相手にするなと思いながら、しかし、樹里は話している。「何か専門的な治療をするのか、夫とちゃんと話さなきゃと思っていた矢先、こんなことになって。自分のことをもっと考えたくなった。それに」この気持ちには覚えがある。樹里は生々しく思い出す。あなたはみんなの面倒を見なきゃいけないし、みんなにやさしくしないといけないの。母に再三言われていた。紗有美をこわいと思ったすぐあとで、樹里はそう思ったことを申し訳なく思い、また、悟られてはいけないと思った。だから、そうしたくはないのに、紗有美にはほかの子よりやさしくしてしまうのだった。忘れて、消えてしまったような思い出が、こんなにも瞬時によみがえることに、樹里は単純な驚きを抱く。

「ほしいんだ、子ども。私たちの父親がだれだかわからないとわかっても、それでもほしいの？」

帰れ。無意識につぶやきがわき上がる。帰れ。帰れ。帰れ。帰れ。

「子どもがほしいってことはさ、生まれてきてよかったって思ってるんだね。そりゃそうだよね。ずっとしあわせだったんだもんね。私は子どもをほしいって思ったことがないな。だって、私はとても言えないもの。生まれてくる子にさ、この世界にはこーんなにいいことがあるのよって、言えないもの。ジュリーは言えるんだね」

「いけない。もう四時近い。私、夕飯の買いものにいかなくっちゃ」

帰れ。そのつぶやきが漏れないよう、慎重に樹里は言い、自分のといっしょに紗有美のティーカップもトレイに戻す。手が震え、カップは耳障りな音をたてる。

え、と訊き返すと、敦はごはん茶碗をのぞきこんだまま、きみが遠いと言ったんだよ、と静かな声で言う。「いつも上の空で、話してても話してる気がしない」

そんなことない、と言うために樹里は口を開いた。だから開いた口から嗚咽が漏れたことに、自身がもっともびっくりした。たぶん、驚いて口をぽかんと開けた敦よりも。

何を傷ついたようなことを言っているの。この数カ月、私に何があったか知らないくせに。悩み考えて、今もそこから抜け出せないのに。そう思ってから、樹里は深く反省する。当たり前だ。だって私が話していないのだ。遠いと思われるのは、当然だ。樹里は鼻水をすすり、深呼吸する。

「私の母親は」口を開き、言葉を考えるより先に樹里は一気に言う。「父親ではない人の精子で人工授精をして私を身ごもったの。それを母から聞いたばかりなの、私。子どものこと、あなたと話し合いたかった。治療を受けるか、体外受精も試してみるか、そういうこと。だけどそれどころじゃなかったの。私はまず自分のことを受け入れて、それからそのことをもう一度考えなきゃいけないの。あなたに話す前の段階のことだったから、言わずにいたの。ごめん」

「いや、こっちこそ、ごめん」左手に持っていたごはん茶碗をそっとテーブルに置き、敦はテーブルのまんなかあたりをじっと見据える。部屋は静まり返る。「でも」長い沈黙のあと、敦は口を開く。頼むから言わないでくれと樹里は祈るような気持ちで思う。正論を、だれもが言うようなことを、なぐさめのようなことを、馬鹿らしいことを、頼むから言わないで。

「でも、とくべつなことではないんじゃない」けれど敦は、言う。「医学は進歩したんだし、そういう人はたくさんいるんじゃないかな。きみはすごく愛されて育ったたってお義母さんを見ていてわかるし、ええとつまり……そのことで、ぼくらの子どもがどうこうってことはないよ。その、なんていうか、ほしいと思うならその気持ちに変わりはないっていうか」樹里が聞きたくない言葉を羅列する。

「そうね、よくあることだものね」それ以上聞きたくない樹里は話を終えるために、言う。

さっき、「生まれてきてよかった理由」は何かと考え、一瞬言葉に詰まった自分を樹里は思い出す。生まれてきて不幸だと思ったことなどただの一度もない。でもそれは、生まれてきてよかったとイコールなのだろうか。そもそも私はなぜ子どもをこんなにもほしいと思っていたんだっけ。一瞬そんなふうに考えたことを、樹里は自分でもおそろしく思う。敦にはとても言えない。なぜならわかってもらえるはずがないからだ。

10

その作家の名だけは、賢人も知っていた。広告代理店の別部署で仕事を依頼したこともあるはずだ。

彼、野谷光太郎のプロフィールによると、四十は過ぎているはずだが、まるで二十代かのように若く見えた。やあどうも、こんにちは、と右手を差し出し、強く握手するのも、気障《きざ》ったらしくなりそうなものを、この男がするとなんとも自然で、気さくな印象ばかりが残った。広告代理店の宣伝企画部に所属する賢人は、文化人に会う機会は多いが、こんなふうに気取りのない、初々しくさえ見える作家に会うのははじめてだった。野谷光太郎には昨年末に一度会っただけだと弾は言っていたが、軽口を交わしながら部屋に上がる弾と迎える作家は、学生時代からの友人のように見えた。

野谷光太郎の事務所は、代々木の雑居ビルの一室だった。陽当たりの悪い古びた2DKで、通り過ぎたダイニングルームも、通された八畳ほどのフローリングの部屋も、本だらけだった。壁に沿って塔のように本が積み上げられている。八畳間には馬鹿でかいテレビとソファ、本の詰まった本棚があるきりだった。隣室が執筆部屋だろうかと賢人は想像する。

「土曜も仕事なんですね。忙しいところ、すみません」台所にいった光太郎に、弾が声をかける。

「コーヒーでいいか？　ビールもウイスキーもあるぞ」

弾はちらりと賢人を見、「まだ日も高いんで、コーヒーで」と言って、笑った。

ソファテーブルを挟んで向き合う光太郎は、弾と賢人にはマグカップ入りのコーヒーを出したが、自分の前にはウイスキーとおぼしき液体入りのグラスを置いた。

「ここは仕事場で、先生はほぼ毎日昼から夜までここに籠って執筆されているんだ」

弾が賢人に説明すると、

「やめろって言ったろう、先生とか、不気味な敬語とか」光太郎は大きく口を開けて笑う。「自宅は武蔵野市でね。忙しいからというより、ここにこないとなかなかひとりになれないもんで」

「いや、本当にお忙しいところお時間作っていただきまして」賢人が口を開くと、

「だから、いいっていいって、そういうの。用件直入でいこうよ」光太郎は顔の前で手をふった。分厚い手だと賢人は思う。

「去年、お話を聞かせてもらった件なんですけど」

「ああ、光彩クリニック」

「あのとき話に出たスタッフのだれかと、連絡とりたいんです。というのは、ここにいる松澤くんは同じクリニックで生まれたんです。いろいろあって、同じ背景を持った人間が今年になって顔を合わせたんです。そのなかで、ひとり、真剣に生物学的父親を知りたいという人がいて。アイデンティティや内面の問題ではなく、病歴を知りたいそうなんです。生物学的父親を絞りこむのはむずかしいかもしれませんが、あなたというパイプがある以上、ぼくには無視できないんです。可能なかぎりドナーをさ

がしてみたいんです」

弾の話を聞く光太郎を、賢人は静かに見つめていた。そういえば、ドアを開けた瞬間から快活に笑っていたこの若々しい作家、目は一度も笑っていなかったなと思いつく。氷入りのグラスを、ゆっくりと口元に運び、光太郎はなめるように飲んでから口を開いた。

「このあいだ話したとおり、きみが、その人の生物学的父をさがしあてるのは、たぶん不可能に近い。不可能に近い、というそのことを知るために、知りたくもない諸々も出てくる可能性はずっと高い。それでもその人はそうしたいと言うんだね？」

「そうです」弾は答える。横目で見ると、弾はおだやかに微笑んでいる。

「ぼくの本の初版はだいたい三万から五万」光太郎は急に賢人には意味不明のことを言い出した。「ホームページのアクセス数は一日にだいたい二千前後。連載は小説とコラムを合わせて、月に約十。もしこの雑誌にぼくが書きたいと言えば」光太郎は足元にあった雑誌を拾い上げて見せる。「四ページは確実にもらえる。ネタによっては八ページも可能だろう。もちろん、連載も」

賢人は、隣に座る弾の気配に集中しつつ、光太郎の顔を見ていた。光太郎の背後にはカーテンのかかっていない窓があり、数センチ開いた窓ガラスの向こうに、薄汚れた灰色の壁が見える。

「何が言いたいかっていうと、ぼくにドキュメントを書かせてくれないかな。交換条件として、全面的に協力する。ぼくの名前をどんなふうにでも使ってくれていい。ホームページ、雑誌、新聞。何年から何年まで、軽井沢にあったクリニックで精子を提供したドナーをさがしています。ぼくが語りかければ、きみたちよりはるかに反響があるだろう。もちろん冷やかしや偽物も交じるだろうけれど、それを差し引いたって、きみたちだけで動くよりは正確な情報が手に入るだろうし、ドナー本人を見つけ出すことも不可能ではないと思う」氷が溶けてウイスキーに沈むちいさな音が響く。「きみたち本人を特定できるようなことはいっさい書かない。おもしろおかしくするために、話を作ったりしない。なんなら、編集部に原稿を渡す前にきみらにチェックをしてもらってもいい。これは書くなということがあれば、文句なしに削る。公正証書を作ってもいい」

弾がなんと答えるかと耳をそばだてていても、彼は何も言わない。

「そうすることで、あなたにどんなメリットがあるんでしょう」賢人は声を出してみた。震えてもかすれてもいなかった。安堵する。「その、ぼくらに協力することで」

光太郎はもう一度グラスを傾け、中身を飲み干した。雑居ビルは道路沿いに建っているのに、まるで密封されているように静かだ。光太郎は立ち上がり、賢人は無意識に体を強ばらせた。光太郎は台所にいき、空のグラスに液体を入れて戻ってきた。

「きみらにはなんの関係もないことだと思うけれど、ここ数年、スランプでね。本はまあ、波はあるけれど売れるほうだ。連載だってある。三年先まである。ただ、なんというか」光太郎はグラスを包むように持ち、のぞきこんでくるくるとまわしている。「何か新しいことをしているという気がしない。ルーティンワークをこなしているようにしか思えない。きみたちのドキュメントを書くことで、作家として、まったく新しい境地に立てる予感がしているんだ。なぜなのか、正直に言うとね」

光太郎は弾と賢人を交互に見た。もしこの人と同級生だったら、どんな印象を持っただろうなと賢人はふと、思う。

「おもしろいからだ。日本じゃ、まだこういうことはタブー視されている。でも欧米は違う。アメリカにはハリウッドスターのそっくりさんばかり集めた精子バンクがある。それがいいとか悪いじゃない。なぜ我が国ではタブー視されているのか。なぜ語られないのか。ぼくはあの記事を担当したときから、ずっと興味を持っていた。小説じゃだめだ、小説じゃ負ける。だからドキュメントを書きたい。これは素材としておもしろい。ぜったい、いける」

「ほとんど初対面なのにかかわらず、いろいろお話ししてくださって、ほんと、ありがとうございます」ようやく弾が声を出した。そちらを見遣ると、弾はまだ笑みを浮かべている。賢人は唐突に違和感を覚える。この男は、早坂弾とは、いったいだれなんだろう？　なぜ笑えるんだ？」「その話、今すぐハイと言える種類のものではないですし、ほかの人にも承諾を得る必要があると思います。とくに、父親を真剣にさがしている人には。だから、返事は少し待ってください」

光太郎の二杯目のグラスが空になるのを合図のようにして、弾は立ち上がった。賢人でも立ち上がる。ドアを閉める際、「いつでも連絡してくれてかまわないよ。パソコンでも、携帯でも」と作家は笑顔を見せた。

「こんがらがってきたな」駅に向かって歩きながら、弾はおかしそうに笑った。

「いちばんに波留に訊くべきかもしれないね。ぼくはどっちでもいいから。父親を見つけるとかそういうことは」

空は高く、けぶっていた。歩道を歩いているのは学生らしい若い男女ばかりだ。

「ケンはさ、自分に子どもができないかもと思ったことってあるか」前を向いて歩く弾が、突然訊いた。

「いや、あの、二度、おろしてもらったことあるから」唐突な質問に戸惑って、戸惑いのあまり賢人は正直に言ってしまう。弾は立ち止まり、驚いたように賢人を見る。

「そうなのか」図体のでかい弾を迷惑げに見ながら、若い人たちが通り過ぎていく。弾は何か言いたそうにしていたが、また前を向いて歩きはじめ、そうして賢人を見ずに、言った。

「おれは女の人ときちんとつきあったことがないんだよ」

11

朝から、いや、前日の夜から落ち着かなかった。洗いものをしながら皿を一枚割り、眠れたのは午前二時過ぎだ。

出がけに、「ゆっくりしてくるといいよ」と慎也は言った。笑っていた。今日は四月に転勤や転職する人の送別会があって、幹事を任されているから帰りは終電だろうと言っていた。だから夕飯はいらないと、ずいぶん前から聞いていた。

シークレットライブなのだという。ふだんならｈａｌはそんな狭いライブハウスではうたわないらしい。友人のライブにゲスト参加というかたちで、うたう。そんなに混むことはないから、聴きにくるならそれがいいのではないかと波留に言われたと、紀子は樹里からメールで教わった。シークレットだろうがライブハウスだろうが、狭かろうが広かろうが、紀子にはどうでもよかった。

下北沢のライブハウスで、六時開場、だから待ち合わせは五時半に駅前のコーヒーショップ。ｈａｌの出番は七時半から八時までだから、遅れても平気。八時半には遅くとも終わるはず。時間の余裕があればそのあと波留と会えばいいし、なければそのまま帰ってもいい。樹里はそう書いていた。

ライブハウスは、大学生の、しかも一年生のときにいったのが最後だった。いや、そこに子どもを連れていくべきかいくべきでないかわからないのは、ライブハウスと縁遠い生活を送っているからではなくて、動転しているからだと紀子にもわかっていた。樹里に会う。賢人に会う。波留に会う。弾に会う。それらの名前で思い浮かぶ顔はなかったが、でも、慎也の許可が出てからずっと紀子は動転していた。

紀子はいけるとは思っていなかった。慎也に送別会の話を聞き、もしかして、と思いながら口にした。「その日、そういえば私の友だちがコンサートをやるんだったわ」と。「その日夕飯はいらないんだし、滅多にないんだからいってやれば？」慎也は言い、「いいの？」紀子は驚いて訊いた。「たまにはそうやって出かけたほうがいいよ」と慎也は笑顔で言った。たしかに言った。中高時代の友人が、公民館や貸しスタジオで趣味の楽器か歌を披露する会だと思っているようだったので、紀子はあえて訂正もしなかった。迷った末、あゆみは実家に預けた。十時前には迎えにいくと言って、あゆみが眠った隙に家を出た。

下北沢に着くまでに、二回紀子は転んだ。よほど気が動転しているらしく、痛みも恥ずかしさも感じず、紀子は待ち合わせ場所へとひたすら急いだ。コーヒーショップに着いたのは、待ち合わせ時間より二十分も前だった。客が入ってくるたびに紀子は背を伸ばしてそちらを確認していたから、「ノンちゃん」と声をかけられたときは飛び上がって驚き、コーヒーカップを落とすところだった。

背後に立つ女性をまじまじと見る。すらりと背の高い、スタイルのいい女性である。美人というわけではないのに、美しい。こざっぱりと洒落たものを身につけているが、雑誌に出てくる人のようでもない。何かがほかの人と違う。紀子はそう思った。これが、樹里。ジュリー。胸の内でつぶやいたつもりが、声が出ていたらしい。

「そうよ。ジュリーよ。久しぶり、ノンちゃん」彼女は言って、紀子の隣に座った。

記憶がほとんどないとしても、こんなに話がしやすいのは、昔ともに過ごしたことのある人だからだろうかと、止まらないおしゃべりを続けながら紀子は思った。中高時代のこと、進んだ大学のこと、結婚のこと、子どものこと、樹里をどのように見つけたかということ、それから両親があわてたこと、呼び出されて話を打ち明けられたこと、気がつけば一気に話している。

「じゃ、もしかして、私のブログがなければ、ノンちゃんはずっと知らずにすんだかもしれないね」

樹里が言い、その様子がかなしそうに見えたので、「でもそうしたら会えなかった

わ」紀子はあわてて言った。それで、と話しはじめようとすると、樹里は腕時計に目を落とし、

「もう六時を過ぎてるけど、いく？　それとも、七時半までここでおしゃべりしてる？」と、まるで子どもをあやすように訊き、紀子は恥ずかしさを覚える。なんだか私、だれとも話さずにずっと幽閉されていたみたいに思われたんじゃないかしら。

「賢人……さんと、弾さんは？」樹里に続いて店を出、光の弾ける通りを歩きながら、少し迷って紀子は「さん」付けで呼んだ。

「弾は今日は無理だって。仕事の都合で、もしかしてあとで合流するかもって。あとで、って言っても、ライブが終わってから。ケンは会社終わってから直接いくって言ってた。ライブのあと、時間があればごはんを食べようって話なんだけど、だいじょうぶ？」若者のあいだを器用にすり抜けながら樹里が訊く。

「ライブのあとって、八時以降ってことよね……九時には終わるかしら」実家、実家から家と、移動時間を素早く計算しながら紀子はつぶやく。

「九時？　それは無理かもね。でも、まあ先に抜けてもいいんだし」

「樹里さんも結婚されているのよね？　そんなに遅くなってだいじょうぶなの？」驚いて紀子は訊いた。九時に終わらないのなら十時、十一時まで酒を飲むのか。学生でもあるまいし。

「えっ？　なあに、ノンちゃん、遅いと叱られたりするの？……ああ、でも、お子さんいるものね」樹里は時計を確認し、足を速める。そのうしろ姿を、紀子はまぼろしを追うように眺める。

最初にウクレレを持った女の子がうたいはじめた。会場は自由に歩きまわれるほどには空いていて、樹里と紀子は、隅に置いてある椅子席に陣取って演奏を聴いた。暗闇に浮かび上がる客は、二十代の女の子とカップルが多かった。七時を過ぎると、次第に人が増えはじめる。新しい客がやってくるたびにドアが開き、通路の光がさっと横切る。七時二十分に、ウクレレの女の子が挨拶をして舞台袖に引っこんだ。それと前後してドアが開き、光の帯を暗い会場に流したまま、数人が入ってくる。紀子は目を見開いて、入ってきた人々を見る。

「そういえば、ノンちゃん、お子さんの写真、携帯に入ってる？」樹里が言い、紀子は携帯電話をとりだして、待ち受け画面を樹里に見せる。「わあ、かわいい」樹里は顔を近づけて声を上げる。紀子は携帯電話を樹里に差し出したまま、もう一度入り口に目をやり、そうして、塊になった人の隙間に、見つける。

顔も覚えていないのに、薄い闇にまぎれるような地味な服を着ているのに、人の隙間にすぐ隠れてしまうのに、こちらに向かって歩いてくるのが、賢人だということが紀子にはわかった。喉がからからに渇き、心臓が痛むくらい高鳴る。樹里が何か言っているが、急にその声は遠くなる。いっぺんにあふれる。まるで今自分は四歳か五歳の子どもではないかと錯覚するほど、濃く、あざやかに、光景と、声と、人の姿と、光と、水と、熱とが、全身に蘇る。ノンちゃん。いくつもの幼い声が、いっせいに自分の名を呼ぶ。架空の友だちなんかじゃなかった。紀子は目の前で手を叩かれたように瞬きをする。どうしてそんなふうに思いこんだのか。架空のだれかと思わずにはいられないほど、離ればなれになったことがつらかったのか。近づいてくる人物の輪郭が、ぼやける。水槽の向こうを移動するように。この人に手紙を書いていた。そう、ずっと、この人に宛てて手紙を書いていたんじゃないか。

「久しぶりだね」賢人が照れたような顔で笑う。すっと目をそらし、樹里が手にしている携帯電話に目をやる。「あ、これ、ノンちゃんの子？　そっくりだな、ノンちゃんに」「私もそう思ったの、ねえ、名前はなんていうの」樹里が訊く。あゆみ。答えようと口を開く。鼻水と涙が口に流れこみ、笑いたくなるくらいしょっぱい味が広がる。あゆみ、というのよ。声が出ない。

「もしかして、ルビーちゃん？」賢人は笑みを浮かべて紀子をのぞきこむ。ルビーちゃん。ルビーちゃん。どこかで聞いた。なんだっけ、それ。

待ち遠しかったのはいつだって、クリスマスじゃなく夏のキャンプ。いきなり音が弾ける。歓声と拍手がおきる。樹里も賢人も、弾かれたようにステージに顔を向ける。

紀子も急いでそちらを向く。白く強い光にくりぬかれるように、小柄な女の子がギターを抱えて座っている。子どもたちは、くすくす笑ってクッキーを焼いて、大人たちは、さんざめく光の下で終わらないダンス。そして、キス。——何があっても、どんなときも、ずっと愛し合いますか。幼い声が言う。紀子なんにも持ってない。いいよ来年で。それでは、誓いのキスをしてください。ひゃあ、と、ちいさな女の子が声をあげる。髪を短く切った、前歯の大きい、そう、今目の前でうたっている女の子が。

さっきまでぎっしりと人で満ち、ステージとバーコーナー以外真っ暗だった室内が、今は蛍光灯のてらてらした光に照らされている。客席には折り畳み式のテーブルが並び、缶ビールや紙コップ、紙皿に盛られたポテトチップスやポッキーが並べられていく。席について談笑していたり、壁際に立って話している人たちの職種を正確には知らないものの、音楽業界っぽいと紀子は感じた。革ジャケットにジーンズ姿の賢人はまだしも、白いパンツに紺のニットの樹里とモスグリーンのワンピースの自分はずいぶん浮いている気がして、紀子はもじもじとあたりを見まわす。早く場所を移りたい気持ちと、賢人や樹里と今すぐにでも話し出したい気持ちが絡まり合って、まるで落ち着かない。

「ねえ、なんか私たちだけ部外者みたいじゃない？　外で待ってたほうが……」言いかけて、紀子は大きく口を開けた。丸まったコードや何かの機材で散らかったステージに波留があらわれ、ぴょんと飛び降りてまっすぐ歩いてきたのだった。

どうも。にこりともせずぶっきらぼうに言う波留の両手を、気づいたら紀子は握りしめていた。

「すごくよかった。本当に、すごくよかった。波留。波留なのね。コーヒーにアイスクリームを落とすのを教えてくれた、あの波留」そう言いながらも、さっきあふれ出した光景に、またあらたな光景が加えられていく。忘れていたなんて。あんな日々を、忘れていたなんて。気を抜くと、腕を広げて小柄な波留を抱きしめそうだった。それはかろうじてこらえた。波留が困ったような顔をして樹里と賢人を見ていたから。

「乾杯あるんだけど、それ終わったら、どこかでごはんでも食べる？　弾は？」

久しぶりと言うわけでも、何か訊くわけでもなく、波留は賢人を見上げて訊いた。

二十人ほどの知らない人たちと乾杯をし、紙コップのビールを飲み終えたころ、波留は紀子たちをともなって近くの居酒屋にいった。沖縄料理を出す店だった。テーブル席に四人で座る。紀子はまだ落ち着かず、三人の顔を順繰りに見ていく。自然に口元がほころぶ。賢人と目が合う。

「ノンちゃん、なんにする」メニュウを広げて賢人が訊く。

「みんなとおんなじのでいい」紀子は賢人を見つめたまま、答えた。

ビールジョッキをぶつけ合うこともなく、めいめい飲みはじめる。今までどうしていたのか、さっき自分が樹里に話したようなことを、みんなが話してくれると紀子は期待していたのだが、しかし最初に口を開いた波留は「それで、何か進展はあったの」と、いきなり賢人に訊いている。「弾はこられないの？　弾の知り合いなんでしょ、その、ナントカさんは」

「こられそうだったら連絡するってことだったんだけど」樹里が携帯電話をいじりながら言うと、賢人が笑い出した。

「波留、前もそうだけど急ぎすぎ。ぼくら、ノンちゃんには今日はじめて会ったんだ。ノンちゃん、意味がわかんないよ」

「でも、知っているんでしょ」と、波留がちらりと紀子を見て言う。何を言っているのか紀子はすぐに理解する。知ってるわ、とちいさく答える。答えたら、止まらなくなった。

「こないだ聞いたの。ついこのあいだ。信じられない。私がジュリーに会うかもしれないと思って、親があわてて打ち明けたの。びっくりするわ。その話の内容じゃなくて、そういうなんていうか……」

「なら、話は早いじゃない」波留は遮って言う。紀子は驚いて口を閉ざす。「あのね、私は父親をさがしたいの。なるべく早く。それで今、この人と弾が、クリニックに取材したことのあるライターと接触を持ったの。それがどうなったかって質問だったの、さっきのは」早口で波留は言った。

紀子はぽかんとして波留を見た。もしかしたら、この人は私の知っている波留とまったく違うのかもしれない、と思う。会わなかった長い年月のなかで、プロの音楽家として働いて、ずっと大人になって、大人になる過程で冷酷さや傲慢や他への無関心を、身につけたのかもしれない。目の前にいる波留の態度や雰囲気は、そういう種類のものだった。けれど、不思議なことに紀子には、あのちいさな波留が、今思い出したばかりの波留が、自分たちの前で、懸命に大人ぶっているように見えてしまうのだった。私たちを笑わせるために、「大人」を誇張して演じているように。だから、つんけんと急《せ》いて話す波留は、紀子の目にはかわいらしく見えてしかたない。

「父親をさがすって、そんなことができるの？　波留は会いたいの？　私は会いたいとは思わない。というか、私、その話を聞いたばかりだからまだ実感がもてなくて」

紀子は割って入って話した。波留は紀子を無視し、

「で、そのライターに会ったんでしょ、どうだったの」賢人に向かって身を乗り出し、訊く。髪をピンク色に染めた店員が、海ぶどうやチャンプルーや角煮の皿を並べていき、樹里が取り皿と箸を配る。波留が、よけいなことを話したくないのは紀子にも理解できた。でも紀子は話したかった。口を挟む機会を待つかのように、波留とい

っしょに身を乗り出し、そうして、はっとする。

まるで幽閉されていたみたいと、さっき自分で冗談めかして、思った。でも、冗談でもなんでもないのではないか。私は本当に、幽閉されていたんじゃないか。そして紀子はちいさく首をふる。どうしてそんなことを思うの。慎也はやさしいし、子煩悩だし、今日だって、ゆっくりしてくればいいと言ってくれた。はっとして紀子は時計を見る。あと十五分で十時。

「本にしてもいいか、って言われたんだ。そのかわり全面的に協力するって。彼の名を出せば注目が集まるし、ぼくらだけで動くよりはるかに効率がいいだろうって」

「まさか、受けたわけじゃないわよね？」料理を取り分けていた樹里が素っ頓狂な大声を出す。

「受けてない。ぼくらだけじゃ決められないから。もちろんだれと特定できないように書くとは言っていたけどね」

急に音楽が大きくなり、三人が口を閉ざしたことに紀子は気づく。数分前とは違う、やけに緊迫した空気がテーブルを包んでいる。つややかに脂を光らせた豚肉を見下ろし、紀子は整理して考えようとする。父親。本。注目。特定。何調子のってんだ、おまえ。ふいに交じった慎也の声が、思考を乱す。帰らなくては、と思う。けれど、今、ここで話される話を聞かなければならないと本能的に思ってもいる。

「私、それ、受けてもいいな」波留が言い、樹里と賢人は波留を見た。「私の名前を使えば、効果は二倍にならない？　私はそんなに有名じゃないけど、匿名希望年齢非公開のだれかより、ｈａｌが父親をさがしていますってほうが、より宣伝になるんじゃないかな」

「野谷光太郎とミュージシャンｈａｌのタッグなら、たしかに注目されるだろうね。でもデメリットのほうが大きいんじゃないかな。まずおもしろ半分で名乗りを上げる人は激増するだろうし、きみの音楽も濁った目で判断されるようになるかもしれない」賢人が冷静な声で言う。

「見せ物になるのよ」樹里の声は震えている。波留は二人と目を合わせず、樹里の取り分けたチャンプルーを猛然と食べはじめる。

今、何が話し合われているのかを、紀子はようやく理解する。みんな生物学上の父親をさがしたいのだ。そして、それに協力するかわり、そのことを書きたいと言う人がいる。理解しても、ぴんとこなかった。遠い国の習慣について聞かされているように紀子は感じた。そうして、幼少期のほんのいっときを過ごした人々が、今や自分とまったく接点のないところにいることを、ようやく知る。でも、それでも、あの日々の細部を濃厚に思い出した今、紀子の目には波留も樹里も賢人も、見知らぬだれかには見えない。彼らの顔の奥に、幼い子どもたちが重なって見える。

「ねえ、訊きたいことがあるの」ジョッキについた水滴を指でなぞりながら、樹里が静かな声を出した。「波留、あなたはどんな人があらわれても、生まれてよかったと言い切る自信がある？　その人に、私を生まれさせてくれてありがとうって、言える？」

波留はじっと樹里を見ていた。そうしてかすかに笑った。「そんな悠長なおとぎ話じゃないの。どんな人かなんて関係ない。私はその人とその人の家族の病歴を正確に知りたいだけ」

賢人がちらりと紀子を見る。その視線にやわらかい気遣いが含まれているのを、紀子は見つける。帰らなくては。まだそこにいたい気持ちに蓋をして、紀子は立ち上がる。帰らなくては。今帰らなくては――紀子は静かに思う――もう帰れなくなる。

12

五十代半ばくらいだろうか。セーターには毛玉があり、アクセサリーは結婚指輪以外何もつけていない。さほど裕福ではないらしいことがわかるが、けれど匂い立つような気品があると波留は思う。七〇年代後半から閉院するまでクリニックで事務をしていたということも含め、彼女の発する言葉を無条件で信じてしまうのは、その気品のせいだ。彼女はうつむいているが、ときどき目を上げ、向かいに座る波留と弾の、喉元のあたりを見、隣に座る樹里の二の腕のあたりを見る。

本当にこの子たち、無事に生まれて、こんなに大きくなったんだわと、そんなことを思っているように波留には見えるが、もちろん彼女がそう思っているかどうかなんて、わからない。東京はもう冬物のコートを着なくてもだいじょうぶだけれど、軽井沢はまだまだ寒い。新幹線の駅にほど近い喫茶店では、石油ストーブがたかれている。もう話すこともなくなって、かといって立ち上がることもできず、だれもが困ったようにその場にいる。

野谷光太郎という作家が、三十年近く前、一時期注目を集めたクリニックのスタッフだったこの女性に取材をしたのだという。彼女の連絡先は、奇跡的に彼の取材スクラップブックに貼りつけてあった。が、その電話番号に弾が連絡すると違う名字の人が出た。結局弾は、探偵事務所に依頼して、三十年近く前の住所と氏名年齢をもとに、彼女、橋塚きみ子をさがし出した。彼女は十年ほど前に、夫の父親が亡くなったのを機に、同じ町内にある夫の生家に引っ越していた。

連絡をした弾によると、きみ子は会うことを拒まず、迷惑そうな声も出さなかったという。ただ、義母の介護があるので、デイサービスのある日しか気楽に外出できないという。そして指定されたのが平日の今日だった。比較的時間に都合のつく樹里と波留、有休をとった弾が会うことになった。

ドナー情報について弾が質問すると、カルテのようなものはいっさい残っていないときみ子は説明した。自分はクリニック閉院にかかわっていないが、裁判になったとき、おそらく都合の悪いカルテはみな処分してしまっている。裁判資料として使ったものも、この目で見たわけではないが、閉院にともなって処分しているはずだときみ子は言った。なぜですか、と樹里が訊くと、「閉院の段階で彼はアメリカいきを決めていましたし、こちらに帰る意志はまったくなかったようでしたから」と、言った。自身の施した治療に、もうかかわる意志はなかったのだと聞こえた。どうしてですかと、今度は波留が訊いた。

「失望したんだと思います」というのが、きみ子の答えだった。「先生は私たちスタッフと親しく話してくれるわけではなかったので、推測にすぎません。先生は最初、ものすごく希望を持っていたと思うんです。傲慢に聞こえるかもしれませんが、医療は人を救うためにあると常日ごろから言っていました。AID、つまり人工授精もそうですし、八〇年代に入ってからは借り腹、今で言う代理出産にもかかわろうとしていました。使命のように感じていたんだと思います。人はその点において平等でなければならない、だから、未婚女性も同性愛者も歓迎していました。でも結果的に、タブーの壁を破ることができない。宗教観、道徳観の問題なら、話し合う余地がある。けれどそうではない、そうではないから議論の余地もないと思っていたようです。正直、最後のほうは捨て鉢になっていたように見えました。クリニックで治療した方々のフォローも、言葉は悪いですけれど放り投げたような状態でした」

身元や経歴、病歴などを偽ったドナーの有無については弾が訊いた。その件については波留はいきの新幹線で聞かされていた。「あくまでゴシップよ」と樹里は言ったが、波留はショックを受けるより先に、何をどう考えていいのかわからなかった。

申し上げにくいですけど、本当のことですと、テーブルを見つめてきみ子は答えた。

きみ子がクリニックに勤めはじめたころには、すでに提出が義務づけられている書類はほとんどなく、一次審査をパスした人は光彩クリニックの人間ドックを受けることになっていた。つまり半田院長の診断でＯＫが出れば、だれでもドナーになれたのである。

最初は診断書や卒業証書、成績証明書等、多くの書類の提出が義務づけられ、さらに面接も含め三次までの選別があったときみ子はほかのスタッフから聞いている。家族の病歴に対しても、書くのがうんざりするような多項目の質問があり、近親者の死亡診断書などがある場合は、その提出も求めていたという。けれどすぐにドナーは不足し、選別規定はどんどんゆるくなっていったのだろうときみ子は推測した。患者のひとりが裁判を起こしたのをきっかけに、急に注目され、ドナーも患者も急増した。料金が高額になったのはたしかにこのころからだときみ子は記憶している。ドナーは四つのグループに分けられていて、患者はそれを選ぶことができた。頭脳・芸術センスを優先するか、運動能力を優先するか、容姿を優先するか、抜きん出たものはないがすべてが平均以上というバランスを優先するか、ということだ。何かにすぐれていればいるほど、高額になったというのは事実だときみ子は語った。

自称ファッションモデルの男性もいたし、コロンビア大学卒という男性もいた。陸上で国体出場経験のある男性も、十三年前に同人誌に書いた小説が芥川賞候補になったという男性もいた。でも、それが本当かどうか……勤めている一流企業の名を言いながら、ついぞ名刺を持参しなかった人もいますから、ときみ子は目を伏せて言うのだった。

「でも人間ドックは義務づけていたんですね。少なくとも、その人の健康だけは保証されていたわけですね」波留が言うと、

「ええ、いくらなんでも本人の診断まで不正はしないでしょう」きみ子は答えた。

その人はきっと違った。違ったけれど、その人のきょうだいや、両親や、祖父母に、網膜色素変性症がいたかどうかまでは、わからないのだ。波留は胸の内でちいさ

くつぶやく。

カルテもない、記録もない、かんじんの半田院長は亡くなっている。だからドナーをさがすことは不可能だ。結局、話はそこに落ち着いてしまったのだった。

「ほかのスタッフの方の、連絡先は知りませんか」すばらしいことを思いついたかのように、顔を輝かせて樹里が言った。

「二人くらいでしたらわかります。ひとりは今も年賀状のやりとりだけはしていますし。でも今以上の情報を得るのはむずかしいと思いますよ。彼女は私より早くクリニックを辞めてますし、もうひとりは私よりあとに勤めて、私と同時期には辞めていますから」

「橋塚さんより先にいたナース長とか、スタッフ主任とかで、名前を覚えている人はいませんか」波留も食い下がった。

「佐藤恵子さんという方が、当時看護婦長で、半田院長とよく行動をともにしていました。あとは愛称なら覚えているんですが、本名がうろ覚えで……」

「佐藤さんという方は、当時軽井沢に住んでいたんですか」

「ごめんなさい、あの、そんなに和気藹々《わきあいあい》とした仕事場ではなかったんです。その、住まいや履歴を言い合うような……」きみ子は目を伏せたまま、言う。

「でも、今も年賀状をやりとりする人はいるんですね」弾がやわらかい声で言った。

「ええ、なんていうか、仕事が仕事でしたから、スタッフ同士があんまり仲良くしないようにというのが、半田院長の考えだったのかもしれないです。でもだからこそ、だれかと何か話したいという気持ちもあって……彼女、ユウキさんとは年齢も近かったこともあって、休みの日を合わせてごはんを食べにいったりしていたんです」

「話したいって、その、ドナーや患者さんのことを?」

「ほかの友人には話せませんから。守秘義務で」

「『有名銀行本店勤務なのに名刺も持ってないし、平日にきてるってどういうこと?』なんて言って、笑い合っていたってこと?」またしても尖った声を出したことを、波留はすぐに反省する。けれど何もわからない苛つきをおさえることができない。

「そんなことじゃありません」きみ子は顔を上げ、まっすぐ波留を見てきっぱりと言った。「もし結婚して子どもができなかったらどうするか。私たちまだ独身でしたから、それを考えていたんです。自分が原因の場合。夫が原因の場合。きっと気持ちも対処も違うと思います。あそこで働いていると、どうしても考えざるを得なかったことなんです」

きみ子は一気に言って、波留を見据えたまましばらく口を閉ざした。そして三人を順に見ながら、静かにつけ加えた。「管理や規定にたいしてだんだん杜撰になっていったし、拝金主義と言われてもしかたのないようなところが、たしかに院長にはあったと思います。でも、それでも、そういうことをきちんと考えざるを得ないような雰囲気がクリニックにはありました。それはやっぱり院長も、クリニック立ち上げに加わった人たちも、根底では本気だったからだと思います。生命というもの、出産というものにたいして、平等性を本気で信じていたからだと思います」

「さっきの話、なんて答えたんですか、橋塚さんは」樹里は身を乗り出して訊く。

「ユウキさんはクリニックにくる女性の気持ちがわかるって、そう言いました。結婚して大家族で暮らすのが夢なんだ、って。私は反対の意見でした。見ず知らずの人の協力を得てまで子どもはほしくない。父母どっちかと血がつながっていないと家族ではないなんて言えない。夫婦二人だって家族だし、養子縁組したって家族だ、って。そんな話ばかりしていたわけじゃないけれど、でもよく話したな、その話は。まだ結婚相手もいないのに、熱くなって」

「それで……」と言ったまま、あとを続けない樹里に向かって、きみ子は続けた。

「不思議と正反対になりました。私は結婚してすぐに身ごもった。それでクリニックを辞めたんです。上の子二人は東京で働いてます。下ひとりが今いっしょです。やっぱり結婚を機に、私より先にクリニックを辞めたユウキさんは、子どもができなくて、でも不妊治療すら、彼女はしませんでした。年賀状は今もご夫婦のお名前だけです。もしかして、彼女は熱く語った若い日のことを覚えているのかもしれません。それで、あなたの言ってたことは正しかったたって、年賀状で伝えてくれているのかもしれません」

場はしんと静まり返った。カウベルが鳴り、若い女性グループが入ってくる。みなショッピングバッグを抱えている。彼女たちはにぎやかにテーブルにつく。

「ユウキさんの住所を、教えていただけますか」そう言ったのは樹里だった。

「本人に確認して、お伝えします。申し訳ないけど、今はそういうの、問題がありますからね」

「どうぞよろしくお願いします」弾は頭を下げ、席を立つのを促すように樹里と波留を見た。

喫茶店の前できみ子と別れ、駅に向かうあいだ、だれも何もしゃべらなかった。改札に向かうエスカレーターで、前に立っていた弾がふりかえり、

「やめとけばよかったたって思ってる？」と、波留に訊いた。

「思ってない」波留は答えた。「ますます野谷光太郎と組もうかって気持ちが強くなってる」

本当のことだった。きみ子の話を全面的に信用するのならば、ドナーをさがすのは絶望的である。ユウキさんという人に会ったとしても、今日以上の収穫があると波留には思えなかったし、佐藤恵子というどこにでもいそうな名前の元看護婦長を、探偵

事務所に依頼したとしても自力で見つけ出すのは不可能に思えた。

券売機で東京いきの切符を買う。次の新幹線までの時間は二十分近くあり、なんとなく三人揃って改札はくぐらず、改札前に並ぶベンチに腰掛ける。

「週刊誌の記事に、匿名でドナーの話ものっていた話はしたろう？」弾が言い、波留はうなずいた。「橋塚さんより信憑性はだいぶ下がるけど、その人にも会ってみようと思う？」

「会えるの？」食いつくような言いかたになった。

「今日の、あの話を聞いて、それでも会いたいと、波留は思うの？」弾はもう一度訊いた。再会を果たして以来、いつも何かしら冗談を言って笑っている弾が、笑っていなかった。波留はにわかに不安になる。子どもに戻ったような気分になる。別荘の子どもだった弾は、だれより付近のことを知っていた。その道は危ない。ここからは平気だけど、そこから飛び降りたらだめ。弾がまじめに言うときは、みんな言うことを聞いた。でも、私はもう子どもじゃない。そう思いながら、波留は慎重にうなずいた。

「その人がきみの父親ってことはまずあり得ないし、ぼくは、いや、野谷さんも、こいつはあやしいって意見なんだ。やらせで取材を受けた可能性が高い。二十数年前にだって野谷さんはそう感じてたんだ」

「でも、その人以外、手がかりはもうないじゃない」

「会ったらいいじゃない」じっと黙っていた樹里が、声を出した。「波留は会ったらいいわ。ねえ、ここで終わりにしましょう。私は降ります。あとは父親でも情報でもさがしたい人がさがせばいいと思う。そうしてね、波留、あなたが名前を出して、生物学的父親をさがしてますと言ったら、たいへんな騒ぎになると思う。しかも書き手は野谷光太郎。好奇心やからかいや、もしかしたら非難をも、もろに浴びるでしょうね。売名行為と言う人もいるだろうし、あなたの母親だってきっと巻きこまれる。でも、それをぜんぶ引き受けるとあなたが思っているの、わかるわ。その覚悟がわかる。だからやればいいと思うの。でも私は応援はしない。野谷光太郎が何を書いても読まない。全力でシャットアウトする」

話しているうち、樹里の声のトーンは上がり、かすかに震え出す。樹里は食い入るように波留を見ている。この人は父親に会う必要はないと言っているんだと波留は理解する。それはそうだろう。だって樹里は、明日いっさいが見えなくなるかもしれないという恐怖とは無縁なのだから。

「じゃあそうしよう。ここで終わり。弾、野谷さんの連絡先を教えてくれる?」波留は言った。

「ほかの人の意見も聞かないといけないよな。もし波留と同じ気持ちの人がいたら、いっしょにさがしたほうがいいと思う。野谷さんの連絡先、あとで本人に波留の話をしてメールをするよ」

樹里は立ち上がり、駅舎のなかのちいさな土産物屋に向かって歩いていく。ほしいものがあるのではなく、話を聞きたくないのだろうと、その姿を肩越しに見遣りながら波留は考える。

どんな人があらわれても。波留はパソコンの放つ光のなかで樹里の言葉を反芻《はんすう》する。どんな人があらわれても、生まれてよかったと言い切ることができるか。どんな人？　波留は考える。ギャンブル好きで、借金だらけで、だらしなくて、卑怯で、火に油だとわかっていてもお金がほしくて、クリニックを訪れた男、と波留は想像してみる。少しでも報酬を高くしたくて、学歴も家族の病歴も仕事も偽った。もし今も生きていて、自分に子どもがいるとわかったら、そいつはきっとたかりにくるだろう。自分のところにもくるだろうし、母親のところにもいくだろう。親族に網膜色素変性症の人間がいたかどうか知るためだけに、どのような治療を施したのか、失明に至ったか否かを知るためだけに、そんなやつに会いたいだろうか。その男だってきっとろくな情報を持っていないだろう。また嘘をつくかもしれない。翻弄され、混乱させられるだけかもしれない。自分だけでなく、母親も。

パソコン画面には、弾からのメールが開いている。野谷光太郎の連絡先が書いてある。いつでも連絡をくださいと彼は言っているそうだ。

こんなこと言うのはおこがましいけれど、本当によく考えてください。波留の問題ではあるけれど、波留だけの問題でないとも思います。よけいなことをごめん。と弾は書いていた。

波留は画面をにらみつけたまま、考える。ギャンブル好きだったとしても、単にお金が必要だったにしても、でもその人は、盗みではなく、精子を提供することを選んだのだ。結果的にかもしれないが、子を欲するだれかを助けることを選んだのである。それに、そんな人とは限らない。もしかしてごくふつうの人かもしれない。いや、すばらしい人かもしれない。そこまで考え、波留は、自分の考えにひどく幼稚な部分があることに気づく。つまり、父、という言葉で思い浮かべるのは写真でしか知らない木ノ内宏和であり、幼い波留が勝手に彼に背負わせた、欠点の何ひとつない父親像なのである。大柄で、たくましく、笑顔がやさしく、おだやかな声で話し、快活に笑う男性。バスケットが得意で、料理がうまくて、包容力がある、父はきっとそんな人。どこにもいない理想の父親と無意識に比べてしまうために、いつだってもの足りなくなり自分から別れを切り出してきた、数人の恋人たちのことも波留は思い出す。

私は知らなくてはならない。波留は自身を奮い立たせるように思い、マウスを動かし野谷光太郎のアドレスをコピーする。

第四章

1

結城静は橋塚きみ子とは対照的で、もしきみ子の紹介で会ったのではないとしたら、二人を結びつけて考えることはぜったいにないだろうと樹里は思った。短く切った髪は茶色く染めてある。ブルーグレイのカットソーに細身の黒いパンツを合わせている。しっかりと化粧をし、ピアスもネックレスも、歩けば音が鳴るほどつけている。それでいて、派手でも下品でもない。たのしんでいる感じがする。洋服を着ること、アクセサリーを選ぶこと、化粧をすること、人に会うこと、生活することをたのしんでいる、そんな雰囲気が彼女を覆っている。

「ここはとってもケーキがおいしいんだ。もしおなかに余裕があれば、食べない？」

静は手書きのメニュウを樹里に向かって広げてみせる。

「じゃあああの、フルーツタルトを……」言いかけると、

「それがいちばんお勧めって言おうとしたところ！」子どものように目を見開いて静は言い、カウンターの奥にいる女主に「タルト二つ！　紅茶のおかわりもお願い」と注文する。

きみ子と年賀状のやりとりをしている結城静は、静岡県の伊東に住んでいた。きみ子を通じて承諾を得てから連絡すると、会うのはちっともかまわないと言った。そこまで樹里にはずいぶんと勇気の要ることだったのに、しかし静は、きみ子が知っている以上のことは何も知らなかった。カルテに至っては、処分も何も、現物すら見たことがないという。さらに彼女は、佐藤恵子のことを覚えていなかった。弾も波留も、こういう事態を見越していたからこそ、結城静に連絡をとろうという樹里に賛同しなかったのだし、今日もついてこなかったのだ。私だって予想しなかったわけじゃない、と樹里は思う。会ったって何も新しい情報は得られないと思ってもみた、なのにどうして会いにきたんだろう。タルトが運ばれてくる。いちごやキウイ、桃やオレンジが色鮮やかに光っている。新しく注がれた紅茶の、香ばしいにおいを吸いこみながら樹里は口を開く。

「ドナーの人、どんな人たちだったか、覚えていますか?」訊いてから、自分の言葉に驚く。そうか、こういう訊きかただってできるのだ、というような驚き。

「覚えているも何も、会話らしい会話なんて……」

「そうじゃなくて、物腰がやわらかかったとか、居丈高だった、育ちがよさそうだった、ボランティア精神がありそうだった、この人ならつきあってもいいなと思った、こんな人とはどこで会っても親しくなれないと思った、なんでもいいんです。主観でいいんです。どんな男性がきていたんですか」そんなことですら、私は知りたいのかという驚き。

静は樹里の背後、出入り口の方を見つめた。まるで過去に目を凝らすように。

「……そうだね、うっすら覚えているのは、やっぱり印象の悪い人といい人。印象の悪い人っていうのは、でも、せいぜい無愛想とか、話しかけても返事をしないとか、そのくらい。でもしかたないよね。個室で自慰をさせたりするんだもの。性格や性質じゃなく、恥ずかしさからいやな態度をとってしまう場合のほうが多かったと思う。いい印象の人というのは……そうだな、たとえば私たちによくお菓子を買ってきてくれる人がいたっけ。そんなに若くなくて、そうだ、靴、靴がいつもぴかぴかしてたから、この人は裕福なんだなって思ったこともある」静は目を凝らす。ぶれている焦点を合わせるかのように。「だいたい二十代から三十代が多かったかな。さっきのような理由で、みんなおとなしく見えた。必要以上に話さないし、目も合わせないことも多いし。変わったところでは……両親に付き添われてきた中年の人とか、そうだ、妻に内緒できたという人もいた。診察券が妻に見つかって、妻から連絡が入ってもめたんだった。忘れてた、そんなこと」たった今記憶の底からあらわれたあたらしい記憶をめでるように、静は言う。

「どうしてその人は妻に内緒でそんなことを」樹里を静はひたと見据える。

「その方の奥さん、二度流産していたの。三度目にたいへんな難産でお子さんを産んで、もう二人目を産むつもりはないって宣言したのね。この夫は、生まれてこられなかった二人に心底申し訳ないと思ってた。忘れられないんだって。自分がドナーとなることで、二人に世界を見せてやれると思った、……たしか、そんなような話だった」

樹里は静を見た。静は目を逸らさず、樹里を見つめ返す。そしてゆったりと笑みを見せ、言った。「そう、いい人だった。全員が全員とはいわないし、深く知ることはなかったわけだけど、でも、そんなふうにちゃんと考えている人もいたのはたしかなんだよ」

樹里は皿を片手に持ち、タルトを食べはじめた。たしかにおいしかった。パイ生地はサクサクで、カスタードクリームは甘すぎず、果物それぞれの味が生きている。まるですがるように樹里は熱心に味わった。冷めかけた紅茶を飲み、空の皿を見下ろして、静に訊く。

「結城さんは、お子さんを作られなかったって橋塚さんから聞きました。失礼を承知で訊くんですが、それで、あの、後悔されていないですか」

耳が赤くなるのを樹里は感じる。初対面の人に訊くようなことではないし、答えがイエスノーどちらでも自分とは関係ないとわかっているのに、訊かずにはいられなかった。

「私はね、ええと、樹里さん、だったよね。しあわせが一種類だと決めつけたくなかったんだよね。私は自然には赤ちゃんができなかった。三十代の半ばになったとき、このままただ待っていたんじゃできないんだってようやくわかった。そのときに、夫といっしょにうんと考えたんだよね。子どもはほしかったし、私はああいうクリニックで働いていたから、ほしいと願えば産む方法はいくらでもあるって知っていた。だけどね、子どもがいればしあわせで、いなければそうじゃないの？ ぜったいそう？ そのとき夫と決めたんだ。二人で人生をかけてそれを知ろうって。子どもを持とうと努力しなかった自分たちがその後どうなるかを身をもって知ることにしたってわけ」

「……それで」言いかけた樹里を遮るように静は笑った。

「まだ人生は終わってないから結論は出せないけど。だってあと五年後、地団駄《じだんだ》を踏むように子どもがほしいって思うかもしれないでしょ？ 産んでおけばよかったって歯嚙みして悔しがるかもしれないでしょ？ でも今日までのところ、そんな気持ちになったことはないよ。私も夫も。私の夫は勤めていた自動車メーカーを辞めて、この町で釣具屋はじめたの。私は絵を描くようになった。個展をやるときは都内のウィークリーマンションを借りるし、一年に一ヵ月は休みをとって、二人で海外で過ごしてる。どれも子どもがいないからできることだけど、でも、子どもがいても同じ充実は得られたとは思う。だから、おんなじだよ。いたとしても、いなかったとしても。ただ、生きなくちゃならない自分の人生がある、ってだけ」

　喫茶店から駅まですぐだったが、送ると言って静は樹里と並んで歩いた。三時を過ぎていたがまだ昼のように明るく、あたたかかった。切符を買い、ありがとうございましたと樹里が頭を下げると、静は高く挙げた手をふり、コートの裾を翻して歩いていった。

　電車に揺られながら、樹里は静の言葉を反芻した。生まれなかった子どもに命を与えようと思ったドナー。その人は自分の父かもしれない。いや、もしかしたら静が、素早く作り上げた話かもしれない。わざわざ伊東までやってきた、生物学上の父を知らない女性に、ひどいドナーの話など聞かせたくはないだろうから。でも、それでもいい。嘘でもいい。樹里はそう思った。どっちにしたって「だれ」と特定できないのだ。だったら、そのだれかが、何か理由があって、経済的なことではない、人間的な理由によってクリニックの扉を開けたと信じたい。

　窓の外、いきなり海が見え、樹里は窓に顔を近づけ目を見開く。海は青く、まんなかが銀色に光り、水平線が白くけぶっている。そこだけ盛り上がっているかのように広い。いきの電車では、たぶん緊張していたせいで気づかなかった。こんなに大きいのに、と樹里は窓に額をつける。そうして突如、思う。父に会おう。父に会いにいこう。正確にいえば、一時期私の父でいてくれた人に。忘れているかもしれない。話すことなんてないかもしれない。憎んでいるかもしれない。最悪、会ってくれないことだってあり得る。でも、会おうとしてみよう。そうすれば、私は動き出せる。決められる。どうすべきか、何をすべきか、すぐに。海は、沖にいくに従って、空と混じり合うほどに白くまばゆかった。

2

雄一郎の住まいは古びた公団住宅だった。畳はすっかり色あせ、台所のリノリウムは黒ずんでいる。カーテンも冷蔵庫もみんな古くさく、ニコチン色に染まっている。足を踏み入れた紗有美は、思わず樹里や賢人のマンションと比べてしまう。どうして彼らは「持って」いて、自分たちは「持っていない」のかと、無意識のうちに紗有美は考えている。この差はいったいなんなのだろう？

「だれも連絡してくれないし、どうなってるのかぜんぜんわかんないんだよね」

雄一郎が迷惑だと思っているに違いないと思う紗有美は、機嫌をとるようにやさしい声で言う。どこに座れとも言われないので、しかたなく台所に紗有美は突っ立っていた。ダイニングテーブルには、公共料金の請求書と食パンの袋が置いてある。

「でも、おれもなんにも知らないよ」雄一郎は冷蔵庫から缶ビールを取り出し、和室にいってあぐらをかく。紗有美もついていった。和室にはちゃぶ台とテレビとＣＤデッキがあった。いや、それしかなかった。

「山荘にいこうって話もどうなったんだかわからないし。ねえ、なんで私たち会ったのかな」

「会いたかったって、言ってたじゃん」

「そうだけど、でも、こんなふうにすぐ無関係になるなら、べつに会わなくてもよかったと思う」

「じゃ、そもそもの集まりにこなければよかったんじゃん」雄一郎はリモコンでテレビをつけ、チャンネルを替えていく。

「怒ってる？」紗有美は訊き、返事がくるより先に言い募る。「でもさ、しかたなかったんだよ。ユウは……ユウくんは私からの電話とってくれなくなっちゃうし、波留や賢人はなんか話しづらいしさ。それで樹里に住所を聞いて……」雄一郎の左手が軽く握っているビール缶に、水滴がびっしりはりついている。どうしてきみも飲むかと勧めてくれないのだろうと紗有美はちらりと思う。

「怒ってないよ」雄一郎はチャンネルを替えながら言う。「待っていられてびっくりしたけど、べつに怒るようなことじゃない。外で飲まずに帰ってきてよかったよ。まだ夜は寒いしね」

「みんなはさ、会ってるのかな。私たちには内緒で」テレビを横目で見ながら紗有美は訊いた。

「かもしれないね」まったく興味のない声が返ってくる。

「どうして私たちだけ仲間はずれにされてるの？」

「そういう考えかたをするからだろ？」雄一郎はニュース番組を映す画面にし、リモコンを落とすように床に置く。「仲間はずれとか面倒なこと言うから、呼ばないんだろ？」

「やっぱ、会ってるんだ、私たち以外のみんなは」

雄一郎がいきなり笑い出し、紗有美はいっしょに笑おうとするが、何がおもしろいのかわからない。

「あのさ、なんでみんな人のせいなわけ？　みんなに会いたいと思ったから自分で連絡を取った。会えた。それでいいじゃん。みんながあなたに何もしてあげないのは、みんなのせいじゃないと思うけど」

「じゃあだれのせいなの？」

雄一郎はちらりと紗有美を見、テレビに視線を戻す。その視線の冷たさに紗有美はぞっとする。なんなの、みんな。私が何をしたっていうわけ。

「どうしてだれかの『せい』にしないと気がすまないの？　みんな、意地悪するほどあなたに興味持ってないよ」

「ねえ、ここに家出してる女の子を泊めたりすることがあるの？」紗有美は言った。意味がよくわからないながら、雄一郎が自分を責めていることだけはわかった。だから話題を変えたかった。いつかネットカフェで聞いた「泊め男」をふと思い出した。まさか同一人物のはずはないが、

「よく知ってるね」すんなりと雄一郎は答えた。冷蔵庫から缶ビールをもう一本取り出してきて、テレビを見ながら口を開く。「泊めてって頼まれれば、泊める。他人がいてもあんまし気にならないし、女の子はきれいにしていってくれるし」

「それでエッチも込みなんだ。犯罪じゃないの、それ」勝ち誇ったような気分で言うが、

「エッチはしない。そういうの、面倒だから。ゲイって言ってある」雄一郎は素っ気なく返す。「ゲイで捨て子で、あったかい家庭を知らないから、帰ってきて部屋に明かりついてるとほっとするって言うと、みんな安心するみたい。ストーリーが必要なんだよね、知らない人の家泊まるのにはさ。でもそんなふうに話すうち、おれもだんだんそんな気になってくること、あるよ。おれ本当に捨て子でさ、あの山荘で暮らしてたような。知らない人泊めるほうにもストーリーは必要なのかもな。なんであれ、理由のないことするのには納得できるストーリーが必要なんだよね。嘘でもさ。って

か、嘘のほうが本当らしいしね」

　切れ目なくつぶやく雄一郎が何を言っているのかわからず、紗有美は次第に気味が悪くなってくる。この男はいったいだれ？

「じゃ、私もここに泊めてくれる？」気味の悪さを封じこめるため、ほがらかに言い放つ。

「だめ」即答される。どうして、と訊くより先に雄一郎は答える。「あなたは知らない人じゃないから」

　自分はずっと不幸だと思っていた。友だちと呼べる人がいたことはなく、父親を知らず、母親は自分の話にいつだって上の空だった。何かになりたいと思ったこともなく、三十歳が近いというのにまともな恋愛すらしたことがない。アルバイト先には勝手に契約を打ち切られ、生活費が足りなくなって最近はじめたアルバイトは、通信販売物発送のチェックと仕分けである。自分と同い年の女の子たちは、お洒落して恋愛しているか、もう結婚してしあわせな主婦におさまっている。なのに自分は八時間立ちっぱなしで労働して、ブランドもののひとつも買えやしない。

　以前話したとき、雄一郎は、自分は人生をめちゃくちゃになんかされていないと言っていた。自分が不幸だと、彼は思っていないのだ。そのことに驚いたが、今、紗有美は、そのことにぞっとしている。自身を不幸だと思っていない、人生がめちゃくちゃだと思っていない雄一郎は、もしかして取り返しのつかないほどに破壊されているのではないかと、ふと思ったのだった。破壊、という言葉が適切かどうか紗有美にはわからないが、けれどそれ以外に思いつかない。彼の何かが壊れている。その自覚がないから、壊れた部分は永遠に修繕されない。そんなふうに思えてしかたなかった。

コンビニエンスストアで缶ビールと弁当、スナック菓子とチョコを買い、紗有美はアパートに向けて歩く。二月に家に帰ったとき、結局母は翌朝になっても帰ってこなかった。だから紗有美はもうずっと母親に会っていない。絵文字入りのメールは頻繁にきていたが、返信をしなくなったらだんだん間隔が開き、今では一週間に一度ほど、思い出したように「元気？　ちゃんと食べてる？」というメールが届くだけだ。「げ」や「ち」と押せば、文章候補がずらずらと出てくるのだろうと紗有美は想像する。母親と同じくらいしょっちゅうメールをくれていた望月里菜にも返信していないのに、こちらは相変わらずよくメールしてくる。たまたまアルバイトがいっしょだったことがあるだけなのに、なぜそんなに親しげなのかわからず、最近では紗有美は彼女を薄気味悪く感じるようになっていた。

今、だから他者との接触がほとんどないことを紗有美は自覚している。でも、そもそもの最初からそうだった。それがふつう――たとえば樹里や、波留や――と比べて異常なこと、いや、好ましからざることだとうすうす思ってはいたが、でも、雄一郎はどうだろう。雄一郎のほうが、もっと深刻に他者とのかかわりを拒んでいるのではないか。たった一度関係を持ったことを、後悔したから着信拒否にしたのではない、面倒から逃げるためだと、紗有美は気づく。

アパートのドアを開け、暗い室内に明かりをつけて部屋に上がる。弁当をあたためもせず食べはじめると、携帯電話が鳴った。母だったら出ようか出まいか、瞬時に考え携帯電話を手にとると、ディスプレイには賢人の名がある。紗有美は急いでフラップを開ける。

「単刀直入に訊くけど」賢人は言った。「紗有美さんはさ、生物学的父親をさがしたいと思う?」

3

ひととおり話してしまうともう話すことはなんにも思いつかなくなって、紀子はただゆっくりと歩く。ベビーカーに乗ったあゆみは、賢人に渡された人形をしっかりと抱いたまま眠っている。平日だというのに、お堀沿いはたいへんな人出である。道沿いに続く桜はどれも満開だが、見上げるために立ち止まることもできない。まるで何かの行列についているかのように、のろのろと紀子は歩を進める。

「桜より、人を見にきたって感じかな」隣を歩く賢人が、たった今自分が思ったばかりのことをつぶやき、紀子はおかしくて笑う。賢人も笑う。

「でも、桜が見たいって言ったのは私だもの」

「穴場とか、知らないから」

「ううん、こういう桜が見たかったの。人が大勢いて、にぎわってて、江戸時代を思い出すような」

「江戸時代？」

「こういうにぎわいのなかにいると、江戸時代から人はみんな桜に浮かれていたんじゃないかって思うじゃない？ 自分もそこにいたような気がするじゃない？」それを聞いて賢人は腰を折って笑った。前の人が立ち止まり、紀子も足を止めて見上げると、レース模様のような桜の花の向こうに薄くけぶったような青空が広がっている。きれいだと、ため息をつくような気分で思う。

両親もいて、友だちもいて、すごく平凡でしあわせな日々だったのに、何かずっとこわかったと紀子は話した。架空の友だちに宛ててずっと手紙を書いていた。書いていれば、こわくなかった。架空の友だちだっていつのまにか信じていたけど、あれはあなただった。自分で封じこめちゃったのね、現実を。そんな話をした。ずっと仕事を続けるつもりだった。でも結婚を選んだの。子育てが終わったら働こうと思ったけど、どうかな。自分が同世代のキャリアウーマンたちと肩を並べていけると思えなくなっちゃった。そんなことまで話した。一方賢人は、子どものころから、なんだか「ぽっかり」することがよくあったと話した。親が離婚し、再婚して妹が生まれ、ずっとその家庭に違和感があった。女の子によく声をかけられて、断る理由がないからすぐつきあって、でも結果的に精神的にも肉体的にもその子を傷つける。どうしてそうなるのか、自分でもわからなかった。母はこわがっていたみたいだ。きっと、ぼくに遺伝子を分けただれかが、そういう性質だったのではと思ったのだろうと賢人は至極冷静に言った。母親から打ち明けられて、ようやく「ぽっかり」はおさまった。無闇に女の子とかかわることもやめられた。今は恋人と「ごくふつうに」暮らしている。でもいつもうしろめたさがある。自分のようなやつがのうのうと「ごくふつう」を装って生きていていいのかというような思いがある。賢人はそう語った。

携帯電話のメールでやりとりをして、今日の約束を決めた。賢人の職場は自由な雰囲気らしく、昼を挟んで二、三時間帰らなくても問題はないという。九段下のイタリア料理店で向き合ったときから話し出していた。前菜がなんだったか、メイン料理は魚だったか肉だったか、紀子はもう覚えていない。

そして今、言葉少なに人混みのなかを歩きながら、話しても話さなくても同じだっということを思い出す。双子というのは、離れていても相手のことがわかるのだと幼い賢人は教えてくれた。今、言葉を交わさなくても、会わなかった時間に賢人がどんなふうに成長し、何に安堵し何におびえ何に笑い、何を克服してきたのか、紀子にはわかる気がする。いや、はっきりと、わかる。

なぜだろう、ほとんど知らない人も同様なのに。しかも、ずっと架空のだれかだと思いこんでいた。そのくらい忘れていた遠い人なのだ。

それでも紀子は覚えているのだった。思い出そうとすれば、一瞬で、気持ちのぜんぶをあのときに戻すことができる。

いろんなことがこわかった。家から出たくなかった。友だちもいらなかった。幼稚園では泣くこともできないくらい緊張していた。親が迎えにくるのをひたすら待って一日をやり過ごした。このまま大人になってちっともかまわないと思っていた。友だちのひとりもいないまま、家以外のぜんぶを嫌ったまま、勉強などいっさいしないまま。そこは暗くて狭い場所だった。けれど目を閉じてしゃがみこんでいれば、狭さも暗さも感じないのだった。そうして三歳のあの日、そこから続く幾度かの夏、賢人は手をさしのべてそこから自分を連れ出したのだと紀子は思う。光と花と笑い声とおいしいにおいと、友だちがいる広い場所に。

「見ず知らずの人から手紙を受け取ったことがあるんだ」賢人は言う。総合病院で非配偶者間の人工授精から生まれたほぼ同世代の男性が、同じ時期に同じ病院で同じようにして生まれた人をさがしていた、と賢人は説明した。「彼はホームページも持っていて、出自を知ってからずいぶんと苦しんでいると告白してる。思春期にずいぶん悩んで、その同じ病院の心療内科にかかって、自分と同じ身の上の、決して少なくない人がやっぱりそこに通っていることを知って、ぼくに手紙を書いたんだ。ぼく、その時期、偶然そこに通っていたから」

その話がどこにいき着くのかも、紀子はもう知っているように思う。道路沿いに並んだ屋台から、醬油の焦げたにおいが流れてくる。酔っぱらった若者たちが騒ぎながら通り過ぎていく。

「そんなふうに、真実を知って苦しむ人だって大勢いる。でもなんでだろう、ぼくはね、母親から本当のことを聞かされたとき楽になったんだよ。辻褄《つじつま》が合った感じ。自分の抱えていた空白のこと、無責任な言動、他人事みたいな毎日……でも、それって、そのせいにできることを見つけたってだけなのかな。ぼくは父親を知らない、たぶん一生知らない、その点においてふつうの人と異なる、だからこんな自分でもしかたないって、思いたいだけなのかな。逃げてるのかな」

紀子は賢人を見上げた。黒いコートを着た賢人の肩に、桜の花びらが刺繡のように落ちている。きれいだと、またしても紀子は思う。

「私たち、混乱しているのよね。混乱して考えるのを放棄してるのかも。あなたは私よりずっと前にその話を聞いて、もう何度も何度もそのことについて考えただろうけど、でも、きっと今も混乱しているんだと思う。私とおんなじように」紀子は言い、笑い、浮かれ、桜に見とれ、酔っぱらい、夢中で会話し、夢中で何か食べ、そうしながらずらずらと一方向に歩く人々を眺めた。混乱して、考えるのを放棄して。自分の言った言葉を反芻する。「会えてよかった」賢人を見上げ、紀子は言う。「もし神さまがあらわれて、一年前に戻してやるって言ったとする。真実を知るか。知らないままでいるか。選ばせてやる、って。私きっと知るほうを選ぶ。混乱して、逃げるほうを」

「なんで」賢人が訊く。冷静でもの静かな賢人の目の奥に、闇をこわがるちいさな子のような怯えが走るのを紀子は見る。

「私、今、はじめてひとりじゃないって思っているんだもの」

桜の花の隙間からのぞく空を見上げて、紀子は言った。ベビーカーのなかであゆみが身じろぎする。あゆみがおなかにいるときも、ついぞ得られなかった気分だった。私はひとりではない、というのは。

投げつけた拍子にフラップと本体部分がちぎれる。携帯電話って案外脆《もろ》いのだと、別々の方向に転がっていく携帯電話を眺めてやけに冷静に紀子は思う。あゆみが泣き出し、反射的に紀子はあゆみを抱き上げ、守るように体全体でくるむ。

「阿呆かおまえ」静かな、嘲笑《あざわら》うような声で慎也が言う。「恥を知れよな」

賢人と別れたのは三時前だ。五時には帰ってきていたし、八時過ぎに慎也が帰ってきて、いつもと変わらない夕食になった。だからなぜ慎也が、入浴中に自分の携帯電話をチェックしたのか紀子はわからない。いつもしていたのかもしれない。そしてたまたま今日、見つけただけなのかもしれない。賢人からの待ち合わせを決めるメールや、たのしかったと礼を言うメールを。

その人となんにもないわ。昔の知り合いなの。私たち、おんなじクリニックで、おんなじようにして生まれたの。きょうだいである可能性も、ないとは言い切れない。誤解し、激昂《げっこう》している慎也に言うべき言葉が次々と思い浮かぶが、紀子は口をかたく閉じ、そのどれもが出ていかないように注意する。言うわけにはいかない。自身が生まれてきた背景を。いや、違う。それだけの理由で私たちが「わかり合ってしまった」ことを、知られてはならない。知られてなんか、なるものか。

「だれが食わせてやってると思ってるんだよ」慎也は言い、床に転がっていたプラスチックのままごとセットを蹴り飛ばす。あゆみがいっそう声を高くして泣く。おんなじだ、と紀子は思う。ここは、かつて私のいた、居続けようとしていた場所。狭くて暗くて、でも、目を閉じてしゃがみこんでいればそうとわからない場所。ならば——。

「そうしたのはあなたじゃないの。もう忘れたの？」

——ならば出ていかなくては。微笑みながら言い返した紀子を、慎也は一瞬驚いた顔つきで見る。紀子は笑いたくなる。自分も今、同じくらい驚いた顔をしているだろうと思って。

紀子はあゆみをあやしたまま、寝室にいき、鞄にあゆみの服や下着をよく見もせずつっこんでいく。リビングのドアが叩きつけられるように閉まる。リモコンか何か、かたいものが壁に投げつけられる音がする。混んだ電車、雨の日のにおい。子どものころ、苦手だったものや、こわかったものが、次々と思い浮かんでは消える。体育の時間、友だちの早口。もうだいじょうぶ。なんにもこわいことなんかない。手紙を書きながら思ったのとまったくおんなじことを、紀子は今、自分とあゆみに向けてつぶやく。

4

冷やかしとか、ガセとか、そういう可能性が高いと、波留は光太郎から聞かされていたし、話の途中から本当にそうだと自身も思っていた。時間の無駄だったと思ってもいた。話だって熱心に聞いたわけではない。途中からほとんど聞いていなかった。

　だからどうして突然全身が震え出したのか、波留にはよくわからない。男を見送ってから光太郎とコーヒーをあらためて飲み、喫茶店を出、駅の看板が見えてきたところで、急に脚が震え出した。最初は地震かと思った。手が震え、肩が震え、気づいたら光太郎に抱き起こされていた。その場にしゃがみこんだらしい。しっかり立つと今度は歯の根ががちがちと鳴った。だいじょうぶかと訊く光太郎の声が遠い。耳元で声は遠いまま、幾度もくり返される。だいじょうぶか。おい、だいじょうぶか。だいじょうぶですと答えるために口を開けたら、猛烈な勢いで吐瀉物《としゃぶつ》がせり上がってきた。波留はあわてて電柱の陰にまわり、そこで吐く。光太郎が隣にしゃがみ、だいじょうぶかとくり返しながら背を撫でている。それが見えるのに、撫でられている感触がない。

　病院にいくか、タクシーに乗るか、どこか静かな店に入るか。耳元で光太郎が訊いている。波留は顔を上げ、周囲を見渡す。青い空、ビルの壁、空を映す窓ガラス、漢字の看板、光景が点滅していて、いきなり波留は恐怖につかまる。はじまっている。「見えなくなる」がはじまっている。あまりの恐怖に叫び出しそうになる。波留は右手の親指の付け根を口に入れ、嚙む。そして左手で、見えたひとつの看板を指さす。

野谷さん、なんにもしません、あそこに連れていって。右手を離し、がちがちと歯の根を鳴らしながら、ほとんど息で告げる。

「しかしなんにもしませんって、男の言葉だぞ」冷蔵庫から出した炭酸飲料をグラスに注ぎながら、光太郎が笑う。波留はキングサイズのベッドに横たわり、天井の鏡に映る自分を見つめる。ラブホテルに、ほとんどかつぎ込まれるように連れていっても、らい、歯を磨いて横になり、しばらく目をつぶって呼吸を整え、十分程度、眠ったらしい。目を開けると、光太郎がテレビの前のソファに座ってパソコンをいじっていた。

「言っただろ、そもそもあの記事はやらせだったし、あいつは嘘っぱちだよ。おれはこんなことも想像してたよ。だから念を押したんだ、本当に会うのかって」

「うん」見える。天井の四隅。鏡。蛍光灯。点滅もしていない。波留は確認する。

「野谷さんのせいじゃない。ただびっくりして」

「信じるな、あんなやつの言うこと。正真正銘の変質者だよ、たのしんでたじゃないか、あんたがいやそうな顔をするのを見て」

「うん。本当に、ただびっくりしただけ。迷惑かけてすみません」波留は上半身を起こし、光太郎が差し出すグラスを受け取る。口に含むと炭酸がぴちぴちはねる。

「なあ、やっぱやめよう」かたわらに立って波留を見下ろしていた光太郎は、諭すように言った。「さっきのあんたを見てたら、冗談じゃすまないってことがよくわかった。自分で言い出したことだけど、あんたが名前出して集まるのは、九割があありやつらだぞ。十人会って九回あんな思いして、それなのに真実にたどり着ける保証はないんだ」

波留はうなずき、グラスをサイドテーブルに戻す。「だけど知りたいって気持ちは、冗談ではないんです」

「じゃ、どうするの。やるのか」

波留はベッドカバーに散らばる色あせた花柄を、ひとつずつ数えるように見つめながら、答えをさがす。「少し考えさせてください」ようやく、言う。

三十年近く前に、ライターだった野谷光太郎の取材に応じた男は、光太郎と出版社の人間がさがし出した。さがしてくれと言ったのは波留だ。会ってみたいと言ったのも。

男が指定したのは意外なことに都内だった。新大久保にあるフランチャイズの喫茶店で、波留は光太郎とともに男に会うことになった。二十数年前に取材をしたとき、男は茨城にある電気機器の工場に勤めていたと光太郎は言っていた。どうやって見つけたんですかと、男があらわれるまでのあいだに波留は訊いた。社員名簿を入手して、男と同世代と思われる人々に片っ端から連絡をとったのだと光太郎は説明した。

昨年定年を迎えた元社員で、数年前まで連絡をとっていたという人が見つかったとそこまで説明を聞いたとき、「あんたが例の作家？」と、見知らぬ男に声をかけられたのだった。

光太郎は、光彩クリニックのドナーを対象とした、前回と同じ趣旨の取材だと断っただけで、いっさいの説明を省略したまま、男に向かって質問をはじめた。男は説明がないことなどまったく意に介さないふうに、訊かれたことには流暢《りゅうちょう》に答えた。訊かれていないことも流暢に話した。

波留が夢想した父親とは、当然ながらまるきり違った。小柄で、痩せていて、どす黒い顔色をしていて、きちんとしたシャツにズボン、薄手のニットを着てはいるが、どことなく貧相な印象だった。顔立ちが整いすぎているのだと波留は気づく。年相応の整いかたではない、青年期の整った感じが、そのままなぜか老いた顔に残っている。それが貧相に見える理由だ。

軽井沢の光彩クリニックで、たしかにドナー登録し、精子を提供したと男は言った。雑誌で広告を見てクリニックの存在を知り、「三十歳の記念に、何かでかいことやろうと思ったんだ」と男は言って、さもおかしいかのように声を上げて笑った。「アレをだれかにあげることがでかいことなんて、あんたは思わないだろうな。けどさ、工場で毎日こつこつ働いてるまじめだけが取り柄の男がよ、いきなりオリンピックに出られるはずもないし、有名俳優になれるわけでもないことくらい、おれだってわかってたさ。あとは犯罪っきゃないじゃない。もちろん犯罪者になる度胸も理由もないしねえ。ほんで、よし、おれの血を日本全国にいき渡らせようって思ったんだわ。考えてもごらんよ、結婚して子ども産んだってせいぜい二人か三人、そいつらが結婚して孫ができても、十人か、多くたって十五人だろう、けどさ、あのクリニックでもしおれのアレがしっかり仕事すりゃ、それこそ数え切れないおれの子孫ができるだろ？　正直ね、おれは金なんかどうでもよかったの。もらわなくたって寄付したよ。だれが自分の子で、どこにいるか、わかんなくたっておれはかまわないと思ったね。いや、わかんないくらいのほうがいいのさ。各県各都市におれの子どもや孫が暮らしてるって思えるだろう」

クリニックには何度通ったのかと訊くと、「十回はいった」と男は得意げに言った。「制限があったと聞いたけれど」と光太郎が言うと、「ないない、そんなの。最後のほうは、あそこ、困ってたじゃない。足りなくて。何度だってだれだってよかったわけ。おれのは活きがよくて成功率が高かったらしくて、最後は向こうから頼まれたくらいよ」と、椅子にふんぞり返ってまた笑った。

学歴や賞歴などの詐称について訊くと、「あっただろうね、高学歴ばっかり集まるはずないもん。でも、おれは偽ってないよ。おれはこう見えても国立大を首席で卒業してるから」と、言う。

信じる、信じない以前に、この人は病んでいると波留はまず思った。話をでっち上げているか、誇張しているかはさておき、頭に膨らんでしまった妄想を話さずにはいられないのだ。おそらく三十年近く前から、ずっと。取材でなくともだれかれとなく話してきたのだろう。ここにいる病んだ男は、自分とまったく関係がないと波留は思った。だから途中から話を聞いていなかった。それでも最後に、訊いてみた。「親戚に、失明された方、もしくは視力に大きく変化があった方はいますか」と。

「ないない、そんなの、ない。おれは健康そのもので入院したこともないし、親父《おやじ》は戦争で死んで、おふくろは八十八で大往生だから。きょうだいも親戚もへんなの持ってるやつ、ひとりもいないよ。だからおれのは高く買ってもらえたんだ。おれはこの年で血圧も安定、糖尿のケなし、老眼鏡だって使ってない。駅のエスカレーターだって使ってないんだ、階段上がるの、階段」

「ご家族は」切れ目なく続く男の話を遮って、光太郎が訊いた。

「家族は全国に散らばるおれの子孫だけ。七代遡《さかのぼ》ると天皇家と関係あるっていう家の娘さんと結婚の手前までいったけど、ふと思ったの。裏切ることになるんじゃないかって。おれが結婚して自分の子を持ったら、ほかで生まれてるおれの子がかわいそうだろう？　悩んだ挙げ句、どこかにいる自分の子どもたちに誠実を貫くことにしたんだよ。アメリカのバンクにも協力してやったんだぜ、彼の地にもおれの子孫が散らばってるってわけだ。すごい話だろう?」

男の話を思い出すと、また胃が引きつれるような痛みを覚え、波留は強く目を閉じる。

5

何かが起きているらしいと賢人は思う。紀子と花見をした数日後、父親をさがすのはやめると波留から連絡があった。理由を訊くと、ミュージシャンとしての自分をだいじにしたいと波留は言った。弾や樹里の言うとおり、名前をさらすことの危険を考えただけ。波留のことはほとんど知らないくせに、嘘だ、と賢人は直感でわかった。何か別の理由があるに違いない。でも、波留はそれを話さないだろうことも、わかった。

さらにその翌日、家を出て実家に戻ったと紀子からメールがきた。あなたに会えたことで、本来の自分を取り戻すことができたとメールにはあった。何があったのか、返信しようとしてできなかった。何かにかかわるのはこわかった。夫を置いて実家に戻った理由は、あなただと紀子に言われたらと考えると、ぞっとした。

ぞっとしている自分に賢人は気づき、深いショックを受けた。戦慄《せんりつ》すら覚えた。これが自分。かかわりたくなくて、逃げてきた自分。母親が、心療内科に連れていくほど問題視した、中学生から変わらない自身の在りよう。

相手は紀子だ。紀子が、彼女たち夫婦に何があったのか語ることはないだろうし、よしんば離婚するに至っても、それを自分のせいにしたりすることは決してないと賢人は知っている。知っているのに、返信できないのだ。かかわりたくなくて。相手は紀子なのに。

何かが起きている。でも、その何かに触れたくない、巻き込まれたくない。ではどうして、そもそも樹里にメールを書いたのか。すべてはあそこからはじまったのだ。そうだった、はじめたのは自分だった。

ソファテーブルにのっていた携帯電話が振動し、呼び出し音よりよほど不快な音を発する。席を立ち、ディスプレイを確認すると樹里からだった。こちらを見ている咲に「悪い」と表情で告げて寝室に向かう。

「サーちゃんはなんだって?」と、単刀直入に樹里は訊いた。父親をさがしたいか否か、について。

「どんな人か知りたい気持ちはあるけど、自分からは何かするつもりはないって。野谷さんが自分で調べて書くのはかまわないとも言ってた。もちろん、自分はかかわるつもりはないそうだ」

賢人は、紗有美との会話を思い出す。紗有美はなかなか電話を切ってくれなかった。再会したことでみんな不幸になっているんじゃないかと言ったり、父親を知りたいわけではないが野谷光太郎には会ってみたいと言ったり、でもそいつも私たちを不幸にするだけかもしれないと言ったり、した。結論のない会話やオチのない話の嫌いな賢人が、電話を切り上げなかったのは、紗有美のこの混乱も、自分が引き起こしたんじゃないかと思ったからだった。

「どうするかしら、野谷さん。何か訊いた？」樹里の声で賢人は我に返る。

「ねえジュリー」寝室のカーテンは開いている。見下ろすと、まだにぎやかな商店街がのびている。「あのころのみんなに再会して、ジュリーはよかったと思う？　意味あることだと思う？」

「なあに、急に」電話の向こうで樹里は笑った。「いいも悪いもない。だってもう会ったんだもの。これから会うこともなくなるのか、それとも関係は続くのか、わからないけど」

電話を切ってからも、賢人は携帯電話を握りしめて窓の外を眺めていた。野菜や総菜を売る声が、ちいさく響いてくる。

ダイニングルームに戻ると、咲はもう食事を終えていて、ソファに座ってテレビを見ていた。食べかけの賢人の皿はそのままになっている。賢人は「悪かったね」と一言つぶやき、席に着き、食事をはじめた。咲が見ているのはお笑い番組だ。テレビから笑い声があがると、咲もちいさく笑っている。キャンプ仲間と再会してから、土日や平日の夜、明らかに仕事ではなく出かける用が増えているのに、咲は何か訊くことがない。今だって、だれからの電話かと訊かない。咲は決して鈍感な人ではない。知りたい気持ちをおさえるためにテレビを見ているのだろうと賢人は想像する。

それまで交際してきた女性と咲が大きく違うのは、「何を考えているの」と「怒ってる?」という質問を、いっさいしないことだった。せっかちで、好奇心が旺盛で、他人が何を考えていようがまったく興味がないおおざっぱな人だと最初は思っていたのだが、このごろ、そうではないのかもしれないと思うようになった。その人が訊かれたくないことを、咲はだれよりも速く正確に察知しているだけなのではないか。

「話したってしかたのないことだし、話すつもりはなかったんだけど」冷めたパスタをフォークに巻きつけて賢人は言う。咲は賢人を見る。「おもしろい話でもないし。結論の出ない話だし」

笑い声が急に消える。リモコンを握った咲が、こちらを向いている。グラスに半分残っているワインを飲み、賢人はどこから話そうか、迷い、けれどそれは一瞬で、気づいたら話し出している。薄暗いイタリア料理店で、母親から聞かされた話だ。結婚前の母は人気モデルだった。カメラマンのアシスタントをしていた父と知り合い、恋に落ち、結婚を機にモデルを辞めた。惜しむ声もあったが、でも、家庭を作りたかった。すぐにできると思った子どもが、けれど三年たっても五年たってもできない。母は病院で検査を受け、問題ないと言われた。原因は父親だった。二人は話し合い、双方納得して、非配偶者間の人工授精を受ける決意をした。そして生まれたのが、松澤賢人、自分である。子が生まれて、父はカメラマンのアシスタントを辞め、もっと安定した職に就いた。賢人が覚えている父は電機メーカーの子会社の社員だった。

双方納得してそうしたのだと、母はずっと思っていた。けれど子どもが成長するにつれ、夫婦間がうまくいかなくなった。そうして母は、思うようになる。産みたかったのは、子がほしかったのは、自分だけなのではないか。モデルの仕事と引き替えになるような何かを、自分は求めていたのではないか。「ぼくが父親だと思っていた人は、別れるとき、母にこう言ったらしい」これはイタリア料理店ではない、もっとずっと大人になってから、母に聞いたことだ。「きみは結婚なんかしなくても本当はよかったんだろう。自分によく似た美しい子どもが手に入れば、それでよかったんだろう。人の夢を食って望みのものが手に入ったんだから、もうおれは要らないだろう、って」

それを聞かされたとき、ずいぶんいじけた男だったんだなと賢人は思った。でも何が本当かはわからない。実際その男から見て母は、そんなふうだったのかもしれない。何しろ離婚して一年もせず、べつの男の子どもを出産したのだから。でもやっぱり、いじけくさった男ととらえていいようにも賢人は思った。そういう治療を受けた夫婦は大勢いる。紀子の両親だって。そしてその多くは、父親になっている。幼い日に父と思っていた男は、去り際に憎まれ口までたたかずにはいられないほど、コンプレックスを刺激されたのだ。自分の子と思えなかった息子に。

夏のキャンプについても賢人は話した。同じ境遇の子どもたちが、そうとは知らず集まっていた。そのまま別れて、それで終わりでもよかった。こんなに人とかかわることを避けてきた自分なら、そうするのがふつうだった。「なのにどうしてだろう、ぼくは彼らをさがしたんだ。そして見つかった。見つかって、今、ぼくの思うことは」賢人は乾燥したパスタを見つめてつぶやく。紀子の声が蘇る。知るほうを選ぶ。混乱して逃げるほうを選ぶと紀子は言った。ひとりではないと思えるから。なぜそう思えるんだろう？　ぼくも紀子も、樹里も弾も、きょうだいではない。共有する過去だって、合計しても一ヵ月にも満たない。「さがして、どうしたかったんだろうってことなんだ」自分の声が震えているのを、賢人は、他人のもののように聞く。激したり、泣いたり、憤慨したり、強い感情を最後に抱いたのはいつなのか思い出せない。その自分の声が、今、震えている。かなしいのか、つらいのか？　それともこわいのか？

「もしかしたら、ぼくは、知らないままの人間がいるってことが許せなかったんじゃないか。のうのうと、生き生きと、空白にのみこまれることなく、毎日すべての瞬間を謳歌して生きているなんて許さないと思ったんじゃないか。そんなことはないと思いたい。いくらぼくだって、そんなこと思うようなやつじゃないよ。でも、それ以外に思い当たらない。自分が動き出した理由がわからない」

なまあたたかくやわらかいものが、フォークを握った手を包む。いつのまにか咲が隣に座っている。両手で賢人の手を包んでいる。そして静かに言葉を押し出した。

「その人たちを傷つけようと思ったんじゃない。わかり合えるって——あなたのその気分を、その人たちとなら共有できるって思ったんだよね?」

視界がいきなりぼやけ、鼻の奥が痛む。その感覚を、はじめて味わったように賢人は驚き、戸惑い、ズボンを濡らす水滴を茫然と見つめる。

6

指定されたのは、みなとみらいにあるホテルのティールームだった。日曜日の午後三時。前日はよく眠れなかった。眠ったと思うとすぐ目が覚める、ということを幾度かくり返した。目が覚めるたび、樹里は天井を見つめ、明日は何を着ていくべきかと考えた。だからか、明け方、ホテルのクロークにコートを預けようとしたら、コートの下は水着でひどくあわてる夢を見た。

ホテルのロビーでコートを脱ぐとき、樹里はその夢を思い出して一瞬緊張する。もちろんコートの下にはちゃんと服を着ている。今朝九時から着替え続けて最終的に決めた、黒のクロップドパンツと水色のシャツである。

喫茶店は二階にあった。エレベーターを下り、喫茶店に向かって歩き出す。近づくにつれ鼓動が強く、速くなる。緊張しすぎてかすかに耳鳴りがしている。

喫茶店の入り口で、制服姿の従業員に、樹里は名を告げる。一時期、自分の名乗っていた姓を。ちょうど混み合う時間だから予約しておくと言われていた。

従業員が案内してくれるテーブルに、すでに人がいるのは見えていた。ただ、正視できなかった。従業員が去ってようやく、樹里はよく磨きこまれたその人の靴から顔を上げ、見た。八歳までともに暮らした、父親を。

「遠くまでお呼びだてして、すまなかったね」

父は笑う。記憶がいっぺんによみがえり、息苦しくなる。父が手渡すメニュウを受け取る手が震え、カフェオレと注文を告げる声がかすれる。初老の、どこにでもいるような男である。記憶とは違う。眼鏡をかけ、髪はほとんどが白髪で、手の甲にはしみがある。それでもその見知らぬ男の顔に、樹里はかつての父を見る。垂れた目、まっすぐで量の多い髪、笑うと頬に走るくっきりした二本の線。自分の手をつつむ、湿ったあたたかさまでもがよみがえる。突然泣き出さないために樹里は前歯で舌を嚙んだ。

「こちらこそ、とつぜん、すみませんでした」樹里は声がかすれたり震えたりしないよう、慎重に言う。

「なんか、奇妙だな、おたがいあらたまって。まあ、でも、ひさしぶりだし、ぎこちないのはしかたないよな」父は笑う。

「横浜、なんですか」どうやって本題に入っていいかわからず、樹里はさして知りたくもないことを訊いた。

「ああ、神奈川区。このあたりは二十年前とはもうがらりと変わっちゃってね。みなとみらい線ができて、最近じゃずいぶんなにぎわいようだよ、桜木町なんて前はずいぶんさびれていたんだけど」父もきっと、言いたくもないことをしゃべっているのだろうと思いながら、樹里は相づちを打った。

結局、樹里が訊きたいことを父に訊けたのは、気詰まりな沈黙ばかりになった喫茶店を出、駅に向かって歩いているときだった。

「私、おかあさんに、ぜんぶ聞きました。私がどんなふうにして生まれたのかってこと」

隣を歩く父は、うん、と答えた。そのことも、樹里がそれを今言うことも、わかっていたような口ぶりで。そのことに安心し、樹里はいちばん訊きたく、いちばん訊きづらかったことを、口にした。

「私を自分の子どもだと、思えなかった？」

かつて見上げていた父は、今、自分より頭ひとつ背が高いくらいだ。それでも並んで歩いていると、父の気配、感触といったものが、戸惑うくらい色濃く思い出された。何か圧倒的に静かな空気をまとっていて、幼い樹里は父に近づくと理由もわからず安心できた。その静けさは母のものとも似ているが、でも、違いがある。母の静けさは満月に似ていて、父のそれは雪に似ている。幼いころ感じていたその違いまでも、樹里は思い出す。

「そういうことじゃないんだ」父は静かなままで、答えた。「そういうことじゃない。きみのことじゃなくて、自分のことだった」

父は立ち止まる。樹里も足を止めて父を見た。いき交う人々はだれも彼も、迷惑そうにするわけでもなく、ごくふつうに二人を迂回していく。自分たちは川に突き刺さった二本の棒のようだと樹里はふと思う。

「あまりきれいとは言い難い店なんだけど、この時間から開いている飲み屋があるんだ」

父は困ったように笑って、言った。

劣等感だね、と父が言ったのは、ビールから日本酒に切り替えたときだった。つごうとする樹里を断って、手酌で冷や酒をお猪口《ちょこ》につぎながら、そう言ったのだった。

店は、駅をすぎてずいぶん歩いた路地裏にあった。カウンター席とテーブル席四つの狭苦しい飲み屋で、まだ四時をすぎたばかりだというのに、席はほとんど埋まっていた。みな五十代、六十代のひとり客が多く、イヤホンを耳に入れて競馬新聞を眺めていたり、四隅が脂で汚れたテレビに見入っていたりした。カウンターに並んで座った樹里と父は、ビールの大瓶をあけるまでは喫茶店と変わらない退屈な話をし、二本目ではちらほらと近況について話し、三本目で父は樹里がどこまで知っているのかさぐりを入れ、そして今、カウンターの内側にいる割烹着のママに、父が日本酒を頼んだところだった。

「劣等感」父の差し出す徳利をお猪口で受けながら、樹里はくり返す。

「そこまで聞いたなら、ぼくらがドナーを選んだってことも知っているよな。ぼくらは、いや、ぼくは、その後、選んだことに苛《さいな》まれた。今でも忘れられないことがあってね。ぼくらの少しあとにやっぱり子どもができた後輩がいたんだけど、まだその子が生まれる前に飲み会があって、だれかがからかって言ったんだな、ぐれるんじゃないかとか、ものすごい暴れん坊だったらどうするかとか。ああ、そいつの奥さんのおなかにいるのは男の子ってあらかじめわかってたんだったな。そしたらそいつ、なんでもいい、って言ったんだ。無事に生まれてきてくれるなら、頭が悪くてもいいし問題児でもいい、本当になんだっていいんだって。どうやらそれが、父親になるふつうの男の気持ちなんだよな」

一言も聞き漏らすまいと樹里は目の前に置かれた厚揚げの煮物を凝視して聞いた。隣の男のしゃっくりさえもが耳障りだった。

「そのとき、ぼくは違ったって思い知ったんだ。無事で生まれればいいどころじゃない、ぼくはもっと多くを望んだんだ、ドナーを選んだときに。選ぶとき、ぼくはこう思っていた。ぼくより頭のいいだれか。ぼくより運動神経のいいだれか。ぼくより芸術面にすぐれただれか。ぼくより音感のいいだれか。ぼくより、性格も容姿も運も、ずっといいだれか」

父は手酌でついで、あおるように飲む。頭上にはられた短冊のような品書きを端から眺め、もつ煮、もろきゅう、レバ刺し、と読み上げるように注文し、ちらりと樹里を見て、あとメンチカツ、と言った。

「きみ、賞をもらったの、覚えてる？」

「え？」訊き返したのに、父は勘違いしたらしく、

「そう、絵」とうなずく。覚えていなかったが、樹里は黙って聞いていた。

「幼稚園のころかな。小学校だったかもしれない。都内くらいの規模のコンクールだったけど、きみの絵は銀賞だった。たしか最年少だったのに。ぼくもおかあさんもそりゃあ喜んだんだけど、喜びながらぼくは、その才能はドナーのものかって無意識に思った。そのことにぞっとした」

はいよもろきゅう、レバ刺し、もつ煮ね。割烹着のママが順番にカウンターに並べ、せわしなさそうに背を向ける。父はもろきゅうを手づかみで食べた。

「それからだ、嫉妬するようになったのは。ぼくよりすぐれただれかにね。自分でそうしたのに、選んだことに苛まれた。これ、おいしいよ」レバ刺しの皿を指さされ、樹里はひと切れ、塩だれにつけて食べる。

「あの夏の休日。あれがまた、きつかった」手元のお猪口をのぞきこみ、父は笑う。「こういう集まりがある、いきたいと思ってるとおかあさんに言われたとき、ぼくは賛成した。そういう場があるって、やっぱり安心だろう？　子どもたちはすぐ打ち解けたし、みんな気持ちのいい人たちだったし、何しろタダなんだし。ただ……あそこにいた男親は、全員、子どもを作る能力のない男たちなんだよ。そのことを、毎年実感させられた。それだけじゃない。だれだったか……」父は日本酒を追加注文し、自分につぎ、樹里につぐ。「だれだったか、シングルマザーだったと思うけれど、見たこともないドナーに完璧に恋をしている人がいたんだよ。ほとんど妄想だったね。その妄想の像だけでは終わらせられなくって、彼女はある父親とそれを重ねるようになったんだよ。別荘主の父親だったっけ。いつも酒があったのもよくなかった。彼女は彼にべたべたひっつくようになって、ぼくら、ほかの父親のことをあからさまにけなしてみたりね」

　樹里は、中学生のころの推測を思い出した。だれかが浮気したのに違いない、という推測。一度はそう思ったことがあったから、父のその話にもあまり驚かなかった。傷つくこともなかった。ただ、こう考えざるを得なかった。楽園のように楽しかったキャンプ、もしあれがなければ、父は家を出なかったかもしれない。

「もうキャンプにいくのをやめようと、おかあさんと話さなかったんですか」樹里は父がもつ煮を食べているときに、訊いた。メンチカツが目の前に置かれる。父はそれを樹里の前に置きなおし、うまいよ、と笑ってから、言った。

「話した。ぼくはいきたくないと言った。理由も言った。でもおかあさんは、私はいきたいからいくと言った。それはこの子のためでもあると。だから、途中からぼくはいかなくなった」

　そうだ、たしかに父はこなくなった。

「ぼくらはなんでも話す夫婦だったけど、それも善し悪《あ》しだと思ったな。話してもわかり合えないことがあるって、そのとき知ったから。それにね、ぼくらはきみが生まれる前、あのクリニックを知ったとき、本当に、ものすごく長い時間かけて話し合ったんだ。もしできなかったらどうするかということを。それこそ、あんなに長い時間かけて、他人と語り合ったことは、後にも先にもないくらいの時間だよ。だけど、ぼくらはたったひとつだけ、話し合わなかった。子どもができたらどうするか。それだけは、話さなかったんだ」

父は自嘲するように笑い、急に真顔になって言った。

「家族も父も、自然になれるものなんてない。自然にできることもない。『やる』と決めるんだ。ぼくは決めていなかったんだな。きみの名前をつけたとき、父親になったと錯覚しちゃったんだよ」

そうだった。この名は父がつけたと母から聞いた。お猪口の日本酒を飲み、メンチカツを食べる。たしかにおいしかった。

「私、絵を描く仕事をしているんです」樹里は言った。そんなに知名度はないけれど、もしかして知っているかもしれない、と思ったのだった。名をつけた自分の娘が、その名で仕事をしていることを。いや、どこの中学に通いどこの大学を出、いつ結婚しいつフリーランスで仕事をはじめたのかも、知っているかもしれないという思いが、ちらりとよぎった。

「あ、そうなんだ。絵うまかったもんね」

父は言い、樹里は、あ、と思う。あ、この人、そうか、他人なんだ。いや、他人でいると決めたんだと。樹里は曖昧に笑って、メンチカツの付け合わせのキャベツにソースをまわしかけた。

父は、職業を言ったとき、たいていの人が見せる顔つきをした。何か特殊な仕事らしい、きっとすごいんだ、でも、どうすごいのかはよくわからない、ああ話がうまく続かない。そんな顔。そして樹里は考えすぎかもしれないと思いつつ、邪推する。今の自分の言葉は、また父を傷つけたかもしれない。賞をもらった幼い日とおんなじに。

「おいしいだろ、メンチ」父は得意げに言い、

「うん、ほんとおいしい」父はすでに父ではないと納得した樹里は、今日はじめて、敬語をやめて笑顔で言った。

7

繰り上げ返済をしたあとはいつも、手ひどい失敗をしたような気持ちに弾はなる。張りぼてのがらくたに数千万円を遣ってしまったような気になるのだ。両親が手放

し、自分が買い戻した別荘のローンは、おそらくあと三年で完済する。しかしかかる金額はそればかりではない。維持費、掃除代行、メンテナンス。それらを払えないほど金銭的に困っているわけではないが、そこまでして得る必要があったのか。買ってから一度しかいっていないというのに。

今日の昼休みに銀行で渡された書類の、ローン残額を思い出していたせいで、肩を叩かれるまで、弾は気づかなかった。座っていたベンチから顔を上げると、野谷光太郎が立っている。

ガード下の焼鳥屋のカウンターに並んで座り、生ビールと焼酎で乾杯する。厨房から流れる煙と煙草の煙で、戸は開け放ってあるのに店内は白く濁っている。今のところ、野谷光太郎の取材に賛同している人はだれもいない。勝手にやるのはかまわないが、かかわりたくないというのがほとんどの意見で、自分の名前を使って協力したいと言っていた波留も、急にやめると言い出した。光太郎はその理由を知っているのではないかと思うが、彼が何も言おうとしないので、弾もあえて訊かずにいる。

「で、どうするんですか、野谷さんは」飲もうと誘ったのは光太郎なのに、彼が何も言い出さないので弾が訊いた。うずらの卵の入った大根おろしが目の前に置かれる。

「おれはね」言ったきり黙り、光太郎は卵をくずし、大根おろしをかき混ぜている。焼鳥はまだきていないのに、醤油を落として食べはじめる。「気分を害さないでほしいんだけど、おれは独自で取材を続けようかと思うんだ。もちろんきみたちに迷惑がかかるようなことはなんにもしない」

背後で笑い声が起きる。光太郎は大根おろしを食べ続け、結局ぜんぶたいらげてしまう。

「それって、焼鳥につけて食べるものなんじゃないんですか？　もうひとつ、もらいましょうか」思わず弾が言うと、光太郎は目を丸くする。

「えっ、これ、お通しじゃないの？　おれ今までずっとそう思ってたけど」

「ぼくはずっと、焼鳥といっしょに食べるものかと……」

「ちょっと、にいさん」光太郎が店員を呼び止める。「そもそもこれってなんのためにあるの？」

「ああ、口なおしですけど。おかわりお持ちします？」まだ若い店員は言い、光太郎と弾は顔を見合わせて、笑う。弾は理解してしまう。独自に取材を続けるという彼の気持ちを。

「はじめちゃったら、そうせずにはいられないってことですよね」弾は独り言のようにつぶやく。

「ああ？　ああ、取材のことか」

「今の大根おろし、ぼくだったらべつに、どっちでもいいやで終わらせるけど、野谷さんは訊いて確かめずにいられないんだなって思って」

「そんなたいそうなことじゃないよ」光太郎は決まり悪そうに言い、新しく出された大根おろしをまたかきまわしている。焼鳥の盛り合わせが運ばれてくる。弾はビールを、光太郎は焼酎をおかわりする。

「おれのほうからきみたちに何か訊いたりすることはないから、安心していい。軽井沢にかつてあったクリニックの実態を書きたいわけじゃない。おれはさ、ライター時代に思い知ったことがあるんだ。だれかを傷つけるために言葉を使っちゃ、ぜったいにいけないんだ。だれかを傷つけるために刃物を使っちゃいけないのと、それはまったくおんなじにさ。だから、きみたちのだれをも傷つけない。最大限の配慮をする。ただ、ほら、わかんないこともあるだろ。何がだれをどう傷つけるか。だから、もしきみがいやじゃなければ、構想がまとまった時点で相談にのってほしいんだ。それは書かないほうがいい、あんたはちっともわかってないって。樹里さんはおれの書いたものはいっさい読まないって言っていたから、きみだって不快かもしれないとは思いつつ……」

「いいですよ」弾は答えた。「かまわないです。ぼくは勝手に、野谷さんのこと、年上の友だちって思っているんで、いつでも呼んでください。焼鳥おごってもらえばそれでいいです」言ってから、弾はばつの悪い思いをする。味わい慣れた感覚だ。どう言えば人が喜ぶか、どうふるまえば人が賞賛するか、子どものころから知っていた。

あのキャンプは、それをしなくていい唯一の場所だったことをふと、思い出す。「じつのところ、ぼくも知りたいんです。自分が何を不快に感じるのか」それで、弾は本音を漏らす。少し考え、続ける。

「ぼくね、野谷さん、女の人とちゃんとつきあったこと、ないんですよ。友だちも、いつもいるにはいるけど、持続してつきあってるやつはいません。ぼくは人当たりがいいし、そこそこ金も持ってるから、学生時代だって就職してからだって、男女問わず人は近づいてきます。でも、一定の距離がある。でもずっとそうだから、そうでない関係というのが、うまく想像できない」

今度はタレのかかった焼鳥が運ばれてくる。光太郎はモツ煮や冷や奴を追加注文する。陽気な話し声と、笑い声と、注文をくり返す店員の声が、白い煙に混じり合って渦巻いているが、不思議と静かだと話しながら弾は思う。

「親から話を聞いたとき、ぼくはほっとしたんです。捨て子だったんじゃないかって、なんとなく思っていたから。だから、じつはびっくりした。父親に会いたいとか会いたくないとか口論している彼らに。ぼくはね、野谷さん、あなたに会ってろくでもないドナーまがいの話を聞いたときも、そういうこともあるかもな、と思ったんです。学歴詐称。借金持ち。筋肉馬鹿。病歴詐称だけはないと信じたいですけど。いや、まともな人間だったとしても、その生物学的父親が、実際の父親よりすぐれた、あくまで主観ですけど、尊敬できる人だとは到底思えないんで、ジュリーのように強く拒絶することもなかったし……」

光太郎は黙って話を聞いている。タレの滴る鳥皮を一本食べ、ビールを飲み、その短いあいだ弾は考え、そして思いきって訊く。「ぼくはどこか欠落していると思いますか。その欠落は、ぼくの出自に関係していると思いますか。思わないまでも、もし、野谷さんがこのことを書くとしたら、ぼくのような人間をある欠落を持った人間として書きますか」

光太郎は腕組みをして、テーブルの上の焼鳥をじっと眺めている。いきなり手をのばして七味唐辛子をふりかけ、豪快にねぎまにかぶりつく。何を訊いているんだと、訊いたそばから弾はおかしくなる。神さまでもないし精神科医でもない、ただの作家にそんなことを訊いて、何がわかる。きっと彼は言うのだろう、欠落なんてしていないさ。あるいは、だれだって欠落しているさ。あたりさわりのない、こちらを不当に傷つけない、スムーズに会話の進む言葉を。

「大根おろし」と、空になった二皿目を割り箸で指し、光太郎はつぶやいた。おかわりをするのかと思ったが、続ける。「さっききみは、焼鳥といっしょに食べるものだと言った。おれはお通しだと思ってた。どっちも微妙に違った。でも、どっちも間違ってない。ってことはさ、この大根おろしには二つの運命があるわけだ」

「運命って」弾は思わずふきだした。

「もしさ、きみがいなければ、大根おろしにもうひとつの運命はないわけだよ。きみが見るもの、きみが触るもの、きみが味わうもの、ぜんぶ人と違う。きれいごと言ってるんじゃなくてさ、事実。聖職者には彼の世界があって、犯罪者にだって彼の世界がある。ぜんぶ違うから、面倒もあれば悲劇もある。きみがいなければ、きみの見る世界はなかった。それだけのこと。大根おろしは焼鳥といっしょに食うものではなかった。それだけの話だよ。女とつきあえない、友人関係が持続しない。だれの世界とくらべて欠落なんだ？　大根なんか、どうやって食ったっていいんだよ」

光太郎の言うことはわかるようでわからないようで、煙に巻かれた気がしたが、それでも、この作家は、おためごかしでも無責任なぐさめでもないことを伝えようとしている、それだけは弾にはわかった。

「あの、波留って子の歌を聴いたことがあるか」光太郎が訊き、弾は首をふった。若い人に人気のある歌手だということは知っているが、彼女の活動や作品に興味はなかった。「聴いてみな。それで、さがしたらいい。きみの言う欠落とやらを。きみの論理なら、あの子だってそれを抱えているはずだろ」

弾はグラスに残ったビールを飲み干す。波留の歌を聴いてみたいと、今言われたからではなく、唐突に、腹の奥をしぼるように思った。どうして今まで興味を持たないでいられたのか、不思議に思えた。

8

実際に排卵誘発剤を投与するかどうかは、排卵や卵管、ホルモンなどのいくつかの検査を受けてからのことになる。樹里の仕事はフリーランスだとはいえ、今日思い立っていきなり仕事量を減らすことはできない。今からくる仕事を断っても、充分な休養時間が得られるのは一年か、一年半先になる。そんなわけで、通院と仕事の両立で、いきなり樹里はあわただしくなった。

敦が気遣ってくれているのがわかるし、夕食が外食になってもいやな顔ひとつしないのは助かった。検査で疲れていれば、進んで洗濯もやってくれるし掃除機もかける。友人の多くが言うように、本当に敦はできた夫なのだ。「だけどなんだか苛々するときもある」樹里は、母と並んで歩きながら、言う。「あの人が検査でなんの問題もなかったのはわかるけど、でも、私ひとりだけたいへんなような気がするし。それに家事を手伝ってくれるといっても、結局家にいるのは私だもの」自分の言うことが、正しい主張でないことはわかっている。ただ、愚痴を言いたいだけだということも。わかっていて口に出せることに、樹里は深い安堵を覚える。

道沿いに植わる木々の緑は濃く、深く、その隙間からのぞく空は薄い青だ。少し前まで、実家の近所のこの道は桜で淡いピンク一色だった。

「ま、でも、あんたが決めたことなんだしね。これから敦さんだってたいへんになるんだから」

「そうだけどさ」樹里は、隣を歩く母親の、若い日を思い描く。父と幾度も話し、理想と希望を摺り合わせ、そして未来へ足を踏み出そうとした母を。果たしてその未来に、彼女を幸福にするすべては揃っていたのだろうか。手に入れたものより、手放したもののほうが明らかに多いのに。夫、父、それから母親。もしかしたら、やりたかったこと。「おかあさんも、自分で決めたんだからって思えば、ま、しょうがないか、と思って平気でなんでも引き受けられたの？」

今日は検査も診察もなく、久しぶりに時間ができた。とくに何を話したいわけでもなかったが、樹里は母親を呼び出して実家近くの喫茶店でお茶を飲み、こうして公園を歩いている。

「そんなことはないけど、でも、今、私がいっしょになって敦さんの悪口を言うのもへんじゃない」

気持ちを奮い立たせてした告白を、とくべつなことではないと敦が言ったときのことを樹里は思い出す。そう言うしかないだろうと、今なら思う。彼は彼なりに驚いたのだろうし、なんと言っていいかわからず、わからないながら、懸命な気遣いをした。そこまでわかっていても、やはり樹里はその言葉に落胆する。きっとこの先、幾度も思い出してはささやかに落胆をくり返すのではないかとも思う。彼と自分はこんなにも違うのだとそのたび思い知って。そのことを、樹里は母には言わない。うまく言える自信がない。静と会ったのちに、父と会おうと車窓の海を見て唐突に決めたことを樹里は思い出す。母に訊くと、母は賛成も反対もせず、ただ、連絡先を教えてくれた。

父と会って、樹里は正直、落胆した。父の言葉に嘘はないと思ったし、自分なんかを相手に、ぎりぎりまでの誠実で向かい合ってくれることはわかった。劣等感について話してくれる大人の男など、樹里ははじめて見た。

けれど彼は父ではなかった。父を「やめた」人だった。そのことに落胆した。そればかりではなかった。樹里には母にも、今まで感じたことのない落胆を覚えていた。母は樹里にとって、強くてやさしい、揺らぎのない母だった。けれど父の話の向こうに垣間見える母は、樹里には理解不能だった。強さは強情に思え、子へのやさしさは夫への残酷に思え、揺らぎのなさは意地に思えた。見知らぬ第三者に頼っても子をほしいと願い、実の両親から勘当されてもその決意を変えず、夫を傷つけていると知りながら「子どものため」を優先した母は、知らない種類の女であり、たぶんその女のことを、自分は理解できないだろうと樹里は思った。そのことに落胆したのである。駅で別れ、みなとみらい線に揺られて、軽い酔いのなか、樹里は考えた。

じゃあ、会わなければよかった？　会おうなんて決めなければよかった？

答えは否だった。父に会っていなければ、今、この落胆さえも手に入っていなかったのだと樹里は思った。母へのそれも含めて。

そしてその落胆は、敦の言葉への落胆とどこか似ていた。

彼に、自身の出自のことを話さなければその落胆はなかったろう。そう、落胆すら、手に入らなかったのだ、話そうとしなければ。向き合おうとしなければ。

母は――そうして樹里は気づいた、父も母も、そうだったのだと。

私を落胆させるだろうと承知しながら、遅すぎることを充分承知しながら、でも、話すことを、向き合うことを、選んだ。

理解できないという落胆の先に、もしかしたら、それよりはるかに強い何かがあるのではないか。だから私たちは、向き合い、話そうとするのではないか。

そう思ったとき、樹里は決めたのだった。私は子どもを産む。産む努力をする。そう決めてみれば、もうずっと前、弾や波留ときみ子に会いにいこうと思ったときには、とうにそう決めていたようにも思えた。

自動販売機であたたかいコーヒーを買い、どちらからともなく空いているベンチに腰掛ける。

「みんなは元気？　弾くんや、サーちゃんや……」言いづらそうに母が言う。自分たちの再会を母親がどう思っているのか、樹里は想像することもできない。

「サーちゃんがこないだうちにきた。それでね」樹里は少し迷う。悪口や陰口を母は好まない。「おねえさんなんだから」と、ひとりっ子の樹里に幾度も言った。まるで本当にきょうだいがいるかのように。今自分が言おうとしているのは、陰口だろうか。いや、きっと違うと結論づけ、樹里は口を開く。「私が、子どもができなくて悩んでいるって言ったら、あなたは生まれてきてよかったと思っているんだねと言うの。自分はそう思ったことはないから、子どもはいらないんだって。おかあさんはさ、どうして子どもをほしいと思ったの？　自分がしあわせで、生まれてきたことに感謝していて、だから生まれてくる子にも同じ思いをさせたいと思った？」

「まさか」母は空を仰ぐようにして笑った。母がそんなに高らかに笑うと思わなかった樹里は、面食らって母を見る。「そんなこと思う人、世のなかにいる？　いや、いるかもしれないわね。いろんな人がいるから。でも私はそんなこと思わなかった。ただほしかった。産めないんじゃないかって思ったとたん、猛烈にほしくなった。私が若かったときは、今ほど女性は自由じゃなかった。結婚するのが、子ども産むのがふつうって親には教えられてきたし、私も自分で考える前になんとなくそう思ってた。母親になってみたいというのもあったし」

目の前を通る人が途絶え、ふと時間が止まったような錯覚を樹里は覚える。けれど足元で、レース模様に似た木の陰が静かに動いている。

「一度も後悔したことなかったの」樹里は訊く。訊いてから、本当に訊きたいのは、この先私は何があっても後悔しないのか、ということだと気づく。そんなこと、だれにもわかりはしないのに。

「後悔ってあなたを産んだことを?」母は言い、目を細めて空を仰ぐ。「無敵の気分って、わかる? あなたさ、不妊治療のこと、敦さんに話したとき、無敵の気分じゃなかった? こうしたいんだ、だからするんだ、するって決めたらできるんだ、って。私はそうだった。生まれたのがあなたでも、あなたでなくても、後悔なんかしなかった。後悔しているただひとつのことは」樹里は母を見る。母は顔を陽にさらしたまま、言う。「しあわせを見くびっていたことかな」樹里に視線を移して母は微笑んだ。「私とあなたのパパは、クリニックで、さまざまな情報を見るうちに、よりいい学校を、よりいい容姿を、よりいい暮らしを、よりいい収入を、って気持ちになっちゃった。それが、生まれてくる子に対するせいいっぱいの善きことだと思いこんだ。

でも、私たちはあなどってたのよね。生まれてくる子にあげられるものは、しあわせの保証っていうのは、そんな『条件』ではなかった。若かったから、気づかなかったの。そのことがあとで自分たちを追いつめるなんて思わなかった」

「でも条件のいいものと悪いものがあれば、いいほうを選ぶでしょう、だれしも」

「そうね。でも重要なのはそこじゃない。善きことは、その子が生まれてからじゃないと与えられない。だってその子は私たちと違う世界を生まれたときから持っていて、その世界では何がしあわせか、わからないでしょう」

さっきは頭上近くにあった太陽が、目の前の木にかかっている。そこだけ葉が金色に輝いている。笑っているようでも、怒っているようでもある。樹里が父と会ったことを知っていて、母は何も訊かない。だから樹里も話していなかった。それでいいのだろうと思っていた。

「波留ちゃんの歌、聴いたわ」母は言った。「あのキャンプ、最後は大人たちが険悪なまま終わったでしょ。母親たちはとにかく不安をだれかと共有したくて、父親や夫婦のことを考えるより、そっちを優先したりもした。会うことのないドナーに夢見るように恋して、その理想像とキャンプにきている男親を重ね合わせる人もいた。私は碧さんたちがねたましいくらいうらやましかったし。途中で、ドナー情報はでっち上げだったかもしれないって噂が流れて、みんなパニックになった。キャンプなんかはじめなければよかったのかもしれないって、正直、幾度か思った。そしたらパパと離婚しなかったかもしれないし、って。でも、波留ちゃんの歌を聴いて、よかったって私は思った。馬鹿な親たちだったかもしれないけど、でも、何かひとつは与えられたんだって。あの子の歌は、そう思わせてくれる力がある。ねえ樹里、はじめたら、もうずっと終わらないの。そうしてもうあなたははじめたんでしょ。決めたときにはもう、はじまってる。悩んでる場合じゃないわよ」

樹里は、太陽をのみこんだような木々を眺める。そうしてふいに、見る。輪郭のすっかり淡くなった父親の姿を。まだ若い彼は病院の簡素な待合室に座っている。窓の外、生い茂る葉に光を受けて、ちらちら瞬く木々を放心して見つめている。その姿を、樹里はくっきりと見る。見るばかりでない、ぽかんと口を開け窓を見ている彼が、考えていることまで、手に取るようにわかる。おい、涼子、知らなかったな、この子が生まれてくるのは、こんなにも美しい場所だったのか。樹里。名を思いついて、父は立ち上がり、ちいさく飛び跳ねる。樹里。そうだ、樹里。幾度も胸の内で叫ぶ。その声なき声まで、樹里には聞こえる。

とくに変化はありませんね、悪化の兆しもないです。医師にそう言われるたび、波留は安堵する一方で、まだこの先だと怯えもする。それは「いつか」やってくる。その「いつか」は今ではないというだけで、いつやってくるかわからないと不当に脅されている気になるのだ。

9

その日、病院にいってからスタジオにこもり、六時にやってきた須藤と事務所の真鍋奈美絵とともに、波留は事務所近くの飲み屋で軽く飲んだ。病院にいったあとは、波留はいつもより陽気になる。ひっきりなしにしゃべり、笑い、人の話につっこんでいないと、打ち明けてしまいそうになる。打ち明けたら、もうひとりで立つことができなくなるような気がする。

九時にお開きになる。帰ろうとする波留を「あっ、ごめーん」奈美絵が呼び止める。「来年の日程の確認、事務所でしてってくんない？」

「なんだ、今すればよかったじゃん。馬鹿話ばっかしてないで」

「ごめん！　あんたの話おかしくて忘れちゃったよ。明日までにフィクスしなきゃいけないことがいくつかあって。剛もいるし。須藤ちゃんは今日はもう終わってだいじょうぶ。お疲れね」

須藤と別れ、波留は奈美絵と並んで歩く。事務所までは五分とかからない。少し酔ったらしい奈美絵は、独立してよかっただの、どのくらい今まで搾取されていたかだの、酔うといつもはじめる話をつぶやきはじめ、聞き飽きてはいるけれど、もう弾丸のように話さなくていいことに波留はほっとする。

事務所の集合ポストで、ぬっと二人の人影があらわれたとき、殺されるととっさに波留は思った。へんな手紙を寄こすいきすぎたファンに殺される、と。同じことを思ったのか、奈美絵は鼓膜が痺《しび》れるような黄色い声をあげた。

「突然ごめんなさい」奈美絵の悲鳴がやむのを待ってそう言ったのは、紗有美だった。

「待ち伏せなんてよくないって言ったんだけど」その隣でふてくされたように言うのは、雄一郎である。

「なんなの、なんなのあんたたちっ」奈美絵がまだ裏返った大声で叫ぶ。

「知り合いです」波留は奈美絵の背を撫でながら、言った。「知り合いだからだいじょうぶ」

打ち合わせがすむまで、雄一郎と紗有美には、事務所の一室で待ってもらうことにした。近くには深夜営業の飲み屋も喫茶店もあるが、波留はくだけた雰囲気で彼らと話したくなかった。打ち合わせのあとここで少し話して、早々に帰ってもらおうと思っていた。

十時過ぎ、打ち合わせを終え、社長の剛と妻の奈美絵は帰っていった。だいじょうぶ？　と、奈美絵は二人をちらちら見ながら波留に訊いた。平気です、知り合いですから。波留は笑った。

マンションの、リビングルームにあたる部屋のソファで、波留は二人と向かい合った。いつも取材を受ける部屋だ。お茶を出すこともせず、「どうしたの、いったい」波留は素っ気なく訊いた。父親をさがすことを諦めると決めてから、波留はもう、この人たちと会うことはないのだろうと思っていた。だって、もう用がない。

「なんか、みんな私たちに隠して何かこそこそやっているから、何がどうなっているか教えてもらいにきたの」紗有美が言う。「作家の人が、私たちをもとに何か書くんでしょ？　それで、波留はそれに賛成しているんでしょ？　それってどういうこと？　その作家の人と二人で、これから何か調べていくの？」

「弾の携帯はこのごろずっと留守電で、賢人は何も知らないって言うし……波留にその作家云々のことを訊きたいってこの人が言うんだけど、連絡先、ここしか知らないから」雄一郎が言う。

「それを訊くためだけにきたの？」そんなことかと波留は呆れる。「賢人に父親をさがしたいって訊かれなかった？　さがしたいと答えたの？」訊くと、紗有美は首を横にふる。「じゃ、そこで終わりじゃない。もしさがしたいのならその作家に連絡して、どうしたらいいのか訊いてみたら？　連絡先教えようか？」

「どうしたらいいって、どういうこと？」紗有美が訊き、波留はかすかに苛立つ。この人たち、自分でも何を知りたいかわかっていないんだ、と波留は思う。生物学的父親のことか、クリニックのことか。何を知りたいかわからないから、何をしていいのかわからず、それなのに、何か知りたい、何かしたいと焦っている。ならば自分で動くしかないのに、だれかが何かをしてくれると信じて疑っていない。

「あのね、言っておくけど、その作家もほかのだれかも、何もしてくれないよ。あんたがほしいものを勝手に持ってきてはくれないし、ただ待っていても向こうからはやってこない」

「そんなこと、私何も言ってない」紗有美もかちんときたのだろう、尖った声を出す。

「波留が、自分の名前を出して作家と父親さがしをするっていうのは、じゃ、何か間違って伝わったんだね」二人を交互に見ていた雄一郎が口を開いた。波留は彼を見る。

「本当だよ。でも、やめた」

「どうして？」紗有美が訊く。

こんな人たち、今までたくさん見てきた。ものほしげで、他人まかせで、超能力もないのにテレパシーで相手が動いてくれるって思ってる。ほしいものが手に入らないと、人のせいにして、地団駄踏んで怒って泣いてくやしがる。それなのにまだ、自分の足では動き出さない。そういうやつにかぎって言うんだ、halってコネでデビューしたんでしょ。halって実力ないのにソコソコ売れてるのは顔出さないって作戦だよね。もう終わりだろうね、halなんて。ほしいものを得るために、他人が歯を食いしばってがんばっているなんて、思いもしない。そうしなければ手に入らないんだって、知りもしない。

本当のことを言ってやろうかと波留は思いつく。

「どうしてか、知りたいの?」波留はゆったりと笑って、ポケットから煙草を出した。

「知りたい。何かあったの」紗有美がまっすぐ波留を見て、訊く。

あのね。私が会ったのはたったひとり。でもそのたったひとりで充分だった。知っている? クリニックは途中から、ドナーの身元や職歴、学歴なんて、どうでもよくなったの。ぜんぶ自己申告。そんなところにまともな人間がやってくる? 嘘つきばっかりに決まってるじゃん。嘘つきで、金ほしさのやつばっかり。

それでも私はいいと思ってた。東大卒ですって嘘ついたって、べつにだれも傷つかない。もしお金に困っていて、それで三万円高くなるんだったら、そうする気持ちもわかる。嘘つきで金ほしさだとしても、その人たちがやったのは泥棒じゃない。強盗でも殺人でもない。どうしても子どもがほしくて、でもできない人たちのために役立とうと、どんな嘘つきの金ほしさでも、そう思ったんだ、だからいいじゃないかって思ってた。でもねサーちゃん、ユウ。

私が会ったのはたったひとり。最低のやつ。変態だったよ。誇大妄想狂。ものほしげで、他人まかせにして生きてきたのに違いない人。あの気持ち悪い、整った顔。若いときときっともてたんだ。それでいい気になって、天狗になって、ある日気づいたらだれにも相手にされなくなってた。もっとすごい人になるはずだったのに、気がつけばなんにも持ってない。自分が持とうとしなかったからじゃなく、だれかに勝手に奪われた。そう信じてる馬鹿。その馬鹿が考えたのは、世界じゅうに自分の精子をまき散らすこと。自分の子孫が全国に、海外にもいると思って、にやにや笑ってるに違いない。

それ、復讐だよね。自分から何もせずぜんぶ人のせいにしてきた男が、最後まで人のせいにしたくて、考えに考えた世界への復讐だよ。そんな人間がいると知って私はショックだった。私だって聖人じゃない、善人だって言い切れない、でも、あんな濃くて暗い闇を心に持った人には、そうそう会えるものじゃないと思った。

ちらりと光景がよぎる。不安げについてくるサーちゃん。川に飛びこんで笑う雄一郎。こっそりコーヒーを飲んで、声をひそめて笑い合った夜。一瞬、部屋が暗くなった気がして、波留は天井を見上げる。紗有美と雄一郎もつられて上を見、波留はごまかすように煙草を深く吸いこんだ。

ねえ、あれがあんたたちの、ううん、私たちの父親って可能性もあるんだよ。野谷さんはガセだって言ったけど、本当の可能性だってある。呼び出せば喜んで出てくるよ。あなたの子かもしれないって告白すれば、抱きしめて喜んでくれるよ。復讐が実ったって。どう、会う？

「知りたいなら教えてあげる」煙草の煙を二人に向かって吹き出し、波留は話しはじめる。

「たしかに私は最初、野谷さんと父親さがしをするつもりだった。そうしないといけない理由が私にはあるの。目がね、どんどん見えなくなる病気なんだ、私。遺伝性のものらしいから、もし、父方に同じ病気の人がいれば、進行具合がどうだったか、どんな治療をしたか、知ることができる。それで、自分の名前を利用してもさがそうと決めたの。でも、やめた」

波留は煙草を灰皿で揉み消し、新しい一本に火をつけて吸いこむ。紗有美と雄一郎は、瞬きもせずまっすぐ波留を見つめている。私と同じく、父を知らない人たち。

「どうしてかっていうとね、野谷さんがさがし出してきた、元ドナーのひとりと会ったからだよ」

声を発さずとも二人が驚くのが、微細な空気の揺れでわかる。意識しているかどうかはわからない、でも彼らが、焦がれるように知りたいと思っていることが、波留には伝わる。私だってそうだった。病気のことがいちばん大きい。でもそれだけじゃない。もっと違う理由で、父という人を知りたいと思っていた。大きい人？　太った人？　やさしい人？　すてきな人？　写真の「パパ」と、どう違う？

「もちろんその人が生物学的な私やあんたたちの親である可能性は、ゼロに近いくらい低いと思うよ。でもゼロではない。だって、元ドナーなんだもの」

「どんな」かすれた声を出したのは雄一郎で、「どんな人だった？」あとを引き受けるように紗有美がちいさな声を出す。弱虫で、泣き虫で、仲間はずれにされることがこわかったサーちゃん。

どんな人だったか？　最低の、頭のねじのいかれた――こみあげる吐き気を波留はこらえ、誤魔化すように煙草を吸いこみ、二人を交互に見据えて、口を開く。

「ふつうの人だった」結婚式をやったな。誓いのキスまでしたんだ、ちっちゃい新郎と新婦が。親たちが出かけて留守だったとき、みんなでこっそりコーヒーを飲んだ。ジュリーがメグ。私がジョー。ベスはサーちゃん、末っ子のエイミーはノンちゃん、だった、たしか。「ふつうの、そうだね、まあ、紳士的な人ではあったよ。当時四十代だったって言っていたから、今は七十歳を過ぎているはずだけれど、年よりは若く見えた。物腰がやわらかで、私の質問にもていねいに答えてくれた。やっぱり私が知りたかったのは、どうしてドナーになろうと思ったかってこと。その人はね」

波留は視線を泳がせる。壁には去年のツアー時のポスターが貼ってある。壁沿いには物販の入った段ボール箱が積み上げられている。半分ブラインドの巻き上げられている窓の外は、べったりと暗い。波留はしばらく、言葉をさがす。

「妹さんがね、子どもの産めない体質の人だったんだって。彼女がずっと悩んでいるのを見てきたから、子どもがほしいのに持てない人たちの悩みが、他人事とは思えなかったんだって。たまたまテレビでクリニックのことを知って、そうか、産めない原因は女性だけのものともかぎらないのかとはじめて気づいた。院長が言っていたことに、彼も賛同したんだって。つまり、私たちの生が平等なんてことはあり得ないけれど、でも、いのちだけは平等だ、生まれて、そして死ぬ、それだけはぜったいに平等なんだ。それに強く賛同した。それで、何か役にたてないかと思った。それにあたって彼は、まず奥さんと話をした」

言葉を切ると、つばを飲みこむ、やけに大きな音が響いた。雄一郎か紗有美かわからない。あるいは自分かもしれない。

「父親と母親になりたくてなれない人たちの、力になりたいと思う。でも、それは自分の子どもたちの血縁を作ることにもなる。知らないところに自分と血のつながりがあるだれかが生きていることを、きみはどう思うか。反対ならばやめる。ほかの方法で力になれることはないか、さがす。そんなふうに言った。そうしたら奥さんは」

波留は言葉を切る。指に挟んだまま吸い忘れていた煙草が、根元近くまで燃えている。気づいたとたん、指の第二関節がちりりと熱い。波留はあわてて煙草を揉み消す。奥さんは。心のなかで繰り返しながら、新しい一本をパッケージから抜き取る。

「奥さんは、まったく反対しなかった。むしろ大賛成だった。友人から、不妊に悩んでいる相談を受けたこともあったから。彼がドナーになったのは五回程度。ぜんぶ奥さんがクリニックに付き添ってきてくれたって。そういう制約だから会うことはないけれど、いい子が生まれますように、その子がしあわせであるようにっていつも祈っていたと言ってた。報酬はたしかに出た、でも、そんなものはどうでもよかった。彼にとって、精子を提供することは、たとえば災害地に寄付をするのと同じだった。そこでだれかが困っている。自分にはできることがある。ならば見なかったこと聞かなかったことにはせずに、できることをしよう。それだけの気持ちだったたって。ちなみに、その人は私立の四大を卒業後、システムエンジニアとしてコンピュータ関係の仕事に就いていて、六十歳で退職して、子会社にしばらく勤めて、今はそれも辞めて、奥さんと二人で暮らしてる。夫婦揃って山登りが趣味で、今でも二人で登るんだって」

二人は身動きもせず、波留の話に聞き入っている。話す波留の目に、会ったことのないひとりの男性の姿が浮かび上がる。癖毛の、おだやかな笑顔の、そう、父だ。母が愛した父。癖毛はほとんどが白髪で、顔には無数の皺がある。写真でしか見たことのない彼は、波留とともにきちんと加齢している。いつか夢想したことのある理想の父親よりよほどくっきりとした輪郭を、その初老の男性は持っている。波留はその姿に目を凝らしたまま、言葉を押し出す。

「きみがぼくの子どもである可能性はほとんどないと思う、ってその人は言った。ないと思うけど、でも、うれしい、って。会えてうれしいって。きみが元気で、こんなに立派な大人になって、自分の出自をしっかり受け止めて、どんな理由であれ、会いにきてくれたことは本当にうれしい。いっしょに時間を過ごしたわけではないからぼくらは家族ではない、ぼくはきみの父親ではない、でも、遠くから、きみたちの幸福をいつも祈っていたし、これからもそうだ」

波留。声を聞いたことのない父の声が、ふいに耳をかすめる。波留。こわがることなんかないよ。きみには音がある。見えなくなっても、光を見る方法がある。だから、こわがらなくていい。

最初に覚えた楽器はピアノだった。はじめて自分で曲を作ったのは、最後のキャンプのあとだった。するすると音符が連なって音楽になった。それがうれしくて、その曲を忘れないよう何度も何度も弾いた。弾けるということをだれにともなく自慢したくて、目を閉じて弾いたこともある。目を閉じると自分の奏でる音は必ず光景を見せた。木漏れ日の下、ちかちかと跳ねる水滴。禁止された沢遊びの、あの光と水の光景だ。自分の奏でる音は、光で、水で、笑い声だった。夏で、汗で、草いきれだった。音が光景を見せるんじゃないと、言葉で思ったのではなく、十歳の波留は感じた。光景を、私は音に閉じこめたんだ。

「それでね、私、もういいと思ったんだよ」

波留は確固と思い浮かぶ父の姿から、目の前の二人に視線を戻す。二人はなお、息を詰めるようにして波留を見ている。「その人が父親とはかぎらない。でも、その人はすばらしい人だった。お金目当てでもなんでもなく、シンプルな善意でクリニックにかかわった人だった。そうじゃない人だってたくさんいると思う。でも私が会えた人は、その人だった。それでもういいじゃないか。そう思った。それで、野谷さんに、もういいと言った」

身動きしない紗有美の右目から、水滴がひとつ落ちるのを、波留は見る。なんの涙かはわからない。訊くつもりもなかった。

「目の病気のこと、知りたかったけど、それも、もういいと思った。もし進行しても、私には光を見る方法がある」波留は立ち上がる。二人に退却を促すように、ドアを開ける。「話終わり。もう遅いから、帰ってくれる？　私、明日の朝早いんだ」

二人はぐずぐずと立ち上がる。ドアを押さえた波留の前を通り過ぎるとき、雄一郎がふと足を止める。

「家出した女の子がうちに泊まってさ」うつむいたまま、ぼそぼそとしゃべる。「その子が、波留の歌、すがるようにして聴いてた。そのこと、言いたかったんだ、波留に直接。すがるものがあるって、いいよな」

数歩先に進んだ紗有美が怪訝そうな顔でふり返る。

「それで？」

まだ帰らない気だろうかと、波留はかすかにいらついて先を促す。雄一郎は顔を上げ、困ったように笑い、

「ええと、ありがとうな」

顔を上げて波留の目を見て言い、背を向けた。エレベーターに乗りこむ紗有美と雄一郎は、頼りない子どものように見える。

ドアが閉まり、階数ボタンがゆっくりと下がっていく。1の数字が点灯したのを見届けて、波留はその場にしゃがみこむ。私立大学で、エンジニアで、山登りが趣味で。よくもまあ、そんな嘘がぺらぺらと出たものだ。システムエンジニアがどういう職業かも知らないくせに。波留は笑うために口を開く。けれど開いた口から漏れたの

は、嗚咽だった。

守ったよ。だれに向かって言っているのかわからないまま、波留は言う。ねえ、私、あの二人を守ったよ。きちんとできたよね？　だいじょうぶだよね？　あの子たちはもう、だいじょうぶだよね？　波留は子どものように声を上げて泣く。波留、ありがとうな。雄一郎の声が、肩を抱くような近さで聞こえる。

10

定期的な庭木の手入れは業者に頼んであるが、やはり放置しているままだと敷地も家も荒れるものだと、車を降りて弾は思う。家に入り、まずすべての部屋の、雨戸と窓を開け放つ。芝生はのび、雑草が生え、木々は生い茂っている。植物の繁殖力は暴力的なほどに思える。

窓を開け放ち、ガスと水道の栓をひねり、弾は持参したジャージに着替え、掃除をはじめる。掃除機をかけながら、これが終わったら次は庭、草をむしったら布団を干して、それから買い出しだ、と手順を考える。五月一日の今日から五日間、弾はこの山荘に滞在する。みんながやってくるのは明日。ゴールデンウィークのあいだ、時間がある人は泊まっていってくれと伝えてあるが、実際のところ何人がきて、何人が泊まっていくのか、見当もつかない。事前の連絡をくれたのは樹里だけだ。庭木と同様、二ヵ月に一度の掃除も業者に依頼しているが、丸まった埃の玉はどの部屋にもあった。東京よりずいぶん涼しく、車を降りたときは寒いと感じたくらいだが、掃除機を抱えて二階に上がるときはもうTシャツが汗で背にはりついていた。

ここを買い戻してから一度しかこなかったのは、こわかったからかなと、草をむしりながら弾は考える。でも、何がこわかったんだろう。この山荘にあるのはキャンプの思い出ばかりではない。父と母とよく三人できていた。「もういく機会もそんなにない」というのが、両親がここを売却した理由だが、しかし弾は、彼らにとってここが手放したいほど忌々しいところに変わったのではないかと思っている。そんな封印を解くことがこわかったのだろうか。

実際にこうしてきてみれば、しかし、思ったほどの威力はない。なつかしさはたしかにあるが、次々と思い出があふれてきて戸惑うこともない。雑草を抜き、庭をかんたんに掃き、布団を干してシャワーを浴びる。湯も水も無事に出た。

車で近くの大型スーパーにいき、バーベキュー用の薪や今日明日ぶんの食材、酒類を買って戻り、弾はリビングと続くウッドデッキでビールを飲んだ。陽はだいぶ傾いて、木々が金粉をまき散らされたように橙色に光っている。ホエエ、と高く響く声がする。近所の宗教施設で飼われていた孔雀を思い出す。なんて名前だったっけ。タケシタ？　スガワラ？　なんで名字だったんだろう。知らず、弾は笑っている。門の向こうに人影が見える。赤いボストンバッグが見える。どきっとする。自分が今も子どもであるような錯覚を、一瞬抱く。大人たちはいつもあんなふうにあらわれた。片手にボストンバッグ、片手に子どもの手をとって。やあ、弾くん。ヤッホー弾！　今年もお世話になります。弾、大きくなったね。弾を見つけた大人たちの第一声はいろいろだった。

缶ビールを飲む弾の前に、樹里が立つ。おどけて、言う。

「ヤッホー、弾」

自分に向かって笑いかけているが、まるで樹里は、背後の山荘に挨拶したように弾には見えた。

樹里の作った夕食を挟んで、向き合う。東京では平気だったのに、何やら照れくさく、ワインばかり飲んではつぎ足す。弾が適当に買っておいた食材で、樹里は手際よくスープとサラダを作り、ポテトと人参を添えたステーキを焼いた。

「もっとなつかしいと思ったな。泣いちゃうくらいに」樹里は弾が感じる照れくささを感じているのかいないのか、部屋を見まわして言う。

「家具とか、ぜんぶ違うし。親父たちは売却時に処分しちゃったから、必要最低限のものだけ買い足したんだ」ここにきた一度というのは、それらの受け取りのときだった。

「はじめるって、すごいことだと思わない」ふいに樹里が言う。弾は樹里の、ほとんど減っていないグラスにワインをつぎ足し、続きを待つ。「何かをはじめるって、今まで存在しなかった世界をひとつ作っちゃうくらい、すごいことだなって思う。だってさ、もし私たちの両親が、子どもがほしいって思わなければ、子ども作ろうって決めなければ、私たち、ここにいないんだよ」

たしか、野谷光太郎がそんなことを言っていたなと弾は思う。大根おろしの運命、だったたか。

「それでね、弾の両親が、ここに集まろうと思わなければ、私たち、知り合いでもなんでもなかった。すべて、だれかが何か思ったり、決めたりして、そこから現実が変わっていく。なんかすごいよね」

「でもはじまるのは、いいことばかりじゃないよね。悪いことしようと思う人だっているし、復讐するって決める場合もある。ぼくらだって、会ったことがいいことに分類できるかどうか、人によってさまざまだと思うな」弾は言う。樹里の作ったトマト味のスープは、知らない家のにおいと似ている。

「でもさ、弾、何かをはじめることでできるのは、結果じゃなくて世界なの。いいことだけでできた世界も、悪いことだけでできた世界もないと思わない？」

「なんだか、哲学的になってきたな。なんかあった？」

樹里はワイングラスに口をつけて首をふる。「なんにも。今、思ったことを口に出しただけ」

インターホンが鳴り、弾は驚きのあまりびくりと体をこわばらせて樹里と目を合わす。食卓を離れ、玄関の戸を開けると、眠る子どもを抱いた紀子が立っていた。紀子のわきにはスーツケースと折り畳まれたベビーカーが置いてある。

リビングで、紀子と樹里がそれぞれワイングラスを持って談笑している。キッチンカウンター越しに洗い物をしながら二人を眺め、なんだか幻を見ているようだと弾は思う。どちらも知ってはいるが、しかしやっぱり知らない女性である。知らない背景を持ち、知らない生活を送るだれか。接点はないに等しい。しかも二人の座るソファには、ちいさな子どもまで寝ている。現実味がまったく持てない。なのに警戒心も居心地悪さも感じず、どちらかといえば安堵に似た気分なのは、子どものころの彼女たちを知っているからだろうか。それだけの理由なんだろうか。二人はどう感じているのか、まるで高校生のようなかしましさで「演芸大会があって」「滝にいっちゃだめって」「あの日熱出した子いたよね」などと思い出話を夢中になってすり合わせている。

「何しろ母親が酔っぱらうのなんて見たことなかったから」

「ほんと、最初はこわいのよね、親が酔っている姿なんて。そのうちおかしくなってきて」

「うちなんて、まじめだから、あのときだけだった。羽目外すの」

「いちゃついてる大人もいたよね。なんで子どもって、親がいつもと違うとこわいんだろうね」

弾はいつのまにか耳をすませて彼女たちの会話を拾っている。

「あの人たち、若かったのね」

「うん。今の私たちくらいだったのかな。ぜんぜん、子どもだよね、今思えば」

「悩みもあるし、迷ってるし。不安だし、失敗もする」

「私ね、不妊治療をはじめたの。こないだ、はじめてうまくいきかけたんだけど、でも、だめだった」

樹里は眠る子どもの額を撫でながら言う。弾は驚いて顔を上げるが、紀子は静かな笑顔で樹里の手を見ている。

「そっか。でも、また次がある。だいじょうぶ。無責任に聞こえるかもしれないけど、そうじゃない。私も、仕事もないのにこの子連れて実家に帰って、今、離婚調停中。決めたことなら、なんとかなるんじゃないかって思えて」

「え、そうなの？　ちょっとびっくり」

「私自身がいちばんびっくりよ。でもなんとかしなきゃって思った。それで、なんとかできるって」

「もしかして、無敵な気分？」

「なあに、それ。でも、そうかも。無敵な気分、かも。明日にはまたくよくよするんだけど」

「だって、ぜんぜん子どもなんだもの」

「親と一緒よね」

二人は笑い合っている。弾には笑うような話題には思えないのに、心底たのしそうに互いをつつき合って、笑っている。もしかして、今この瞬間を見るために、この瞬間に立ち会うために、いや、この瞬間を作り出すために、ここを買い戻したのではなかったかと、弾はちらりと思う。

11

みんな、手にはそれぞれグラスや缶ビールを持っている。リビングにあるソファは三人掛けのものしかないので、残りの人は床にそのまま座っている。結局、五月の最初の土曜日、山荘にこなかったのは波留だけだ。どうしても休めない仕事があると波留から聞いて、樹里はｈａｌの公式ホームページをチェックした。五月二日、九州でのライブイベントに参加することをそれで知って、樹里はそこまでしている自分を恥じ、けれど同時に安堵もした。波留はこの集まりを、拒絶したわけではないのだ。

朝、雄一郎と紗有美がいっしょにあらわれた。みんなで近場に昼食を食べにいって、戻ってきたら賢人がきていた。

夜のバーベキューは、さほど盛り上がったというわけでもない。けれど、前に賢人の家に集まったときよりはみんなだいぶうち解けていた。少なくとも樹里はそう思った。建物内部の様子は記憶とはだいぶ違い、なつかしさをまるで感じないことにはじめのうち樹里は戸惑っていたのだけれど、バーベキューをしていたら、いろんなことが自然と思い出された。大人たちの会話や、カレーのにおいや、若かった母の笑い顔が、次々あぶくみたいに浮かんでは、瞬時に消えていった。「しあわせの条件」を生まれてくる子どものために必死になって揃えたと打ち明けた母は、でも、それらとはまるで違う、それらが束になってもかなうことのないしあわせの条件を私にくれたのではなかったかと、その数え切れない記憶のコマを見つめて、樹里はふと思うのだった。

野谷光太郎から預かっているものがあると弾が言ったのは、バーベキューの片づけも終わり、部屋で飲みなおそうかという話になったときだった。光太郎は、今日のために、光彩クリニックでの「かなり信用度の高い」一元ドナーを名乗る人物を独自にさがしだし、インタビューをしたのだと弾は説明した。そのインタビューが録音されているICレコーダーが、本人の許可を取った上で、ゴールデンウィークの直前に弾に届けられたという。

そして今、樹里を含む六人は、ソファテーブルのまわりにあつまり、そこにのったICレコーダーと、小型スピーカーをじっと見ている。だれも聞きたいとは言わなかったが、聞きたくないとも言わなかった。

「でも、この人が父親ってわけじゃないわ」紀子が意を決したように言った。彼女のちいさな娘は、不安そうに彼女を見、今にも泣き出しそうなのを堪えているように、樹里には見える。その姿は、紀子がここにはじめてきたときのことを鮮明に思い出させる。そうだ、泣き出しそうだった紀子は、賢人と並んで絵を描いていた。二人は、互いの体で自分を支えるように、毎年ぴったりと寄り添っていた。

「聞こう」賢人が言う。その一言で空気がぴんとはりつめる。立ち上がって別の部屋にいくべきか、樹里は迷うが、ソファに座ったまま身じろぎせず、弾の手がスイッチを入れるのを見る。

「ええ、そうです。建築設計に携わってます。七〇年代の終わりは学生で」雑音のなかからひび割れた声が聞こえる。不明瞭だが、内容が伝わる程度にははっきり録音されている。「実家は大分のちいさな町で、ろくな援助もしてもらえない苦学生でしたね。ええ、だから、もちろんアルバイトのつもりです。ただ、その、新薬の実験台になるよりは、いえ、はやっていたんです、そういう高額バイトが……ええ、それよりは直接的に人のためになるのかなと。え？　ああ、そうですね、そのことについては深く考えませんでした、というより私は」

咳払い。沈黙。全員が、痛いほど神経を集中させていることが樹里には伝わる。

「明確な考えがあったわけじゃなく、何しろ学生ですから……今言葉にするならば、そういうかたちで協力したとしても、自分の子どもが生まれるとは考えなかった。顔を見て、育てて、ともに過ごした時間を共有することが家族だというような、まあ、そんな思いがあったんです。感覚は寄付と似ていて、こないだ四川で地震あったけれども、それで寄付するとき、それで助かる人の顔など思い浮かべないでしょう。何かに使われるんだろうなという思いがあるきりで。そしてその何かは、きっと悪いことじゃない、完璧に困っている人たちに役立つ何かだと信じて疑わない。

実際は月に何度もできることじゃないので、そんなにはお金になりませんでしたよ。家庭教師もやっていたし、必要なときは日雇い労働も。でも、そうだな、なんというか、自分がそのとき金をもらっていたことのなかで、それがもっとも、意義があるように思えた。何か重要な、やる価値のあることをやっているというような……もちろん自己満足ですよ、それも寄付に似ているのかもしれないですね。私が携わったのは学生時代の後半二年で、七回か八回か、十回はいってないな。え？　ああ、私の場合は嘘は書きませんでした、嘘を書くなんて思い至らなかった」

沈黙。何か訊く、野谷のくぐもった声。

「卒業後は設計事務所に入って、まあ人並みに暮らせるようにはなって、クリニックにもいかなくなりました。じつは忘れていてね。結婚するとき、ええ、三十一のときですが、そういえばと思い出して、打ち明けました。妻はちっとも気にしないと言ってました。ちっとも、というのは嘘でしょうが、まあ、彼女も似たような家族観を持っていたんでしょうね。精子を、失礼、精子を提供することが父になることではないという。子ども？　ええ、ひとりおります。大学中退して、パリに。料理をやりたいそうです。いえ、彼には話してないですね。話すこともないでしょう。彼のきょうだいがいるというわけではありませんから。そういう考えは若いころから変わらないんですね。でも現実的に考えて、ええ、あなたがおっしゃるように、彼が結婚すると言ったときには、打ち明けるかもしれない。生物学的近親者に会う可能性がまったくゼロとは言い切れない。ああ、まったく何も思わないと言えば、嘘になります。でもあれだな、会ったことのない人々の顔や人生を想像するのはむずかしい。突然あらわれすよ。どう生きてきて、どう生きているか、知らない場合、やっぱりそれは他人でたら、そりゃ、びっくりしますね。会いたい、会いたくないというのはないですよ。どう生まれたかじゃなくて、どう生きるか、つまるところそれしかないんじゃないですか。どう生きてきて、どう生きているか、知らない場合、やっぱりそれは他人です。え、後悔？　してませんよ、もちろん」

ぷつりと音声が途絶える。だれも何も言わない。もちろん私たちは知っている、と樹里は自身に言い聞かせるように思う。この人が父親とは限らないと知っている。でももしかしたら、という可能性を、今だれもが考えている。そしてきっと、全員が、とはいわない、でも何人かは私のように安堵しているだろうと樹里は思う。顔も見えない声が、まともな、それこそ目から鱗が落ちるくらいまともな考えをおだやかに話したことに。光太郎を、好奇心と野心だけが中身の作家だと樹里は思っていた。でも、間違っていたような気が今はする。彼はこのテープを私たちに聞かせるために、使える手はぜんぶ使って奔走したのではないか。つまり、この人の言っていることは、光太郎が私たちに伝えたかったことに違いない。すれ違うように知り合っただけの私たちに。

「これ、今日こられなかった波留にもいつか聞かせてあげて」紀子が口を開く。

「だいじょうぶ」紗有美がやけに自信たっぷりに、言う。「だいじょうぶ。波留はもう、知っているから。この人の言っていることを知っているもの。ね」雄一郎に同意を求める。

「うん、でも、聞かせたほうがきっといい」雄一郎はぼんやりとした顔つきで、答える。

「そうするよ」弾はうなずき、場はまた静まり返る。東京より夜はずっと静かなんだと、樹里は気づく。私が成長し、恋をし、仕事をし、結婚し、今に至るまで、ずっとこの山荘はここにあったのだと、はじめて知ることのように樹里は思う。静かに、ひそやかに、子どもたちの笑い声を吸いこんだまま。まるで、海に沈んだ花畑のようだ。ここではいっさいの音のない、枯れることも散ることもない花々が色とりどりに揺れている。キャンプが終わって、私たちはばらばらの人生を歩き出したと樹里はずっと思っていた。キャンプのことは、いくつかの通過した記憶とおなじに、遠のき色あせいつか消えてしまうのだろうと。彼らと再会したのちですらも、そう思っていた。でも、私たちはそれぞれの場所で暮らしながら、今までも、これからも、たとえ会わなくなったとしても、ずっとこの花畑を等しく持ち続けているのかもしれない。いつでも帰れる秘密の場所として。

「今度の六月、結婚式をするんだけど」床に座った賢人が、両手でグラスを弄びながら唐突に口を開く。「よかったらきてください」

「いくわ」間髪入れず言ったのは紀子だった。「ケンの二度目の結婚式、盛大に祝っちゃうわ」

弾が笑い、樹里も笑う。飲もう、と弾が言い、紗有美が台所に向かう。銘々のグラスに新たに酒がつがれ、おめでとうという弾の発声でグラスが合わせられる。金属音が光のようにちらばり、樹里は自分たちの姿に、若く、希望に満ちていた、無敵な気分の母親たちを重ね合わせる。

エピローグ

おとうさんへ。

会ったこともないあなたに、おとうさんと呼びかけるのは抵抗があるし、元ドナーの人が言っていたように何も共有していない私たちは家族とは言い難いけれど、でも、一度だけ、そう呼ばせてください。

昨日、ケンの結婚式がありました。あいにくの雨だったけれど、庭の緑が水滴を受けてきれいでした。ケンのママに久しぶりに会いました。あいかわらずの美人で、なのに、みんなが引いちゃうくらい大泣きして、お化粧がぐちゃぐちゃ。二次会のパーティでは波留が歌いました。ケンと新婦の咲さんのために作った歌だそうです。ケンの友だちや、咲さんの友だちは、本物のｈａｌがきて、しかも歌うってことでびっくりしてた。ちょっと誇らしかったな。

みんなで再会したあと、大きく変わったことはありません。弾はときどき親みたいなメールをくれます。ごはん食ってるかとか。コンカツするんだ、って昨日は何度も言ってて、おかしかった。お金持ちだし、かっこいいし、もてそうなのに、彼女がいないんだって。弾ならすぐできると思うけど。

ノンちゃんは、結婚して子どももいるんだけれど、今、離婚調停中だそうです。ともかく仕事を見つけないと養育権がとりにくくなるからと、就職活動中だそうです。昨日は娘のあゆみちゃんと式にきてました。あゆみちゃんという子を見ていると、忘れていたことをいろいろ思い出してびっくりします。ちっとも覚えていないのに、母親と、涙が出るくらい笑い転げたこととか、ぱっと突然、映像的に思い出すんです。あゆみちゃんが子どものころのノンちゃんにそっくりだから、追体験しちゃうのかもしれません。

それから樹里。私は考えに考えて、DNA検査をいっしょに受けないかって樹里に言ってみました。ゴールデンウィークの、山荘に泊まった次の日です。去年、母親が娘の代理出産するニュースをテレビで見たんだけれど、血縁者ならば、その病院では代理出産を請け負ってくれるということなのかなと思って。もし、私たちがきょうだいだったら、私がジュリーのかわりに子どもを産めないかと考えたんです。こういう考え方、へんに思うかもしれないけれど、でも私たちはそんなふうに父や母の強い意志があったからこそ、生まれてきたわけだから。もちろんきょうだいである可能性なんてすごく低い。でも、ゼロじゃない。

ジュリーは最初、返事をしてくれませんでした。それから音沙汰なしになって、携帯もメールも無視で、怒っているのかなと思いましたが、昨日、ありがとうって言ってくれました。でも、もう少しだけがんばらせて。まだ無敵な気分だから、って。気持ちだけ、ありがとうって笑ってくれて、安心しました。ジュリーの絵はあちこちで見ます。夏には個展をやるんだって。

ユウくんはずっと住んでいた家を出て、都内でひとり暮らしをはじめました。警備会社に就職して、通うのに便利なところに住みたいからと言っていましたが、本当かな。べつの理由があったんじゃないかと思います。家出した女の子たちを泊めるのをいっさいやめようって思ったのかもしれないし、何もかも新しくしたかったのかもしれない。本当のところはわかりません。もしかしたら、いちばん変わったのはユウくんかもしれません。私は頭が悪いから、何がどうってうまく説明できませんが、一億円ある人が一千万円寄付するのと、五百円しかない人が四百円寄付するのと、ぜんぜん違うじゃない？　ユウくんを見ていると、ノンちゃんみたいな変化はないけど、でもだれよりも何かおっきく変わった、もしくは変わろうとしてる、そんな気がするんです。

自分のことはいちばん書きにくいです。なぜなら、私こそなんにも変わっていないから。ユウくんに触発されて、仕事は前より熱心にさがしているんだけど、こんな時代だし……って、時代のせいにしてはいけないんだって波留なら言うな、と最近思うようになりました（笑）。波留は、私が何か言うとぜったいつっかかってきて、なんか感じ悪いってずっと思ってたんだけど、ちょっとわかるようになった。父親がいないとか、おかあさんがだらしないとか、何かひとつ、うまくいかない理由を見つけてしまうと、うまくいかないまま動けなくなってしまう。そして波留は、動かない私に苛ついていたんじゃないかな。こんなふうに思ったのは、じつは昨日のことです。

昨日、波留は、歌う前に「長くなりますが、これからうたう歌の説明を、祝辞がわりにさせてください」と断って、スピーチをしました。こんなスピーチです。

「私がはじめて外国にいったのは、十八歳のとき。卒業旅行で、いき先はパリ。本当は二人でいくはずだったのに、友だちが胃潰瘍で入院してひとりでいくことになりました。夜に空港について、ホテルになんとかたどり着きました。翌日の朝、朝食を食べに出かけて、突然パニックになったの。言葉はわからないし、道もわからない。パン屋で順番はどんどん抜かされるし、ぶつかって舌打ちされたりもした。それですっ飛んでホテルに帰って、思ったんです。ずっとホテルにいようって。

二週間の旅で、マルセイユにいこう、ニースにいこう、レンヌにいこうって考えてたけど、いいや、ホテルにずっと閉じこもっていようって決めました。ホテルの部屋は狭かったけれど快適で、安全だったから。それで、本当にまる二日、ホテルからほとんど出ませんでした。ホテルの一階にあるベーカリーでパン買って、ホテルの隣にあったデリで水やサラダ買って。じつはそんなに退屈じゃなかったんです。テレビもあるし、窓から外を見れば、異国の風景がいつだって見られるし。だから、これだって旅だって開きなおっちゃって。

でも三日目、ふと思ったんです。出ないとここしか知らないなって。すりにも遭わない、迷子にもならない、おなかも減らない、意地悪もされない、困ることもない。でも、それだけ。それが意味することは、もしかしたらこういうこと。友だちになれそうな人にも会わない、胸をふるわせる絵画に出会うこともない、驚くほどおいしいものにも出合わず、親切な人に道案内をしてもらうこともない、わくわくする何にも出合わない。それでね、そのとき、思ったんです。生きていくのに必要な力をくれるのは、前者じゃなく、後者だって。私たちが、今日、こわがらずに家を出ていけるのは、迷子にならない保証や困った事態にならない確信があるからじゃない。何かすてきなことや人にきっと会える、困ったときにきっとだれかが助けてくれる、そう思うことができるから、なんとか今日も明日も、出かけていけるんじゃないか。大げさにいえば、生きていかれるんじゃないか。そして、私は三日目の朝、スーツケースに荷物を詰めこんで、チェックアウトをして、三月のパリの町に出ていった。

結婚って、未婚の私にはまだよくわからないけれど、でも、閉じこもっていた自分の場所から、世界に続く扉をエイヤッて、二人で開けていくことなのかなと思ったんです。これから歌うのは、あのときパリの町に出ていった私が見たすべてのものを詰めこんだ歌。ケンと、美しい花嫁さん、そして花園のような、ちいさくて美しい記憶を共有するみんなに、贈ります」

そう言って、歌いはじめました。本当に、びっくりするくらいきれいな歌。十八歳の波留が、不安に押しつぶされそうになりながらホテルの扉を開けて出ていって、見たり聴いたりふれたりした、美しいもの、かわいいもの、おいしいもの、いとしいもの、やさしい人、おもしろい人、いい香り、すべらかな手触り、そういうものがぜんぶ織りこまれたレースみたいな歌だった。一度しか聴いていないのに、今でもまだ、目を閉じると波留の歌声が聴こえてきます。

ねえ、おとうさん。波留はもしかして、あのスピーチを私にしてくれたのかもしれない。自意識過剰だけど、でも、私、波留に言われたように思ったんです。「サーちゃん、ホテルに閉じこもっているのはもうやめて、そろそろ出ていったら？」って。「そこに居続けたら、明日も、世界も、ずっとこわいまんまだよ。こわくなくしてくれるすばらしいものに、会う機会すらないんだよ」って。

それでねおとうさん、私昨日、思ったんです。もし私がいなければ、あの美しい歌も、すてきな式も、聴けなかったし見られなかった。私がいなければ存在しなかったことになります。だから、私、私がいてよかったってはじめて思った。だって昨日見たものは存在したんだから。だから、あなたにはやっぱり、お礼を言いたい。会ったことのないあなた、私の世界を創ってくれて、ありがとう。おとうさんって、もう二度と呼びません。呼ばなくても、もうだいじょうぶだから。

解説

平松洋子（エッセイスト）

現代における家族の意味を真正面から捉えた、きわめて意欲的かつ衝撃的な長編作である。同時に問いかけられるのは、血縁とは、親子とは、夫婦とは——生きてゆくうえで、誰もが避けては通れない普遍的な主題がいくつもの層を重ね、驚くべき複雑な厚みをなして圧倒される。『空中庭園』『ロック母』『八日目の蟬』など家族を主題にした作品を数多く手がけ、ひとの営みと正面切って向き合ってきた角田光代の凄《すご》みが、まぎれもなく本作には結実している。覚悟をもって言葉を信じ、言葉を手だてにして、先へ、さらに先へ。扉を果敢《かかん》に開いて物語を紡《つむ》いでゆく筆致《ひっち》の、なんと誠実でひたむきなことか。物語の向こうに浮かび上がってくる、無駄を削《そ》ぎ落《お》とし、ひたすらに核心へ突き進んでゆく作家自身の姿に胸を打たれずにはいられない。

物語の幕開け、ユートピアのような空間が提示《ていじ》される。夏がやってくるたび、年に一度だけ別荘のウッドハウスに集まって過ごす七組の家族。年齢の近い子どもたちは、お互いを慕い合い、ここでしか得られない唯一無二《ゆいいつむに》の世界を共有する。しかし、一九九〇年、数年来繰り返されてきたサマーキャンプは突然打ち切られ、七人それぞれの人生を歩んでゆくのだが、しだいに自分たちがかつて経験した夏の記憶の意味を考えはじめる。お互いが糸を手繰り寄せ合い、ひとり、ふたり、再会を果たすうち、様相はミステリアスな空気を孕《はら》んでゆく。

七人の男女は、母親どうしが同じクリニックで不妊治療を受け、AID（非配偶者間人工授精）によって生命を授《さず》かって生まれた子どもだった。AIDとは、夫以外の第三者から精子の提供を受けて子どもを授かる不妊治療のこと。日本では約六十年にわたって行われており、すでに約一万人以上が誕生している。ただし、精子の提供者は匿名《とくめい》のため、子どもは遺伝子上の父親を知ることができない。AIDによって生まれた出自の告知の有無、伝えかたの内容やタイミングなどによっては子どもが精神的な傷を被《こうむ》り、アイデンティティに多大な影響を受ける可能性があることは、社会的な問題として報じられ、波紋を投げかけている。高い関心を集めている不妊治療のなかでも、いぜん不確定要素の多いAIDをどう取り扱うか、それ自体がすでに大きな挑戦であることは間違いない。しかし、きわめてデリケートなテーマでありながら、問題提起や警鐘《けいしょう》にとどまらず、物語世界が普遍的な深みへ到達しているところに角田光代の真骨頂をみる思いがする。

波留《はる》。樹里《じゅり》。紗有美《さゆみ》。紀子《のりこ》。賢人《けんと》。雄一郎《ゆういちろう》。弾《だん》。七人はどんな苦悩に直面しなければならなかったのか。どんな孤独感に苛《さいな》まれることになったのか。まず注目すべきは、その複雑な内面が七つの多面的な視点、三人称によって綿密《めんみつ》に描きだされている点だ。多視点で語ることによって、善悪や価値判断が安易に侵入する余地を封じ、七人七様の人となりと生きかたをあくまでも公正に描きだすための周倒な手法。ひとりずつ確かな人物造形がおこなわれるだけでなく、AIDを選択したおのおのの両親にも入念に目配りがなされ、人間の多面性を描きだすことに成功している。

家族とはなにか。この問いの重さ、困難さを、七人の現在がおのずと物語る。ha1という名前でデビューし、大手レコード会社から独立して新事務所を設立、音楽活動をする波留。二十七歳で結婚、不妊の悩みを抱えるイラストレーター、樹里。母と折り合えず、二十歳からひとりで暮らしながらも自信がなく、後ろ向きの思考から抜け出せない紗有美。夫への怯《おび》えを拭いきれないまま幼い娘を育てる主婦、紀子。最後のサマーキャンプの翌年に父母が離婚、女性との関係に心許なさを覚え続ける広告代理店勤務の賢人。十代で母と父が自分のもとを去って以来、友だちや家出少女が家に入り浸る生活を送る雄一郎。夏の別荘を提供した一家の息子、弾。それぞれが寄る辺ない気持ちを懐に抱えて生きる姿は、まるで社会の縮図《しゅくず》のようでもある。

なかでも重要な役回りは、もっさりとして冴《さ》えない印象の紗有美だ。キャンプに行かなくなってから母は嘘ばかりつくようになり、「あんたがいるから私は再婚しないのよ」と放言する。ネットカフェやコンビニエンスストアを渡り歩き、恋愛経験もなく、手近なアルバイト生活を送る三十歳間近の日々。みんなが再会したときも、「馬鹿な判断をした母親と、金ほしさに精子を絞り出したドナー」に自分の「人生をめちゃくちゃにされた」と口にして同じ立場の雄一郎を呆《あき》れさせ、そのくせ内心では、不幸の度合いを比べてみたりする。つねに負の感情に押し流される紗有美の思考は、しかし、わたしたちみなが抱えている心の暗部とどこかで繋がってはいないか。さらには、生まれてきた子どもは自身の環境を選ぶことができないという理不尽への苛立《いらだ》ちをも代弁しているだろう。じつは、おなじ苛立ちを体現しているのが雄一郎だ。母が家出したのち、父とのふたり暮らしで神経をすり減らしたあげく、中学卒業の日に父が口にした言葉が道を分けた。「あのキャンプ、どういうやつらが集まってたか教えてやろうか」。復讐じみた方法によって出自を知らされた雄一郎の痛み。家出同然の少女たちを無償で部屋に泊めてやる行為は、家族によってもたらされた欠損、つまり家族のぬくもりを希求する幼子を思わせて、なんともせつない。

血のつながりのあるなしから、ひとは逃《のが》れられないのだろうか。遺伝子はアイデンティティの喪失をもたらすのだろうか。七人の内面を通じて、問いはいっそう深められてゆく。たとえば、心療内科に通った経験をもつ賢人。ときおりいわれのない空白にのみこまれる自分の危うさを、母から告げられた出自を理由にして納得した気になる。弾は、ドナーから生まれた自分を「欠落した人間」として捉えずにはいられない。おとなの雄一郎の父にしても、中学生の息子に向かって「おまえ、得意科目はなんだ」と訊き、「おれはな、ユウ、図工も算数も大ッ嫌いだった。おれたち、似てねえな」。息子や夫、つまり男たちの不穏《ふおん》な心中から垣間見えるのは、血のつながりにたいする不安や畏怖《いふ》。子どもを持つという行為における男の関わりの実体の薄さ、弱さが巧みに暗示され、性差の違いを浮き彫りにする。

だからこそというべきか、不妊の悩みを抱える樹里が賢人から事実を知らされ、母に真偽を迫ったときの反応は、目前の霧を払うかのようだ。妊娠がわかった日の記憶を、母は迷いのない言葉で語る。

「(前略)自分が生まれてきたのはこの日を生きるためだったって思ったの。そのくらいうれしかった。でももっともっとうれしいことが待っていた。あなたが生まれたときよ」「(前略)だってあなたは間違いなく私たちの子だもの。私とパパが、子どもがどうしてもほしい、どんな方法でもやっぱりほしいと強く思った時点で、あなたはもう私とパパの子だったの」

母は、AIDで子どもを産むと実家の母に告げると「二度と帰ってきてくれるな」と血縁を否定され、夫の両親からは「あんたが産んでも、うちの孫じゃないんだから」と引導を渡されて、孤立無援《こりつむえん》で出産に臨《のぞ》んだ。そんな背景を樹里が夫に打ち明けると、「とくべつなことではないんじゃない」。数ヵ月のあいだ、ひとりで悶々《もんもん》と抱えていた苦しみを言下に片づけられ、樹里は、夫にたいする違和感が芽生えるのを抑え切れない。みずからの身体機能を稼働させて妊娠、出産をまっとうする女が、ある瞬間、いやおうなく男に抱く距離感。または、真には理解されないだろうというひそかな孤絶感。そもそも子どもを持つことは、男女の性差とその意識の違いを露《あら》わに暴くことでもあるという指摘がこめられて、鋭く、そして苦い。

サマーキャンプがなくなって十九年後、二〇〇九年。あの夏の日々は「天国」ではなかったと知った七人が一同に集まることによって、物語は大きく動く。強い意志によってお互いを呼び戻し合った七人が、さらにドナー探しに目的を見いだしてゆくのは、ある意味で当然のなりゆきだったろう。三十年近く前、クリニックの取材をしていた作家、野谷光太郎《のたにこうたろう》に協力を仰ぐことで、事態は現実味を帯びてゆく。しかし、いくらクリニックの関係者やドナーに会ってみたところで、けっきょくは事実よりも尊いものがあるという普遍的な奔流《ほんりゅう》へ向かうところに、本作のかけがえのなさがある。

後半を牽引《けんいん》してゆくのは、波留と樹里である。ミュージシャンの波留は、一九八二年五月、北海道の産院でひっそりと生まれた。結婚五年めに不慮の事故で夫を亡くした母は、夫以外の男を愛すまいと決意、その手段としてＡＩＤを選択した。シングルマザーを貫く母の強い意志を幼いときから繰り返し聞き、生物学上の父について説明を受けて育ってきた波留には、破綻《はたん》や脆弱《ぜいじゃく》さがなく、自分の足で立って生きる実在感がある。波留は、自身の失明の危険性を探るために会ったひとりのドナーから衝撃を受けるが、そのドナーについて教えてほしいとせがむ紗有美と雄一郎にたいして勇気と友愛をしめす場面は、大きな感動をもたらす。生を受けた確かな実在感を決して手放さぬように。もっとおおきく育て、踏みだすために。羽ばたくために歌うからこそ、halの声はこころの奥まで届く力をもっているのだ。

いっぽう樹里は、知らされた事実をわがこととして不妊の身に受け止め、クリニックの関係者を訪ね、母との対話を深めながら出自の意味を掘り下げてゆく。「一度も後悔したことなかったの」と訊く樹里に、母は全身全霊でこう答える。

「無敵の気分って、わかる？　あなたさ、不妊治療のこと、敦さんに話したとき、無敵の気分じゃなかった？　こうしたいんだ、だからするんだ、するって決めたらできるんだ、って。私はそうだった。生まれたのがあなたでも、あなたでなくても、後悔なんかしなかった。後悔しているただひとつのことは」樹里は母を見る。母は顔を陽にさらしたまま、言う。「しあわせを見くびっていたことかな」樹里に視線を移して母は微笑んだ。「私とあなたのパパは、クリニックで、さまざまな情報を見るうちに、よりいい学校を、よりいい容姿を、よりいい暮らしを、よりいい収入を、って気持ちになっちゃった。それが、生まれてくる子に対するせいいっぱいの善きことだと思いこんだ。でも、私たちはあなどってたのよね。生まれてくる子にあげられるものは、しあわせの保証っていうのは、そんな『条件』ではなかった。若かったから、気づかなかったの。そのことがあとで自分たちを追いつめるなんて思わなかった」

母は続けて「善きことは、その子が生まれてからじゃないと与えられない」「決めたときにはもう、はじまってる。悩んでる場合じゃないわよ」と背中を押し、そして樹里はすべてを受け容れる。「しあわせを見くびっていた」という母の吐露《とろ》がやるせない。そこには、子どもを持てば無条件で家族がつくれるという幻想への異議申し立てがある。家族とは、親子とは、夫婦とは、差し出されたり与えられたりするものではなく、かたちのないところから築いてゆくもの、あらたに創造するもの。むろん、血縁を超えて。物語は、わたしたちの手を引きながら一歩ずつおおきな場所に導き、励ましを与えながら生の称揚にいたる。

締めくくりに置かれた紗有美のモノローグには、生の全肯定があふれ、天空から聖なる光が降り注ぐかのようだ。ひとは、扉を開いて一歩を踏みだしさえすれば、いつでも、何度でも、あらたな世界を獲得できる。こころのなかに在る「ひそやかな花園」は、無垢《むく》なまま、ひたすらまぶしさに充ちて輝かしく、誇らしいのだから。紗有美に降り注ぐ金色の光は、わたしたちをもまた照らしている。

本書は毎日新聞社より二〇一〇年に刊行された
単行本を文庫化したものです。

|著者| 角田光代　1967年神奈川県生まれ。早稲田大学第一文学部卒業。'90年「幸福な遊戯」で海燕新人文学賞を受賞し、デビュー。'96年『まどろむ夜のUFO』で野間文芸新人賞、'98年『ぼくはきみのおにいさん』で坪田譲治文学賞、『キッドナップ・ツアー』で'99年に産経児童出版文化賞フジテレビ賞、2000年に路傍の石文学賞、'03年『空中庭園』で婦人公論文芸賞、'05年『対岸の彼女』で直木賞、'06年『ロック母』で川端康成文学賞、'07年『八日目の蟬』で中央公論文芸賞、'11年『ツリーハウス』で伊藤整文学賞、'12年『紙の月』で柴田錬三郎賞、『かなたの子』で泉鏡花文学賞を受賞。そのほかの著書に『くまちゃん』『私のなかの彼女』など多数。

ひそやかな花園《はなぞの》
角田光代《かくたみつよ》

講談社文庫
定価はカバーに
表示してあります

2014年2月14日第1刷発行

発行者——鈴木　哲
発行所——株式会社　講談社
東京都文京区音羽2-12-21　〒112-8001
電話　出版部（03）5395-3510
　　　販売部（03）5395-5817
　　　業務部（03）5395-3615
Printed in Japan

デザイン—菊地信義
本文データ制作—講談社デジタル製作部
印刷———大日本印刷株式会社
製本———大日本印刷株式会社

ISBN978-4-06-277758-2

講談社文庫刊行の辞

二十一世紀の到来を目睫に望みながら、われわれはいま、人類史上かつて例を見ない巨大な転換期をむかえようとしている。

世界も、日本も、激動の予兆に対する期待とおののきを内に蔵して、未知の時代に歩み入ろうとしている。このときにあたり、創業の人野間清治の「ナショナル・エデュケイター」への志を現代に甦らせようと意図して、われわれはここに古今の文芸作品はいうまでもなく、ひろく人文・社会・自然の諸科学から東西の名著を網羅する、新しい綜合文庫の発刊を決意した。

激動の転換期はまた断絶の時代である。われわれは戦後二十五年間の出版文化のありかたへの深い反省をこめて、この断絶の時代にあえて人間的な持続を求めようとする。いたずらに浮薄な商業主義のあだ花を追い求めることなく、長期にわたって良書に生命をあたえようとつとめるところにしか、今後の出版文化の真の繁栄はあり得ないと信じるからである。

同時にわれわれはこの綜合文庫の刊行を通じて、人文・社会・自然の諸科学が、結局人間の学にほかならないことを立証しようと願っている。かつて知識とは、「汝自身を知る」ことにつきていた。現代社会の瑣末な情報の氾濫のなかから、力強い知識の源泉を掘り起し、技術文明のただなかに、生きた人間の姿を復活させること。それこそわれわれの切なる希求である。

われわれは権威に盲従せず、俗流に媚びることなく、渾然一体となって日本の「草の根」をかたちづくる若く新しい世代の人々に、心をこめてこの新しい綜合文庫をおくり届けたい。それは知識の泉であるとともに感受性のふるさとであり、もっとも有機的に組織され、社会に開かれた万人のための大学をめざしている。大方の支援と協力を衷心より切望してやまない。

一九七一年七月

野間省一